重紫 下

CHONG ZI

蜀客◎作品

凤凰出版传媒集团
江苏文艺出版社
JIANGSU LITERATURE AND ART
PUBLISHING HOUSE

第三卷 来生师徒

　　煞气四散，狂风骤起，吹动白色衣衫，如将死的蝴蝶留在世上最美的舞蹈。

日升月落，春尽秋来，十年一梦，眨眼便已沧海桑田。所谓世事难料，正如天际风云，变幻莫测，仙魔之战永无休止。仙门强盛的背后，魔族亦悄然壮大，作为连通六界的要道——人间大地深受其害。两年前，狐妖潜入两国皇宫，挑起战乱，直杀得横尸遍野，山河惨淡，数万人流离失所，先前好容易恢复的元气又折损殆尽。

不堪苦难折磨的人们，向更强大的力量寻求保护。仙门地位达到空前的高度，其中以南华声名最盛，近年魔族猖狂，幸有重华尊者率仙门合力诛杀，才将九幽魔宫气焰压制下去。

神仙无岁月，守护的只是烟火人间。

对于他们来说，百年亦是弹指而过。二十年前走上南华的那个小乞丐，再无人提起，连同她的所有故事，都已化作浮云清风，在冷清的紫竹峰上孤独飘荡。

若非有背叛师门的罪名，若非那位师父身份特别，她几乎连历史也算不上的。

一半岁月的消磨，一半刻意的遗忘。

眼看又要到南华派广收门徒的日子，附近几个小村镇的客栈早已住得满满的。许多人不辞辛苦，带着子女，背着包袱，自四面八方赶来，等待仙界之门打开。

晚霞飘浮，夕阳斜照，地上两条人影拖得长长的。

男人很年轻，模样温文尔雅，举止却透着成熟男人才有的稳重。女子更年轻，容貌极美，只是穿着身寻常的蓝黑衣裳，脸色有点苍白。

"精神这么差，是不是累了？"语气略显心疼。

"没有，我没事。"

男人抬起手，迟疑了下，最终还是轻轻抚摸她额前秀发，语气温柔，说是恋人，倒更有些像长辈的宠溺与关切，"不要逞强，生老病死并没什么，不该再为我消耗法力。"

女子垂眸，唇角扬起美丽的弧度，单薄的身体不由自主往他怀里靠近些，"几粒丹药而已，哪里消耗了什么法力！"

"水仙，仙凡有别，人间事无须强求。你是修仙之人，还想不明白？"

"那又如何？"

"人之寿数乃天意注定，你借仙力替我延续性命，便是忤逆天意，恐怕……"

女子忽然激动起来，推开他就走，"天意是什么！我对你，还比不上天意对你好？你自己去顺天意，就别管我了！"

男人拉住她，"我不过说句话，怎的发脾气？"

女子倔强地望着他的眼睛，"我就是不让你老，不让你转世，你会忘记我吗？"

男人看着那眼睛，沉默，最终淡淡一笑。

女子咬唇笑，重新倚到他怀里，同时右手悄悄在背后作法。

"师姐！"

"师弟，你来做什么？"

"师父命我办件事，路过这里，听说近日南华派要收新弟子，所以顺道来看看。"

女子点头。

凭空出现的少年说了两句便匆匆离去，旁边男人自然分辨不出那是幻象，望着少年远去的方向问道："是你师弟？"

女子抱着他的手臂，"你总怀疑我骗你，现在知道了吧。"

男人皱眉道："并非怀疑你，只不过你向来任性，经常不见人影，办的什么事又不肯与我说，我有些担心。"

"我这么大的人，有什么好担心的？"

"总是独自出去，不妥，我去修仙助你？"

"你非要来南华，难道就是想入仙门？"女子并无喜悦，反而添了一丝紧张之色，侧目道，"有我的药，何必修仙？再说他们只收小孩子的，你老人家是小孩子么？"

男人看着她半晌，莞尔，"走吧，过去看看，或许还能遇上别的仙门弟子。"

女子点头，走了两步忽然扶额。

男人扶住她，"怎么了？"

"没事，或许有点累。"

"那就回客栈歇息。"

二人转身，顺着来路缓缓往回走，消失在温柔美丽的落日余晖里。

与此同时，百里之外一老一少正在急急赶路，满身风尘。

女孩穿着简单朴素，不过十一二岁，尚未长成，一张小脸却生得极其美艳，加上乌黑秀发，雪白肌肤，足以看出将来的美人模样，此刻脸上满布焦急之色，步伐姿态依旧中规中矩，分明教养极好。她走得原不算慢，可惜同行的老人须发尽白，气喘吁吁，不时要停下来等。

"唉，都是我这把老骨头拖累了你。"

"阿伯莫急，先歇歇，到下个镇或许就能雇到车了。"

家中主人突然病情加重，小主人坚持留下侍奉父亲，不肯离开，直至主人丧事完毕才动身，耽误了许多时日。马车又在半路上出事，原打算重新雇一辆，哪料此去南华，沿途不论马车牛车都早已被人雇走了，故此匆忙。

老人叹气，"天要黑了，这里前不着村后不着店的，还是快些赶路吧，阿伯还跟得上。"

女孩安慰，"不妨事，今晚月亮好，我们可以慢慢走。"

话虽这么说，心里还是着急的。父亲遗命，交代一定要去南华拜师，误了这回就要再等五年，到那时自己早已年过十四，仙门是不会收的。

明月初升，深蓝天幕飘着几片薄薄的云彩。

荒山小道，杂草丛生，时有夜虫低鸣，一股浓浓的黑气悄然飘来。

女孩搀扶着老人，小心翼翼前行。

老人察觉周围气氛不对，警惕地看路旁树林，"好像有什么东西跟着我们。"

女孩惊道："阿伯别吓我。"

莫不是野兽或山贼？老人紧张，停下脚步仔细察看。就在这时，猛然掀起一阵妖风，中间夹杂着数道黑气，会聚成人形，张牙舞爪朝二人扑来。

女孩"啊"了声，"这是什么？"

老人到底见多识广，颤声道："妖怪！是妖魔，快跑！"

渺小的人类哪里逃得出魔的手心！妖魔眨眼间就扑到面前，狂笑声里伴着浓浓的熏鼻的血腥味。

老人立即张臂将她护在身后，"小主人快走！"

"阿伯！"

"阿伯不怕，快走！"

从未经历过这场面，女孩恐惧得直发抖，但她也知道这种时候不该独自逃走，眼见妖魔利爪伸向老人，绝望之际，忽然一道蓝光自背后闪现。

极其美丽的蓝光，清冷，缥缈，比雨后天空更明净。

惨叫声过，黑气逐渐散去，地下只留一片黑血。

女孩惊讶，转身望去。

如练月华，铺成通天大道，一名白衣青年御剑而来，仿佛月中仙人降临。

长眉如刀，目如秋水，冷漠的脸映着蓝莹莹的剑光，英武俊美。他无声落地，声音略显低沉，却很有魅力，"此地竟有血魔作乱！"

老人最先回神，拉起女孩就要下跪道谢。

白衣青年单手扶起他，"前行两里处有一村，可以投宿。"

他二人说话时，女孩只安静地站在旁边，悄悄打量他，心下暗忖，这么高明的法术，必是仙门中人无疑。往常不大出来行走，听爹爹说那些故事，还以为仙长都是老头呢，果真见识太浅……

视线落到长剑上，她更加吃惊。

三色剑穗？

白衣青年似乎察觉到了，斜斜瞟她一眼。

想不到他这么谨慎，女孩慌忙收回视线，垂首。

"魔族出没，夜间不宜赶路。"

"不瞒仙长，老仆是奉我家主人遗命送小主人去南华仙山拜师的，雇不到车，没办法才连夜赶路，哪里想到会遇见妖魔！"老人拭泪，"幸亏有仙长救命，不然老仆死了，有什么脸面去见主人呢？"

白衣青年皱眉，"南华？"

三色剑穗，据说是掌教亲传弟子的标志。女孩原本在怀疑，见他这样，心里更加确定，忙作礼试探，"不知仙长大名，尊师是哪位掌教？"

小小年纪言行老成，大户人家子女向来如此，原不奇怪，只没想到她这么细心。白衣青年有点意外，"南华秦珂，玉晨掌教座下。"

"原来是秦仙长！"女孩又惊又喜。

这位秦珂仙长本是燕王世子，后拜入仙门，成了虞掌教座下关门弟子，是最有名的仙门弟子之一。两年前受命进皇宫斩除作乱狐妖，功在社稷，皇帝为此还亲自上南华嘉赏他，此事更让他在人间声名远播。

她兀自惊喜，秦珂却淡淡道："此去南华尚有百余里路，前面或许还会有妖魔，十分危险，不若就此回去。"

老人迟疑起来。

女孩摇头道："多谢秦仙长好意，此番再危险，我也一定要去南华的。"

秦珂原是顺便试她，闻言微露赞赏之色，自剑穗上扯下一条丝线递与她，"若是因上南华拜师而丢了性命，叫仙门知道，更该惭愧。老人家年迈，赶不得路，恐已来不及，我如今还有要事在身，你既有这样的胆量，不妨先行赶去，此物带在身上，或能保平安。"

老人大喜，"快多谢仙长！"

女孩迟疑，"阿伯，我怎能丢下你？"

老人笑道："阿伯这么大的人怕什么？本来早就有这意思的，只担心你年纪小，一个人上路会出事，现在有仙长送的护身符，就放心了。"

到底爹娘遗命为重，女孩接过剑穗，低声道谢。

秦珂不再多言，御剑离去。

目送他消失，女孩呆呆地望了许久，垂首，"阿伯，若是南华仙长们不肯收我，可要去哪里呢？"

家业尽被叔伯占去，老人亦觉悲凉，安慰道："小主人生得聪明，会读书识字，又知道规矩，怎会选不上？还是先赶路，到前头村里再说吧。"

五年一度的盛事终于到来，结界撤去，南华仙山高高矗立于云端，巍峨壮观。主峰顶一轮红日，霞光万丈，伴随着的悠长的钟声，远隔千里也能听见。

通往仙界的石门外，道路几乎被车马堵塞，无数人翘首以待，或多或少都露出紧张焦急之色。旁边有个简易的铁匠铺，铁锤敲得叮当响，外头架子上挂着几柄打好的粗糙铁剑。

一辆华贵的马车分外引人注目，护送的人马上百，带头的侍卫趾高气扬，不时吆喝驱赶靠近的人群。

"真的是九公主？"

"圣旨上说的，要送九公主入仙门，看这阵势，不是她是谁？"

"真的？"

……

皇家谁也惹不起，人群自觉退得远远的，私下议论纷纷。原来自皇宫出了狐妖之乱，朝廷对此十分重视，对仙门非常推崇，当今皇帝索性将最疼爱的九公主也送来南华拜师了。

"看到什么听到什么都是假的，是仙长在考验你们，记住没有？"

"知道了知道了。"

毕竟这次来的人太多，要拜到有名气的师父不容易，大人们反复叮嘱，听得孩子们直撇嘴。

时辰很快到了，大地震动，石门消失，面前现出一座幽幽山林。

十里外，女孩端着只破碗匆匆赶路，一张小脸上满是泥灰与汗水，黑一块白一块，几乎连五官也难以分辨。原来独自上路第一天就遇到刁难抢劫的，幸亏有秦珂的剑穗护身才没事，为了尽可能不惹人注意，她才想出这法子，扮作小乞丐，总不会有人笨到去打乞丐的主意。

原本不该迟到，可是不知怎的，这几天似乎运气不好，一路上老被蒙骗捉弄，明明往东，问路时人家偏说往西，害她跑了许多冤枉路。

今日南华仙门大开，不能错过，否则就白赶这么多天路了。

前面路口站着个人。

那是个男人，身材较高，披着宽大的黑斗篷，下摆拖垂在地上，却一点儿也不显臃肿，背影修长好看。

不是耕作的村夫怎会独自一个人留在这野地里，没有车马仆人？女孩警觉，下意识想要远离，然而周围再无别人可问路，她只好端着破碗上前试探，"老先生？"

那人转过身。

女孩禁不住倒退一步。

这人似乎很年轻，装束却实在是……与众不同——整个人几乎都裹在黑斗篷里，大半张脸被遮住，唯独露出优雅的尖下巴，线条极美，如玉雕成，肤色有点苍白，像是久不见阳光，透着阴暗邪气的味道。

帽檐压得很低，看不到他的眼睛，可女孩却有种强烈的被人注视的感觉，让她很不舒服，想要尽快结束对话，于是硬着头皮道："公子……"

"我没钱。"古怪的人，古怪的声音。

女孩反应过来，尴尬地丢掉破碗，"我不是问这个。"

他似乎也松了口气，"原来你不是要钱的？"

这一误会，女孩反而不怎么怕他了，忍笑，"公子知道南华怎么走吗？"

"知道，"他略抬下巴，指了指面前两条路，别有种贵族的气质，"左边是南华，右边是山阳。"

女孩规规矩矩道谢，转身就往右边路上走，男人也没多问。

大约半个时辰后，女孩又气急败坏顺着原路回来了。原来前几次被人捉弄，这回她特地留了个心眼，有意朝相反的方向走，哪知道人家并没骗她，右边当真是通往山阳，可谓弄巧成拙。

黑斗篷男人居然还站在原地，一动不动像块石头，要不是大白天，只怕路人还真会将他当成块大石头。

他似乎很疑惑，"我记得你是要去南华的？"

聪明反被聪明误，女孩羞惭，通红着脸掩饰，"方才不慎听错了。"

他没有怀疑，"去南华拜师？"

"是的。"

"我也顺路。"

女孩低低地"哦"了声，不再多话，快步朝前走。

男人的话不多，甚至没有问她的名字来历，无论她走多快，他始终跟在旁边，步态悠闲，像是出来游山玩水的。

女孩偷偷看了他几次，目光最后落到那颗硕大的紫水晶戒指上，顿时心神一荡，脑子开始恍惚，那美丽醉人的光泽就像是个巨大的黑洞，要将人的神志吸进去。

直到那只苍白的左手缩回斗篷里，女孩才回过神，心知被他发现，于是讪讪地主动找话说，"公子贵姓大名?"

"亡月。"

"啊?"

男人认真解释道："死亡的亡，月亮的月。"

名字真奇怪，女孩违心道："公子的名字真……好听。"

"多谢你夸奖，"亡月笑道，"想过拜谁为师了么?"

女孩悄悄握了下手里的剑穗，腼腆道："南华的仙长们肯不肯收我尚未可知，怎敢想这些? 只怕赶不及要去迟了。"

"去迟了才好，你会有个好师父。"

女孩只当他安慰自己，抿嘴一笑。

自此二人不再言语，默默赶路。大约再往前走了一个时辰，日头已高，午时将至，云端遥遥现出南华仙山的影子。

真是仙山! 女孩惊喜，"我到了!"

转脸看，身旁不知何时已空无人影。

孩子们出发多时，山下大道旁车马毛驴已少了一半。南华派选徒向来严格，沿途设了难关考验，许多胆小的孩子都半途折回。大人们无奈，只好带着他们陆续离开，赶往青华等处。剩下的神情既紧张又得意，偶尔再有一两个哭着跑回来，立即便响起一阵叹气声和责骂声。

远远的，一个女孩自大路上跑来，由于低着头看不清面容，穿着又不起眼，人们都没有注意到。

方才已在小溪边洗过，脸上手上都干干净净，女孩尽量将自己淹没在人群里，喘息着，庆幸总算赶到的同时，也在暗暗盘算——仙尊们法力无边，既然有心考验，一举一动必定都落在他们眼里，须步步谨慎才是。

不知道秦仙长回来没有，他收不收徒弟?

无论是谁，都会希望拜个有名的好师父，女孩也并非全无准备，她早已打听过南华四位仙尊。紫竹峰那位最有名，却是不收徒弟的，先就打消妄想；虞掌教座下弟子倒有出息，然而自秦珂之后，他便不再收徒弟了；天机尊者最好说话，拜入他门下也最容易，可惜乱世中，占算卜测之技用处不大，何况听说他待徒弟太宽，不是好事。

思来想去，只剩最严厉的督教闵仙尊，门下弟子个个大有名气，更有首座慕玉仙长，所谓严师出高徒，若能拜在他座下，爹娘想必也会含笑九泉了。

这位仙尊身为督教，执掌教规刑罚，必定性情严厉，注重品行，喜欢谦逊稳重的人，此番要争取入他的眼，定然要比别人更加规矩有礼，切不可冒失。

女孩看看手里的剑穗，也并不抱太大希望。

或许秦仙长已经回来，他既然主动出手相助，可见对自己印象不算太差，倘若闵仙尊他们都不愿收的话，他肯不肯收自己呢？

整理好衣衫，整理好思绪，女孩迈步走出人群，在无数目光的注视下，不急不缓踏入前面山林。

不远处，一道黑影站在大石旁，周围人们却都看不见似的。

黑斗篷下，半边唇角勾起，"回来了。"

南华主峰，数千弟子手执法器立于宽阔的主道旁，场面壮观，气氛庄严。六合殿内，高高的玉阶上，三位仙尊并肩而坐，正是掌教虞度、督教闵云中和天机尊者行玄。阶下两旁，几十名大弟子肃然而立，鸦雀无声。

行玄手执天机册，四下看了看，问："秦珂那孩子怎的不在？"

虞度道："前日有消息说九幽魔宫的哭杀妖在陈州一带作乱，我命他出去查一查。"

行玄道："那孩子可以收徒弟了。"

虞度笑道："他倔得很，意思是还要再安心修行几年。"徒弟入门才二十年，来日方长，肯潜心修行是好事。

行玄叹气道："自从掌教师兄收了关门弟子，这些年没人与师叔和我抢徒弟，反而少了许多趣味。"

这话说得闵云中也忍不住抽了下嘴角，然后看着旁边空椅子皱眉，"术法再高，无人传承也是枉然，音凡又出去了？"

虞度道："去青华了，恐怕不会回来。"

自洛音凡成名，紫竹峰术法便成了仙门公认最高超的术法，二人难免担心后继无人的问题，然而洛音凡自己并不提起，却是谁也不好开口。

其实不只他们，南华上下几乎人人都察觉到了，这些年重华尊者除了正事极少开口，或是闭关修行，或是经常外出，行踪不定，留在紫竹峰的日子少得很。以往再淡然，至少还有点人情味，现在是完全没有了，真正的冷漠，如同高高在上的神，无心无情，无人能走近。

闵云中道："你是师兄，该劝一劝，总不能任他这么下去。"

虞度苦笑，"师叔明白，我又何尝不想劝！"

闵云中不再言语，旁边行玄摸摸胡子，看着手里天机册，似乎想说什么，最终欲言又止。

慕玉进来禀报："新弟子们都已经到了。"

"叫他们进来吧，"虞度打住话题，"这回的新弟子里，还有个特别的，资质极好，只是性子有些难办，需要吃点教训。"

且不说几位仙尊在殿上商量，这边女孩也步步谨慎。渡过云海，身后巨蛇刚消失，前方就有山壁拦路，万丈险峰拔地而起，斧劈刀削一般，令人胆寒，无数条藤蔓自峭壁垂下，仰脸顺着藤蔓朝上望，仙山就耸立于崖顶。

行路至此，虽然早已知道是仙尊们设的难关，但亲眼见到，女孩仍很紧张胆怯。

这么高的悬崖，有力气爬到顶吗？万一不小心摔下来，定会粉身碎骨的！

女孩白着脸看了半晌，终于克服恐惧，咬牙，攀着根粗壮藤蔓努力往上爬。这悬崖说也奇怪，爬得越高，越觉轻松。而且她发现，心内恐惧越少，力气就越大越多，速度也越快，到最后藤蔓竟似活了一般，卷着她往上带。

果然是仙长们设置的！女孩正在欣喜，忽然腰间藤蔓断裂！

身体悬空，朝崖下坠落。

要摔死了！怎会出现这种意外！女孩惊呼。

照原来规矩，所有通过考验到达仙山的弟子都能留下，过几日仙门自会派弟子送信与各家长，详细说明孩子拜在谁门下。虞度见孩子们已经到达，就撤了术法，哪里想到还有个孩子落在后面。

后背着地，既没有被摔死，也没有想象中的疼痛，女孩惊异，爬起来一看，这哪里是什么悬崖，不过是块一丈多高的大石头罢了。

身后什么云海迷津全部消失，周围现出树木的影子，原来还是在山林内。

女孩急忙仰脸望，果然已看不到仙山。

先前走错路，来迟了？

隐约猜到缘故，女孩急得屈膝跪下。

常听说心诚则灵，只愿上天垂怜，让掌教仙尊看到。她不能就这么回去，而且也无处可去，阿伯会多难过，地下爹娘多失望！要是再等五年，那时年纪太大，仙长们必定不肯收，不能完成爹爹的遗命，岂非不孝？

午时已过，周围仍无动静，女孩越发着急，偏又想不到好办法，急得掉泪。

寂静的山林，只剩下鸟鸣声。

突如其来的熟悉感，令人不安，心莫名地开始颤抖，说不清道不明，有生以来从未有过这样的感觉，喜欢又害怕。

是谁？女孩逐渐止了泪，缓缓抬起脸。

前方两丈处，盘曲的古松下，年轻的神仙一动不动，仿佛已经站在那里很久了。

　　长发流泻满身，那张脸，那种庄严、尊贵与冷漠，任何言语都难以形容，极致的美，如何评说？

　　不带一丝烟火气，除了神仙，谁也不配拥有。

　　淡淡的孤独，却无人敢走近他身边，连心生向往的勇气都没有；所感受到的，唯有尘世的渺小和自己的卑微，卑微到了尘埃里。

　　什么礼节，什么规矩，女孩生平头一次将它们抛到了脑后。看到他的第一眼，就已将所有前尘往事几乎都忘得一干二净，眼中只剩下那道孤绝的身影，还有冷冷的雪色衣衫。

　　不敢仰望，又忍不住仰望。

　　黑眸如此深邃，丝毫不怀疑它会看透人心，女孩莫名心悸，偏又甘愿被俘获，好像前世便刻在了记忆里。

　　视线对上的刹那，她从里面看到了震动。

　　瞬间，松树下失去了他的踪影。

　　是真，还是幻象？女孩正在发呆，下一刻，他站在了面前。

　　没有任何言辞能形容洛音凡此刻的震惊。

　　若非追寻魔尊九幽行踪，他是不会回南华的。然而正当他准备离去时，竟发现了那道熟悉的气息，淡淡的，仿佛已系在心头多年，难以言状，连他自己也不清楚为什么会这样，冥冥中只知道有什么东西不容错过。这种奇特而真实的感应，迫使他落下云头找寻，甚至忘记隐身。

　　是谁？

　　直觉已告诉他答案，洛音凡却不敢相信。

　　面前的人儿，恭敬拘谨，不再是瓜子小脸，也没有黑白分明的狡黠的大眼睛，而是一张圆脸，轮廓精致，并不似寻常圆脸那样胖乎乎的。凤眼上挑，形状美极，还生着两排长翘的睫毛，丝毫不显得凌厉，反带了几分妩媚，也因此少了几分童真。

洛音凡脸色更白。

面前不再是当年那个面黄肌瘦的小女孩，如此恭谨，如此美丽，可是他依旧清清楚楚地知道一件事——是她，一定是她！

怎会是她？

紫竹峰上那个古怪机灵想尽办法引他注意，在他怀里撒娇的孩子，四海水畔那个静静趴在他膝上的少女，重华宫大殿案头磨墨的少女，跪在地上哭求他别生气的少女，再次完完整整回到了面前，如此的真实。

惊喜？内疚？痛苦？都不是，都不止。

深埋在心底多年的回忆，朝夕相伴的八年岁月，无情无欲的神仙也不能忘记。亲手结下寂灭之印，是他这漫长一生里所犯的最大的错误，或许他将永不能原谅自己，可是现在她又站在了他面前。

那种感觉，可以是震惊，可以是害怕。

袖中手微微颤抖，始终未能伸出。

让她受尽委屈，对她的冤屈故作不知，亲口允下保护她的承诺，却又亲手杀了她，对她做出这些事，他还有什么资格再站在她面前？倘若她知道他所做的一切，知道他其实什么都明白，知道要她死的人其实是她最信任最依赖的师父，她会怎样恨他？

洛音凡缓缓直起身，语气平静如死水，"叫什么名字？"

再次与那目光对上，女孩慌得垂眸，他的眼神很奇怪，说不清道不明，绝不是陌生人该有的眼神，看着人伤心。

"家父姓文，浃州人，小时候一位仙长赐名，唤作阿紫。"奇怪得很，连他是谁也不知道，还是忍不住回答了。

"文紫。"他轻轻念了一遍。

女孩的脸立即涨红了。

是她，不会有错，当年她跪在他面前，万般无奈地报上名字，那羞赧的神情与现在一模一样，虫子变成了蚊子。

是巧合，还是为他而来？

洛音凡注视她许久，道："你不该来南华。"

女孩惊，只当他不肯相助，连忙叩头，"先母已逝，父亲两个月前也刚……走了，临去时嘱咐阿紫一定要拜入南华。如今阿紫孤身一人，已无处可去，求仙长开恩，我不远千里而来，决不怕吃苦受累，定会用心学习，将来虽说未必能有大作为，却一定不会给南华丢脸。"

洛音凡有点愣。

转世的她，少年老成，模样变了，性情变了，唯独身上煞气并未消失，只不过似乎被什么力量禁锢着，未能显露，轻易看不出来，但若用天目仔细观察，仍能发现。如此，那人特意送她来南华，事情不会这么简单。

他该怎么办？

错了，是错了，可是他从不曾想要弥补，宁愿永生背负内疚。如今上天突然把这样一个机会摆在面前，所发生的，恍若一场闹剧，他竟不敢面对。

一式"寂灭"，魂飞魄散，是谁在插手，助她自逐波剑下逃脱？当时心神不定，并未留意殿内有异常。

死，是她的归宿，也意味着阴谋的终结。那么，她这次的回归又代表了什么？

煞气未除，虞度他们只要稍微仔细些，就能发现问题，那时将会如何处置她？让她离开南华？难保那幕后之人不会再设法引她入魔。

明知怎样才是最好的结局，可他怎能再伤她第二次？他怎么下得了手？

"回去吧。"

"仙长！"

他不再看她，恢复先前的冷漠，转身要走。

"仙长且留步！"女孩急得伸手扯住白衣下摆，"师父！"

熟悉又陌生的称呼，牵动多年心结，再难用冷漠遮掩的心结，洛音凡生生僵在了原地。

她叫他什么？她……记得？

脸色白得平静而异常，他低头想要确认。

女孩也大吃一惊，方才不知怎的就脱口而出了，未免莽撞，生怕他会见怪，一双凤眼里满是紧张之色，却又不愿放开他，懦懦道："仙长，求求你，我什么都不怕，会恪守规矩，不信你可以再出题考验我。"

小手上竟有血迹。

父母双亡，让她再次流落街头受欺凌？当年，那小小手臂上遍布伤痕，她哭着扑在他怀里寻求保护，然而最后，他却是伤她最重的那一个。

"不慎摔破了。"弄脏他的衣裳，女孩满含歉意松开手，镇定许多，"求求仙长行个方便，倘若仙长执意要走，阿紫也阻拦不了，只愿长跪于此，或许掌教他们终有一日会知道。"

洛音凡看着她许久，终于点头，"到六合殿，我便收你为徒。"

广袖轻挥，头顶仙山再次出现，一片石级斜斜铺上，直达山门。

这么容易，不用考验了？他愿意收她当徒弟！女孩怀疑自己听错，待要再问，面前人已不见。

南华大殿气氛十分沉静，上百名孩子屏息而立。当先是一个十三四岁的少女，穿着华丽，形容出众，由于身份特殊，她昂首站在其他孩子前面，神情恭敬，目光里却是毫不掩饰的傲气。

闵云中皱眉。

虞度手执盖有玉玺的书信，看了几眼便搁至一旁，让闵云中与行玄先挑选弟子。由于之前的奸细事件，南华在发展门徒上把关更加严格，每个孩子的来历不仅要由行玄一一卜算，之后还会派弟子出山调查核实。

少女被晾了许久，十分尴尬，总算意识到自己的表现惹人反感了，连忙收了傲气，规规矩矩站好。

果然，虞度转向她，微笑，"九公主……"

"掌教唤我妙元就是，"少女作礼，"临行时父皇曾嘱咐，仙门不比人间，万万不可在掌教与仙尊跟前妄自尊大。"

"仙门修行清苦，你要想明白。"

"妙元心意已决。"

见她变得谦恭，闵云中态度也就好了点，朝虞度道："既是人间至尊，天命所归，不能不给面子。"

虞度点头，"如此，你想要拜谁为师？"

司马妙元顺势跪下，"但凭掌教吩咐，如能拜入座下，即是司马妙元之幸。"

虞度微笑，"我曾立誓只收九个徒弟，如今已有了。"

"不如待护教回来，让他看看，"闵云中断然道，"这孩子筋骨极好，若能拜在他座下，承他衣钵，也是件好事。"

心知不妥，虞度摇头，"此事需再斟酌，恐他不应。"

闵云中道："他连人都没见过，怎知不应？"

南华护教谁人不知，重华尊者，仙盟首座，术法六界闻名，司马妙元心下暗喜，忙道："闵仙尊说的是，尊者并未见过我，或许会改变主意，求掌教看父皇薄面……"

话说到这份儿上，虞度无奈答应，"也罢，且看你有无造化。"

"都过去这么多年了，他难道一辈子就不收徒弟不成！不过是个孽障，用得着……"闵云中说到这里，忽见旁边行玄递眼色，于是住了口。

众多惊讶的视线里，一个人走进大殿。

宽大白衣，脸色亦有些白，仿佛自茫茫天际而来，遍身清冷，遍身霜雪。

神情不冷不热，步伐不快不慢，竟令人望而生畏。殿内两旁，所有弟子都不约而同垂首，面露恭谨之色，连手指头也未敢乱动。

想不到他会回来，虞度让他坐，半是玩笑半是认真，"师弟此番回来，是有心要与师叔师弟抢徒儿么？"

闵云中只当他想通了，暗喜，尽量将语气放柔和，"音凡，这孩子身份极贵，筋骨极佳，你是不是考虑下？"

经他一提，司马妙元便知此人身份，忙含笑上前欲说话，哪知抬脸就见那目光落到自己身上，无半分温度，顿时一个激灵，双膝发软，居然不由自主跪了下去，想好的话全都忘记，讷讷拜见。

洛音凡收回视线，淡淡道："师叔有心，小徒稍后便来。"

此话一出，殿内众人都怔住。

虞度也很意外，试探道："师弟的意思，莫不是在路上已收过了？"

洛音凡没有否认。

闵云中与虞度同时松了口气，并没觉得失望，不论如何肯收徒弟就好。司马妙元虽不错，但洛音凡的眼光向来很高，被看中的孩子必定差不到哪儿去。

所有人同时望向大门，都想看那个有幸被选中的孩子长什么样，如何出众。

唯独司马妙元又羞又气，涨红脸，咬紧唇，忍住没有发作。身为皇室公主，身份贵极，素来只有别人捧她奉承她的份，哪里经历过这种难堪？不甘也不服，更想看看自己究竟输在哪里，因此有人走进殿时，她反而最先认出来，"世子！"

人间圣旨有谁不知，白衣青年并没意外，略点了下头。

闵云中斥道："仙门何来世子？"

司马妙元咬牙服软，"弟子心急失言，仙尊莫怪。"

秦珂与几位仙尊行礼毕，走到虞度身旁禀报此行收获，末了似乎想起什么，不动声色将目光移到新来的孩子们身上，扫视一圈，缓缓皱起长眉。

百余里路，照理说几天工夫是能够赶到的，莫非路上又出了什么意外，还是没有通过外面的考验？

虞度看出蹊跷，正要询问，门口忽然出现一个小小人影。

是个女孩，有一头美丽的秀发，装束很普通，乍看似乎并无过人之处。

所有人都这么想着。

女孩没有立即进来，而是先在门口停住，以极快的速度整理了一下衣衫，然后抬头望望六合殿的匾，确认之后才镇定地跨进殿门。

抬脸的刹那，众人眼前一亮。

踏进大门，女孩其实被吓了一跳。不知多少双眼睛盯着自己，是来迟的缘故吧，所以受到这么多关注？

她忍下紧张，抬眸朝玉阶上望去。

不知答应收自己的那位神仙是谁，在不在这里？

玉阶上并列坐着四位仙尊，先前的白衣神仙正在其中。不出所料，他是最年轻的一位，也是最引人注目的一位。

女孩放心了，但她没有立即冒失下拜，而是边看边飞快分析状况。

玉阶正中那位仙尊三十几岁模样，和蔼不失威严，身后长身而立的白衣青年，正是秦珂。

女孩暗喜，捏紧手里剑穗。

秦仙长在呢，他既是掌教弟子，那位仙尊必是虞掌教无疑。至于方才遇见的白衣神仙，能与掌教并肩，一定是位尊者，怪不得能做主收自己为徒。

弄清关系后，女孩心知不宜久等，当即跪下，"阿紫拜见掌教，拜见尊者。"

话里带着独特的地方口音，不够脆，却极婉转柔美。

众人回过神，暗暗赞叹。

虞度与闵云中互视一眼，却同时露出失望之色——空有个长相而已，这女孩资质不过中上，无甚出奇，仙门更有一大把。

未见回应，女孩忙解释，"匆忙走错路，故而来迟，求掌教与尊者原谅。"

虞度轻咳了声，微笑，"好孩子，起来吧。"

女孩松了口气，站起身，犹豫着，悄悄望了眼上面那位白衣神仙，很不安，他还愿意收自己做徒弟吗？会不会改主意了？

"你一个人来的？"

"回掌教，是。"

小小年纪敢孤身上路，言语谦恭有礼，举止又谨慎细致，虞度倒升起几分好感，转脸确认，"师弟……"

洛音凡终于开口，"拜师吧。"

女孩按捺住喜悦，见殿内并无任何祖师画像牌位，便知此时不过是行个简易拜师礼，择日再拜祖师，于是规规矩矩上前，跪下磕头，"洃州文氏阿紫，拜见师父。"

洛音凡点头道："赐名重紫。"

声音清晰平稳，所有人的微笑都僵在了脸上。

一个近乎忘却的名字再次被提起，怎不令人震惊！他给新收的徒弟起同样的名字，究竟是何缘故，有何用意？

殿内气氛瞬间冷到极点。

众弟子噤声，不敢言语。

女孩虽然疑惑，却明白此刻不宜多问，伏地拜谢，"重紫谢师父赐名。"

秦珂脸色极其难看，忽然冷笑，"叫这名字，尊者想必是心安的。"

"珂儿，不得无礼！"虞度喝止他，心里也很诧异，暗中打开天目凝神查看，并未发现半丝煞气，遂将疑虑去了大半，示意闵云中无妨，转念想想，还是再确认下最稳妥，于是又朝行玄递了个眼色。

行玄闭目掐指，半晌摇头。

298

闵云中原已握紧手里浮屠节，见状才缓缓松开，沉着脸道："好好的孩子让她改姓，是否太过分了？"

"做我的徒弟就要改姓。"

"你……"

重紫看出气氛不对，忙低声道："恕重紫多言，当日曾听先父说过仙门规矩，此身既入仙门，自不必理会凡间俗事，改姓也无妨的，仙尊不必为我顾虑。"

好个懂事的孩子！虞度制止闵云中再说，看着她问："你为何要入仙门？"

这问题重紫早已料到，知道这种时候该说什么话，垂眸道："回掌教，此番上南华拜师，原是家父遗命，好教重紫在乱世中保住性命。其实重紫小时候就听说，仙门弟子守护人间，拯救百姓于苦难，因此向往已久。这次上南华，途中也曾遇上妖魔，幸亏有……仙长相救，重紫立志做仙门弟子，将来定不会给仙门丢脸。"

果然，虞度听得徐徐颔首，闵云中脸色也好了许多，唯独洛音凡没有表示，起身下了玉阶，"走吧。"

重紫原是恭恭敬敬跪在地上，等着师父训话，闻言大为意外，抬起脸确认。

洛音凡头也不回朝殿外走，竟连例行训话也免了。

这场拜师委实蹊跷，难道有什么问题不成？重紫来不及多想，连忙爬起来，朝虞度等三人作礼告退，快步跟上去。

身后众弟子弯腰，异口同声，"恭喜尊者。"

"他还惦记着那孽障！"闵云中微怒，"这是什么意思！"

虞度轻声叹息，"也罢，他想弥补那孩子。起这名字，无非是想让我们看在那件事的份儿上，待这孩子好些，当年逼他动手，的确是做得过了。"

闵云中冷笑，"更好了，这是说我与掌教滥杀无辜？他还记恨不成！"

知道他是气话，虞度莞尔。

行玄摸着白胡子想了想，苦笑道："如今我对自己这卜测之术也无甚信心了，师兄还是叫人去查查她的来历吧。"

虞度道："自然。"

闵云中不说什么了。

这孩子虽无煞气，模样举止也相去甚远，可是看着总感觉有点熟悉。大约正是这缘故，才让他有了收徒弟的念头吧，毕竟世间哪有这等巧合之事！当年自己亲自查看过，殿内并无她的魂魄，连同万劫的残魂都消失了，可知他下了怎样的重手。

难得他肯再收徒弟，也是这孩子的功劳，何况这孩子规矩有礼，言行稳重，只要来历清楚，没有危险，让他收为徒弟又何妨？资质平庸不是问题，今后时间多得是，可以再慢慢劝他选好的。

因为那件事，彼此大伤和气，如今正该借机修复一下。

虞度显然也有相同的想法，并不怎么担心，转眼看见地上的司马妙元，为难，"重华尊者已有弟子，你……"

司马妙元握拳，勉强笑道："是妙元无福。"

照她的身份，能忍下委屈就很难得，何况资质又好，闵云中主动开口道："你可愿拜在我座下？"

司马妙元先是喜悦，接着又迟疑，"早闻督教大名，若能拜入督教座下，妙元三生有幸，只不过……"她瞟了眼秦珂，低声说，"秦仙长曾与妙元兄妹相称，如今怎好在辈分上比他高了去？"

这位公主哪里是来求仙的？虞度哭笑不得。

闵云中明白过来，知道她难以专心修行，大失所望，好在刚被气了一场，脾气已经发过，倒没再动怒，随口叫过慕玉，"让她拜在你那边吧。"

慕玉亦是大名在外，司马妙元喜得磕头拜谢。

殿门外、石级底下、大道两旁站着数千名弟子，无数目光朝这上面望来，那种感觉让重紫有点晕眩，好像站得很高很高，从来没有站这么高过。

毫无预料的，甚至连他的身份都没确定，却依然心甘情愿接受这样的安排，成为他的徒弟。

心头恍惚着，不安着，更有种淡淡的羞涩与莫名的喜悦。

刚走下第一层台阶，前面的人忽然停住。

重紫本就小心翼翼步步谨慎，见状也及时停了下来。

他站在她前面，洁白衣衫随风颤动，可以挡住一切风雨，撑起一片天地。

不走了吗？重紫正疑惑，却见他侧回身，伸出了一只手。

手指修长如玉，和他的人一样美。

这是……重紫不解地望着他，那张脸依旧无表情，唯有漆黑的眸子里透着难以察觉的

暖意。

他再次抬了下手，往前递了些。

重紫终于反应过来，几乎不敢相信。

一直在猜测他的身份，猜想他会不会很严厉，会不会有很多徒弟，要让他注意会不会很难……此刻这些问题都变得不重要了，因为她知道，他一定会对她很好。

重紫受宠若惊，有点害怕弄错，迟疑着，望着他想要确认。

平静的眼波也藏着一丝不安。

当年那个穿着破烂衣服的孩子，怯怯地拉着他的袖角，又慌张地放开。八年时光，他看着她一天天长大，从在他怀里撒娇，到长成亭亭玉立的少女，默默陪伴侍奉他，又那么依赖他。

面前这个孩子真是她？

不记得往事，不记得他这个师父，甚至不记得恨，是该庆幸还是惆怅？倘若她还记得，又将怎样？

她已不再那样依赖他。

洛音凡叹息，正要收回手，一只小手却忽然伸来，将他拉住。

清晰地看到那双眼睛里的失望，重紫情不自禁地、急切地将小手递过去，不知道为什么会着急，不知道为什么会在意，可是她知道，她一定要这么做。

小手紧紧拉住他，凤目含羞，略带歉意。

"师父。"

轻轻一声唤，万年冰雪瞬间瓦解，薄薄的唇边漾开一片温柔，水波般的温柔。

逃过魂飞魄散的命运，起名阿紫，送上南华，这一切太不可思议，更像蓄意安排。明知是为他设下的陷阱，明知该怎样选择，他却下不了手。

无边法力助她掩饰煞气，干扰天机，瞒过行玄。仙门面前，苍生面前，就算是他头一次任性与自私，只为那十二年的内疚。

他不会再安于天命，不会再伤害她。

洛音凡缓缓抽出手指，反握住那小手，牵着她稳稳地一步一步走下石级。

日影温馨，温馨醉人。

道旁众弟子发呆，所有人都察觉到今日的重华尊者与往日不一样。

足以令万物复苏的生机，淡漠，却不再冷，犹如春之神带着司花灵童，走到哪里哪里便春风满地。

回来了，回来就好。

是阴谋，他认了；是孽障，他也认了。

峰上遍生紫竹，白云铺地，幽静而近于冷清。古旧的大门上悬着一块匾，上书"重华宫"三字。

一直不敢相信心底的猜测，直到此刻他的身份才真正确定，重紫喜悦，悄悄看了眼拉着自己的那只手。

走进宫门，迎面便是一带清流，冒着丝丝寒气，石板铺成桥，几乎与水面平齐，石级石阶直通正殿，廊柱古朴庄严。

奇怪的是殿门上方竟然钉着一柄剑，剑身完全没入石梁，只留剑柄在外，宝石在夕阳映照下，折射着美丽的光华。

重紫疑惑，却没有多问。

洛音凡也不上殿，拉着她走到左边第三间房门前停下，"这是你的房间，今后就住在这里吧。"

"是。"

"为师平日都在殿上。"

"弟子记住了。"

洛音凡不再说什么，松开那小手，转身朝大殿走了几步，忽然又停住，回身道："一个时辰后进殿来。"

重紫忙恭恭敬敬应下，显然没有跟来的意思。

曾经的熟悉变为陌生，面前的女孩，早已不是当年闯祸调皮惹他注意只为了进殿陪他的小徒弟。

洛音凡不语，消失在殿门内。

简单的房间，一张床，被褥朴素，案上摆着少少的东西——红木梳，翠玉鸟，还有四

五只小玉瓶，不知道装着什么。

这里有人住过？重紫惊疑，也没去深想，默默坐到床上。

方才师父脸上一闪而逝的神情，她看得清楚，那是失望，可自己似乎并无太多失礼之处，究竟哪里让他失望了？

罢了，还是先准备准备，好好用功学习才是。

作为重华尊者唯一的弟子，重紫多少有点骄傲，只是这样一来，背负的压力就更大了。自己的一言一行，自己的能力，都关系着重华宫的颜面和声誉。当晚洛音凡教过吐纳之法，重紫不敢懒惰，认真修习，整整用了五日才掌握要领，勉强能靠自己摄取天地灵气。身边没有可比较的师兄弟姐妹，很难看出到底学得怎样，不安之下言语试探，洛音凡只说很好，重紫这才放了心。

重华宫的生活很自由，洛音凡通常都在殿内处理事务，重紫每天早起按礼节过去问安，然后下去做功课。开始她还担心这里规矩严格，不敢多说不敢多走，要去哪里总要先在殿外问过他。就这样过了一个月，她才渐渐发现，这位大名鼎鼎的师父看着不易接近，实际上比掌教他们都随便，对自己更加温和，虽无太多鼓励，却从不曾责备，言行方面更未有任何限制。

这日早起，重紫照常到殿外问过安，见没有新的功课，于是大胆请求道："弟子来南华多日，还不曾认识师叔和师兄师姐们，如今想过去跟掌教仙尊他们问个好，不知师父有无吩咐？"

半晌，殿内传来淡淡的声音，"去吧。"

早料到他会答应，重紫喜悦，先去主峰见虞度，正好闵云中和慕玉也在，一并问候过。虞度素来温和，闵云中虽不苟言笑，但见她言语有礼，脸色也不错，难得还问了几句进境如何之类的话。

天机尊者行玄出门访友去了，重紫向天机峰几位大弟子问过好，最后才走到玉晨峰下，可巧遇上秦珂外出回来。

看见她，秦珂站住。

本能地崇拜优秀者，加上救命之恩，重紫一直想来见他，于是腼腆地上前行礼，"秦师兄好。"

秦珂目光复杂，看了她两眼，道："尊者想必待你不错。"

重紫只当是关心，照实回答："师父待我很好。"

秦珂不再说什么了。

见他态度冷淡，重紫莫名，忽然听见半空中传来呼声，抬脸看，只见一名少女御剑而来，十三四岁，长相美丽，正是司马妙元。

"世子！"

秦珂淡淡道："这里并没有什么世子。"

"一时高兴，忘了，"司马妙元微嗔，再看着旁边的重紫，皮笑肉不笑，"原来重紫师妹也在。"

发现那目光里的恨色，重紫有点吃惊，自己对她的印象仅仅止于当日大殿上那一幕，应是同为新弟子，可自己并未开罪她，怎会招致敌意？

是了，这么多人，唯独自己因祸得福成了重华尊者的徒弟，难免有不服气的。

想明白缘故，重紫不动声色地行礼，"见过师姐。"

司马妙元装没听见，转向秦珂，"师兄去了哪里？叫我好找。"

秦珂不答反问："慕师叔呢？"

"师父被师祖叫去掌教那边了，大约有事商议，"司马妙元敷衍两句，又指指身旁的剑微笑，"我刚学御剑术，有些生呢，师父没空，因此想过来请师兄指点指点。"

秦珂皱了下眉，点头，"随我来。"

原来是首座慕玉的徒弟，重紫暗忖，听说慕玉新收了一名弟子，乃是九公主司马妙元，莫非就是她？

见秦珂要走，她忙叫道："秦师兄！"

"有事？"

"重紫特地来谢师兄，剑穗的事……"

"同门之间，不必客气。"

目送二人离去，重紫怅然。她早已发现，不只秦珂，这一路上许多人看自己的眼光都很古怪，那不光是羡慕，还带了点抵触，好像自己是个偷东西的贼一样。

疑惑多，打击更大。

不比不知道，一比吓一跳。同时入门，司马妙元这么快就学会了御剑术，而自己明明已经很用功，想不到差了这么多，师父就是看出自己天资有限，所以才会失望吧？

"出了什么事，一个人站在这里？"有人轻轻拍她的肩。

声音年轻温和，偏又带着长辈似的关切，重紫抬脸，看清来人之后连忙作礼，"首座师叔好。"

慕玉微笑，"看见妙元了么？"

重紫斟酌道："方才好像与秦师兄上去了。"

慕玉点头，"仔细跟着尊者，不用理会别的。"

他知道什么？重紫欲言又止，低声答应，快步朝紫竹峰走。

洛音凡坐在案前，并没看书信，不知道在想什么。

重紫倚着殿门出神。资质不算好，却能拜这么完美这么厉害的人当师父，唯一的解释就是运气好吧。每次查考功课时，他总说"很好"，原来只是安慰而已。

洛音凡早已发现她，"回来了？"

重紫尴尬，"弟子早回来了，只是……不便打扰师父。"

殿外已多年不曾设结界，却始终无人闯进来，洛音凡抬手，"进来吧。"

知道他有事吩咐，重紫连忙走进去，立于案旁。

洛音凡道："为师要闭关一个月，你只照常修习灵力，无事不要乱走。"

师父都这么厉害了，还要闭关修炼？重紫更加敬服，也有点失望，想了想道："师父可否多留些功课与我？"

洛音凡示意她说。

重紫吞吞吐吐道："其实师父不必顾虑，弟子虽生得愚笨，但并不怕吃苦，也不怕责骂，只怕到头来一事无成，叫人笑话。"

洛音凡看着她半晌，道："有为师在，这些学不学都没什么要紧。"

重紫愣了下，明白之后脸上心上同时一热，怪不得师父一直不对自己多作要求，原来竟是这意思，他有能力保护徒弟。

"师父待弟子好，弟子明白，可是……"重紫咬了咬唇，斟酌许久才小声道，"可是，师父总不能护我一辈子啊。"

说者无心，听者有意。

她有足够的理由不再相信他，因为发生过的事，连他自己都不相信自己。世事难料，仙门魔族争战无休，或许真的需要把所有可能性都考虑进去。

"急于求成，到头来只会一事无成，"洛音凡微微侧脸，一册书自动飞入重紫手上，"你肯用功也好，此书前两卷虽无甚出奇，却能助你打好根基，为师不在的这个月，你先试着参悟，但以修习灵力为重。"

重紫欢喜地捧着书回房去了。

其实重紫心里想的是另一回事，她喜欢听师父这么说，喜欢这样的维护与纵容，然而她也明白，事情没那么简单。身为重华尊者的徒弟，真那么无用，只会令他脸上无光，所谓"名师出高徒"，他在仙门的地位，决定了她必须与他一样出色，否则就算他不介意，她自己也会介意。正因为他的爱护，她就更应该懂事。

自洛音凡闭关，重紫便规规矩矩照书上修习，当然她偶尔也会趁练功的空隙去虞度和其余两位仙尊处问安，再去几位师叔师兄处走走。彼此渐渐熟悉起来，其中以首座师叔慕玉最随和，修行时有不懂的尽可以问他，至于秦珂，待她仍是冷冷淡淡。

重紫隐约看出是由于师父的缘故，不免委屈，也很奇怪。师父那样的人，虽谈不上温和，却从不轻易责罚弟子，性情宽厚，上下无不敬服，相比之下闵云中与虞度待弟子就严厉得多，为何秦珂偏偏对他不满，究竟发生过什么事？

疑惑归疑惑，她也不敢贸然多问。

众人既然这么忌讳，事情一定不小。

司马妙元的御剑术已经很好，重紫察觉她不怀好意，每次都紧跟慕玉虞度等人，让她动不得手，同时也将她当作追赶的目标，暗暗较劲。自打知道自己天资有限，重紫几乎是没日没夜刻苦修习，连觉也不睡，一个月下来竟清减了许多。

洛音凡出关后查考功课，也没说什么，只吩咐她不可过于急进。三个月后，才开始传授她向往已久的御剑术。

所谓勤能补拙，重紫苦练三日，终于能勉强御剑来去了。

云走烟飞，在十二峰之间飘荡。

重紫小心翼翼围着玉晨峰转了几圈，果然如愿见到白衣青年自云中归来，足下蓝光一缕，遂高兴地迎上去，"秦师兄！"

秦珂早已看见她，难得停下来问了句，"学御剑了？"

重紫羞涩地点头。

秦珂随口勉励两句就要走，哪知转身之际，忽然瞥见她足下短杖，目光刹那间冷了下来，"尊者给你的？"

重紫心知不对，解释道："师父所赐，名叫星璨。"

秦珂面色极其难看，半晌一声冷笑，"好个尊者，徒弟收起来容易，自然不必放在眼里，法器又算什么？"说完丢开她径直走了。

重紫呆若木鸡。

选法器时，师父出乎意料没赐剑，而是给了这支短杖。说也奇怪，星璨看着小巧美丽，用起来也特别方便，更有种亲切感，好像天生就适合自己，只不知为何会惹得他动怒。

好心情消失得无影无踪，重紫默默转身，打算回去。

迎面，司马妙元御剑而来。

司马妙元天资非凡，修行进展神速，慕玉赞赏不说，连虞度与闵云中也时常夸奖，对她不似先前严厉。原本在皇宫受宠，如今又出风头，更助长她几分傲气，与当年八面玲珑的闻灵之大不相同。众弟子有受不了那种气焰的，都找借口避着她，当然也免不了有那么一帮人跟随她嚣张跋扈。

女孩子之间的比较，未必满足于术法。

那一日大殿上，重紫已经露脸，引得同龄男孩子们私下谈论，加上她行事低调，礼数

周全，虽然是洛音凡的徒弟，却并不拿身份压人，因此纵然天资差些，在新弟子里反而比司马妙元受欢迎。

见她自秦珂处来，司马妙元神色便不太好，假笑道："重紫师妹也会御剑了，哟，那是什么，手杖？"

"师父所赐，名为星璨。"重紫不动声色作礼，有能耐你就损我师父吧。

司马妙元果然转换话题，"师妹的御剑术不错呢。"

重紫看她稳稳立于剑上，再看自己颤悠悠的模样，苦笑，"重紫愚笨，勉强能走而已，让师姐笑话。"

"你也太谦了，"司马妙元目光闪动，"重华尊者的高徒，我们哪里比得上？"

听出不对，重紫忙道："有事先走一步，改日再找师姐说话。"说完催动星璨飞快朝主峰奔去。

司马妙元哪里肯放过她，屈指弹出。

重紫本已暗中防备，听到风声当即躲避，可惜这御剑之术她才学了三日，尚不能控制自如，情急之下虽躲开暗算，身体却失去平衡，自星璨上翻了下去。

司马妙元大喊："师妹！"

知道她装模作样，重紫咬牙，倒并不怎么害怕。初学御剑术难免有意外，因此洛音凡特地给了她一道护身咒，何况星璨是通灵之物，见主人有难已经飞来相救。

护身咒未及作用，星璨也未赶到，有人先一步接住了她。

"太过分了！"那是个三十几岁的女人，体态丰腴，容貌尚可，穿衣裳的品位实在不怎么样，花花绿绿的，不过眉眼看起来很亲切。

星璨飞到身旁，委屈地打转，主人的能力与从前差距实在太大了。

重紫连忙道谢，站回星璨上，踩了踩它表示安慰。

女人高声喊："司马妙元！"

"燕真珠？"司马妙元不动，站在那里微笑，"你叫我什么？"

燕真珠愣了下，忍怒叫了声"师叔"，又道："同门之间原该和和气气的，怎能欺负师妹？"

司马妙元道："这话奇怪，你看见谁欺负她了？"

"分明是你出手暗算，还不承认！"燕真珠圆睁了眼，"你才来几天！若非看在首座面上，我……"

司马妙元冷哼，"你又如何？"

重紫已经看出燕真珠的身份，知道她比自己还矮了一辈，争执起来必定吃亏，忙过去劝阻。

正闹成一团，忽然有人斥道："吵吵闹闹，成何体统？"

三人同时转脸，只见一名年轻女子立于云中，穿着素雅的天蓝色衣衫，体态玲珑有致，容貌极美，神情冷冷淡淡，似乎不太喜欢与人说话。

呵斥的语气足见其身份特殊，重紫立即恭敬地垂首，司马妙元亦疑惑。

旁边正好有几名女弟子路过，都认得她，忙停下来作礼赔笑，"闻师叔几时出关了？"

那姓闻的女子看看众人，视线落定在燕真珠身上。

燕真珠大不乐意，勉强作礼，"闻师叔祖。"

重紫立刻明白了她的辈分，跟着作礼，口称师叔，心里暗笑，尊师敬长是南华的优良传统，司马妙元才用"师叔"的身份压人，如今就来了个"师叔祖"。

"何事吵闹？"

"回师叔，方才……"不待燕真珠开口，司马妙元抢先将事情说了遍，"妙元相救不及，反叫小辈说欺负师妹，这是什么道理？"

那女子皱了下眉，"我在问你吗？"

司马妙元涨红脸，忍住没有发作，"师叔教训的是，妙元心里委屈，所以性急了些。"

女子转向重紫，"谁的弟子？"

重紫上前回道："重华宫弟子重紫，见过师叔。"

女子闻言竟面色大变，怔怔道："你叫什么？"

重紫只得再重复一遍，同时心中一动，难道秦珂等人对自己态度古怪，原因就是这个名字？师父忽然赐名，的确有点儿说不过去。

"你便是重华尊者新收的弟子？"

"是。"

女子喃喃道："重紫，难怪……"难怪一出关就听说重华尊者收了徒弟，却无人提及那新弟子的名字。

见她待重紫不同，司马妙元再难忍耐，冷冷道："重华尊者的徒弟，师叔想必是要给些面子，妙元无话可说，告退。"

女子恢复镇定，淡淡道："她身上有仙咒，必是尊者所留，你是否冤枉，尊者自会明白，何需我给面子？"

司马妙元当即白了脸。

"清净之地，不得吵闹。"女子丢下两句话，御剑离去。

重紫回到重华宫，见洛音凡站在四海水畔，忙走过去，"师父，我回来了。"

洛音凡应了一声。

身旁水烟飘散，地上白云游走，高高在上的师父看起来多了几分亲切。自从发现他不似表面冷漠，明白那些纵容与迁就，重紫心中的敬畏就少了许多，顺着他方才的视线望去，大胆问道："那是……师父的剑？"

洛音凡点头。

神剑！重紫眨眨凤眼，"我知道，它叫墨峰！"

洛音凡摇头，"它叫逐波。"

逐波？重紫赧然，"我听他们说，师父的剑叫墨峰。"

"是。"

"那逐波……"

"不用了。"

原来师父换过法器！重紫仰脸望着那柄美丽的剑，暗自惋惜，迟疑道："师父不是说，法器选定之后不能随意更换，否则必受诅咒，限制术法施展吗，师父为何要舍弃它？它不如墨峰好使吗？"

洛音凡低头看着她，许久，轻声道："因为师父做错了一件事。"

因为不相信她根本不可能成魔，纵然魔剑在手，她宁肯死在他剑下，也没有成魔。

可以弥补吧，她回来了，就在他身边。

握住那小手，他缓缓蹲下身，看着她的眼睛，"别再让师父用它，记住了？"

不自信的，想要得到确认。谁也想不到，这样的话是出自他口中，而对象竟是自己的徒弟。

重紫蒙了。

师父的事迹她听了不知多少，封印神凤，斩三尸王，修补真君炉，守护通天门之战，甚至只身入魔界，无一不是惊天动地。在她心里，师父就是完美的，术法、容貌、魄力、智谋，独一无二，四方敬仰，又怎么会做错事？什么样的错，可以让他内疚至此？

黑眸深邃，掩藏着一丝彻骨的悲伤，牵动她的心也跟着疼起来。

急切地想要安慰，重紫点头不止。

他似乎松了口气的样子，看着她瘦得可怜的小脸，唇角弯了下，带着几丝心疼，"夜里还在练功？听师父的话，不可心急。"

重紫发呆，哪里听得到他的话。

清冷到难以接近的无情无欲的神仙，本是不会笑的吧？可他确确实实笑了。

这个微笑，她好像见过。

与司马妙元的较量中，重紫再次看到差距，只怪自己技不如人，因此并未跟洛音凡提起。谁知两日后再去主峰时，发现上下弟子态度大为转变，有客气的，有恭敬的，有亲切的，也有疏远冷淡的，再然后就是虞度亲自问她有没有受伤，她这才得知司马妙元受了罚。

虞度对她依旧亲切，连闵云中那么严厉的人也没表露不满，显然都不觉得意外。

尴尬之下，重紫不是没有一点儿骄傲，然而她明白，仙门与魔族长年征战，极其看重术法，对司马妙元那样天赋超群的弟子，虞度他们表面严厉，其实是很维护的。若是寻常弟子受了欺负，只会选择忍气吞声，真闹大了，顶多责骂几句了事。自己之所以获得公道，完全是由于师父的庇护，可是这样难免让人误会，尤其是慕玉和秦珂。

重紫向来很敬服首座师叔慕玉，为人亲切，上下一视同仁，深受弟子们拥护，如今害得他的徒弟受罚，重紫很不安，直到慕玉微笑着走过身旁，像往常那样拍了下她的肩，她才放了心。

秦珂在游廊转角处与人说话。

"昆仑玉虚掌教的寿礼已备好，掌教让你下个月送去。"

"知道了。"

"青华宫卓少宫主也会去，家师的意思，你若能与他同行，彼此照应更好。"

秦珂答应了一声，问："卓师兄几时过来？"

"他其实并未答应要来，家师的意思你该明白，他老人家想让你亲自开个口。"

重紫在旁边看得惊讶，与秦珂说话的那位美貌女子正是前日遇见的姓闻的师叔，只不过他二人之间的气氛有点奇怪。秦珂在这位闻师叔面前，明显比平日温和许多，反观这位闻师叔，依旧冷冷淡淡，似乎任何事都与她无关。

事情交代完毕，那姓闻的女子转身就走。

秦珂忽然叫住她，"那件事，是你告诉卓师兄的？"

女子停住脚步，并不回头，"他难道不该知道，要被蒙一辈子不成？我素来不是什么大方人，恶事自己做，却不喜欢被别人借了名头去。"

"我不是那意思，"秦珂沉默片刻，道，"他原本过得很好。"

"与我何干？"女子冷冷丢下这句，走了。

回身看见重紫，秦珂皱了下眉，没说什么，径直离去。

这到底关自己什么事啊？哪里惹着他了？重紫委屈不已，垂头丧气回紫竹峰，却见紫竹峰外一名女子御剑立于云中。

第四章 【师父的重儿】

重紫认出那女人，因感激她前日出手相救，主动过去问："你……是来找我师父吗？"

燕真珠摇头不语。

重紫自言自语，"方才我又见到那位闻师叔了，只不知她老人家是谁的门下……"

燕真珠答道："她叫闻灵之，是闵仙尊的亲传弟子，二十九岁便修得仙骨。"

早听说南华有朵"雪灵芝"，原来是她，怪不得这么美这么冷！重紫想了想道："她一直这样……不爱说话吗？"

燕真珠闻言笑起来，"她啊，以前是南华的一朵花呢，天分又高，极受器重，嚣张得很。闵仙尊原盼着她大有作为，谁知后来她忽然折断了随身佩剑，险些把闵仙尊气死，再然后就变成这样了。"

"她为什么要断剑？"重紫吃惊，仙门中人谁不知道法器的重要性，更难逃过法器的诅咒，亲手断剑，当真可惜。

"谁知道，大约是……"说起这事，燕真珠也觉得不可思议，好在她向来不爱自寻烦恼，只哼了声，"我看她如今还顺眼些。"

这燕真珠当真是个直性子。重紫暗忖，放弃最重要的东西，可见那位闻师叔决心之大。南华上下人人都有自己的故事吧，有多少自己不知道的呢，包括师父……

燕真珠看着她手上的星璨，半晌，叹了口气，"实在不像，不知尊者怎么想的！"

重紫敏感，"什么？"

燕真珠回避这问题，"尊者待你很好。"

重紫低声道："你们都不喜欢我，是因为这个？"

燕真珠摸摸她的脑袋，"哪有？快回去吧。"

重紫轻轻扯她的袖子，"真珠。"

燕真珠愣了下，笑道："我虽比你低一辈，不过年纪比你大多了，你愿意的话，私底下可以叫我姐姐。"

重紫原就有心想接近她，闻言喜悦，"真珠姐姐，我新来，不知道发生过什么事，也不懂规矩，求姐姐教我。"

"你想知道什么？"

"你们都不想看到我？"

"我没有。"

"我是说……秦师兄他们。"

"秦珂？你去找他了？"

重紫支吾，"我只是……秦师兄很厉害不是吗？而且去人间做了许多大事，大家都很尊敬他。"

"他确实不错，"燕真珠摇头，"他不是讨厌你，这里头有缘故。"

"什么缘故？"

"因为你叫重紫。"

重紫更加莫名。

燕真珠轻声道："你前面其实有个师姐。"

师姐？重紫真的傻了，原来自己并不是师父唯一的徒弟，怎么没听师父提过？

"那她人呢？"

"她啊，不在了。"

答案是预料中的，怪不得师父那么伤心，重紫难过起来，"她……很好吗？"

"很好，很招人喜欢。"

"厉害吗？"

"一点儿也不，她没学多少术法。"

是了，师父说不学术法也不要紧，重紫捏紧手指，"她是死在魔族手上？"

燕真珠摇头。

"那……"

"尊者亲手处置，"燕真珠淡淡道，"她早已被逐出师门。"

"亲手处置"的意思是什么不难理解，究竟犯了什么样的罪，才会被逐出师门？肯定是欺师灭祖，十恶不赦。

师父说，他做错了一件事。

重紫煞白了脸，真正令她震惊的，是燕真珠最后那句话——"她叫重紫。"

秦珂的冷淡，所有人古怪的眼光，还有他的爱护与纵容，忽然间所有事情都得到了合

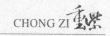

理的解释。

逐波剑依旧钉在石梁上，纹丝不动。

重紫默默坐在四海水畔。

看得出来，那位师姐很受师父喜欢，尽管她犯了不可饶恕的大罪，尽管她已被逐出师门，可师父还是惦记着她。他亲自动手的时候，心里一定是气得不得了，也痛得不得了吧？

至于那位没见过面的师姐，重紫的态度已经由可怜变作讨厌了。

师父那么喜欢她，对她那么好，甚至可以把这种好延续到自己身上，她却让他失望，让他难过，甚至害得他抛弃了佩剑！

再多的伤感，再多的气愤，也比不上失望来得多。

喜欢自己的，是因为把自己当成了别人；讨厌自己的，也是因为把自己当成了别人。法器、名字，自己在师父那儿获得的一切，都是那位师姐的，也难怪会被人当作小偷一样讨厌。

本该属于她的所有，爱与恨，喜欢与厌恶，全部落到了自己身上，让自己来承受。

师父一直宠溺爱护着的，原来不是自己。

重紫垂首看着星璨，喃喃道："这也是她的吗？"

洛音凡白天其实出去了一趟，回到重华宫时，天已经黑了，下意识检查小徒弟的行踪，得到的结果却令他骤然变色——宫里宫外，全无小徒弟的生气！连在她身上留的仙咒也毫无回应，她似乎凭空消失了。

神气不在，对一个人来说意味着什么，洛音凡很清楚，顿时慌了神。

他竟如此疏忽，让她再次出事！要是她真的……

紫竹峰处处设置结界，照理说不会有问题。

洛音凡自我安慰，亲自将重华宫每个房间都找了一遍，依旧无所获，心渐渐沉了下去。

照她现在的性子，不可能私自溜出南华，仙咒为何会失效？

难道虞度他们已经……

不可能！他用毕生法力替她掩盖煞气，除非有比他法力更高的人，否则绝不可能察觉。

漫山翠竹动荡，看不出下面掩盖着什么。

找遍整座山头，洛音凡再难维持素日的冷静，终于还是决定去主峰看看，谁知他刚御剑而起，仙咒就有了反应。

山后竹林里，一丝生气若隐若现。

暮岚满林间，女孩盘膝坐在地上，双目紧闭，旁边狻猊趴着打呼噜。

　　原来重紫自听说师姐的事，越想越不是滋味，回到房间就拼命钻研师父给的书，决心要比那位师姐出色，无意中看到"死灵术"，揣摩练习半日，不知效果如何，索性跑来找狻猊帮忙，不料这狻猊见她资质比以前那位差太远，懒得陪练，只管睡觉，气得她一个人练到天黑。

　　"重儿！"声音熟悉，中间那一丝焦急又让她觉得陌生。

　　重儿？师父这是在叫她？

　　几乎是睁眼的同时，一双手将她从地上拉起来。

　　双眉紧锁，黑眸里满含担忧之色，上下审视她。眼前的人，再不是初见时那个淡然的神仙，只是个担心徒弟出事的师父而已。

　　重紫愣愣地望着他。

　　那双眼睛，那些担忧，她好像见过。

　　"这么晚了，怎能乱跑？"急怒之下的责备，听在耳朵里却一点儿也不觉得难受，他迅速倾身下来，似要将她搂入怀里。

　　原来师父这么担心她！重紫回神，喜悦如潮水般涌上来，不由自主伸臂回应。

　　那双手并没有如愿抱住她，及时停在了半空。

　　气氛由紧张变作尴尬。

　　须臾，师徒二人同时转脸，却见旁边狻猊不知何时已醒来，依旧趴在地上，圆瞪着两眼——在紫竹峰住了这么久，想不到主人还有这副神情呢。

　　"是阿紫的错，让师父担心。"小手轻轻拉他。

　　死灵术，乃是借地势与环境隐藏真神与生气，难怪仙咒察觉不到。确定她没事，洛音凡暗暗苦笑，不动声色缩回手，直起身，"天黑，不要随意外出。"

　　所有喜悦瞬间退去，重紫垂首"哦"了声。

　　他担心的，其实不是她吧，她并不是什么重儿，只是阿紫。

　　大约是看出她的决心，洛音凡教习术法时仔细许多，重紫越发敬服，果然师父指点一句，强过自己苦练好几天，难怪人人都想做他的徒弟。自此听得更加认真，加上本身刻苦，三日后御剑术竟大有长进，虽不算上乘，但来去自如也不成问题了。

　　都知道重华尊者最护徒弟，南华上下再无人敢轻慢重紫，背后言语的自然也少不了。

　　这日清晨，她御剑去小峰找燕真珠说话，半路上又遇到司马妙元。

　　因为受了责罚，司马妙元既妒且恨，冷笑道："长得美么？我看也没什么出奇，和那年我们宫里的狐狸精真有些像。"

　　这话过于恶毒，甚至有失公主身份，重紫当然不去理会——我没听见，我没看见，我就当你是空气。

见没有回应，司马妙元提高声音，"你以为尊者是为了你？"

这句话正好戳中重紫的心事，重紫当即停住，转身冷冷地看着她。

司马妙元只当气着了她，大为畅快，"你还不明白？尊者早就有徒弟了，她才叫重紫，星璨就是她用过的法器。"

"你当尊者真会在乎你？"

"名字和法器，这些原本都是她的，你算什么……"

司马妙元忽然说不下去了，目瞪口呆望着她。

凤眼微眯，重紫嫣然一笑。

只听她用那轻松又愉快的语气，慢吞吞道："我原本不算什么，可惜她不在了，现在的重紫就是我，她的就是我的，师父也只有我了。"

烟里水声，云中山色，摩云峰景色其实很好，山头长满黑松古柏，整齐有序，别有种庄严的美，只不过由于闵云中执掌刑罚的缘故，无端多了几分肃杀之气。摩云洞外有两株千年老藤，结满了奇异的蓝色果子，重紫原以为是药，后来偶然问过一次，才知道是刑罚用的，吓了一大跳。

燕真珠不在，重紫心情还是好得很，顺便来摩云峰问安，想到方才司马妙元的脸色，简直就像开了个大染坊，禁不住笑出声。

被宠上天的公主，斗嘴难免吃亏。

其实冷静下来想，重紫有点为方才的行为后悔，往常爹爹说过，宁得罪君子，不可开罪小人。从前日司马妙元暗算自己的手段来讲，在这种小事上跟她计较，实在不智，必成将来隐患，引出麻烦。

不过她到底才十二岁，孩子心性，仍觉得痛快更多。

刚走到摩云洞外，迎面就有个男人走出来，不过三十岁，身材高大，衣冠华美，手里握着柄白色折扇，比起秦珂的冷清素净，另有一番气质。长相也罢了，但他那两道剑眉英气逼人，而那步伐，那神态，三分慵懒，七分昂扬，完全当得起"风流倜傥"四字。

重紫连忙低头退至路旁。

男人并没留意，大步自她身旁走过，须臾，闵云中亦走出洞来，满面怒色喝道："混账小子！"

"秦师兄想必久等了，我先去他那边走走，"男人停住，含笑合拢扇子，侧回身漫不经心行了个礼，"晚辈失陪，仙尊留步。"

说完他竟扬长而去。

这人是谁？胆敢对闵仙尊无礼！重紫吃惊，再看闵云中，手里紧紧握着浮屠节，面上却难得带了几分无奈之色。

闵云中也已看见她，语气缓和下来，"你师父呢，又出去了？"

重紫忙上前问好，回道："师父在的，没有出去。"

闵云中点头勉励两句，便让她回去，"勤奋些，不可让你师父失望。"

方才在摩云峰放肆的男人此刻居然站在紫竹峰前，手握折扇，面朝悬崖，只能望其背影，不知他是在看风景，还是在沉思。

重紫奇怪，不禁停住多看他几眼。

发现动静，男人侧回身，目光登时一亮，扬眉笑起来，招手叫她，"南华几时来了个这么美貌的小师妹？我竟不知道。"

南华人人都认得自己，可见他并非南华弟子。重紫只觉那笑容过于亲切，又听他赞自己漂亮，小脸一红，上前作礼，"不知师兄仙号，如何称呼？"

男人俯身凑近她，拿扇面挡住二人的脸，"我啊，我姓卓，你可以叫我卓师兄。"

方才他说要找秦珂，莫不就是前日闻灵之提过的那位青华少宫主？重紫将前后事情一联系，再瞟瞟他手中扇子，越发确定。心道这少宫主举止随便，言语间更有逗弄的意思，可知是个玩笑不恭之人，于是含笑道："原来是卓少宫主。"

男人愣了下，奇道："好聪明的小师妹，你怎知道我是谁？"

重紫抿嘴，指着扇面上的字，"青华宫，原不难猜。"

男人连连点头，拉起她的小手，"南华甚是无趣，不如你陪师兄出去走走，好不好？"

不将闵仙尊放在眼里也就罢了，当着自己的面说南华无趣，未免失礼，重紫有点没好气，飞快缩回手，"有道是玩物丧志，南华弟子守护苍生，勤奋修行，时刻不敢懒怠，是以南华山乃清修之地，原非寻乐之处，卓师兄怎连这道理也不明白？"

被个小女孩教训，男人大感意外，忍笑道："有道理，小师妹好厉害！"

重紫瞪他，转身要走。

男人合拢折扇，拉住她仔细打量，笑意更浓，"我猜你是新弟子，对不对？乖乖地叫我声师兄，再陪我走走，今后保你在南华不吃亏。"

哈，我还用你关照？重紫暗笑，也不说穿，"你又不是南华的人！"

"我虽不是南华的人，却有朋友在南华。"男人拿折扇戳戳自己的下巴，"秦珂你认得吧！我可以叫他照看你，有他在，谁还敢欺负你。"

秦师兄？重紫心里一动，"你和秦师兄很熟吗？"

男人道："当然。"

重紫迟疑，"那你能不能跟他说声，我……"

话还没说完，头顶忽有蓝光闪过，二人同时抬脸看，正是秦珂御剑而来。

见到重紫，秦珂不出所料冷了脸。

重紫心里委屈，低低地叫了声"师兄"。

秦珂点点头表示回应，接着便转向那男人，皱眉道："听闵仙尊说你走了，果然在这儿。"

"听他唠叨，不如陪小师妹说话，"男人若无其事，温柔地拉着重紫问，"小师妹叫什么名字？拜在哪位仙长座下？我下回再来找你……"

不待重紫回答，秦珂打断他，"织姬来了。"

男人愣了。

秦珂不急不缓道："她如今四处乱找，刚才将我那玉晨峰翻了个遍，现下又去了摩云峰，或许很快也会来这边。看在两派交情，我特地来与你说声。卓师兄上紫竹峰藏着也好，想她必是不敢闯的，我却要回去了。"

男人似乎对那织姬颇为头疼，闻言丢开重紫，"走吧，我正要去找你。"

送走二人，重紫垂头丧气回重华宫，裹过洛音凡，然后下去修习蝉蜕术。话说这蝉蜕术与分身术大同小异，分身术主要靠演化幻体，蝉蜕术则是让元神自肉身分离出去。大约是心神不定的缘故，重紫反复数次仍未能成功，到最后烦躁起来，竟忘记洛音凡的警告，不管不顾地让元神冲出肉体。

这回当真成功了。

元神自肉身分离，重紫只觉浑身轻飘飘的，兴冲冲地出门到处转。

夜半，月凉如水，大殿内珠光已灭。

往常碍于礼节，不敢多打扰，重紫对师父的日常起居几乎一无所知，此刻元神出窍，心道他不会发现，不由生出几分玩性。她悄悄来到洛音凡房间外，运起穿墙术，先探了个脑袋进去，左望望，右望望。

对现在的重紫来说，夜中视物早已不是问题，整个房间一览无余。

靠墙的木榻上，洛音凡安然而卧，白衣醒目。

师父是穿着衣裳睡觉的啊，重紫红着脸吐了吐舌头，暗自庆幸，又咬住唇，忍住笑，将整个身体挤进墙，悄悄飘至榻前。因见几缕长发自榻上垂落，拖到地面，忙矮身跪下，伸出双手替他收拾。

黑发触手顺滑，竟带得心里一动。

重紫抬眸，看榻上睡颜。

薄唇微抿，双眸微闭，双眉微锁，脸色略显苍白，纵然睡着了，那淡淡的柔和的气质，仍是让人情不自禁想要膜拜。

发丝自指间滑落，重紫托腮。

仅凭这张脸，世间就再无人比得上了吧？为何总会令她生出错觉？难道真的见过？

洛音凡早已察觉有人进了房间，加上神气太熟悉，立时便知是她，心底诧异无比。若说前世的小徒弟做出这事，他并不奇怪，只不过如今的她规规矩矩，平日里连大殿都很少进去，这回深更半夜潜入自己的房间，已经属于很大胆的举动了。

她这是要做什么？

元神出体，寻常人自然看不见，但洛音凡是什么修为，就算闭着眼，她的一举一动也了如指掌。

早知这孩子要强，这么快就能让元神离体了。

洛音凡暗暗叹息，也有点儿尴尬。虽说今世的她年纪尚小，并不懂得什么，可女弟子半夜潜入师父寝处，始终逾礼，何况前世……洛音凡开始庆幸自己平日睡觉就是入定，并不曾脱衣裳。

待要开口训斥，好像不是时候。

小徒弟矮身跪在地上，开始替他整理头发，接着竟然发起呆来。

凤眼迷离，只顾瞧着他出神。

那视线久久停留在他脸上，并无半点儿要离开的意思，洛音凡定力再好，终于也开始不淡定了，脸上逐渐有了一丝热度。

无奈之下，他轻咳了声。

师父醒了！重紫吓得三魂七魄全部归位，双手将嘴巴连同鼻子一起捂住，半晌见无动静，才拍拍胸脯，将憋着的一口气吐出来，轻轻喘息。

经此一吓，她仍未打算离开，而是伸手取过枕边那支墨玉长簪，悄悄地放至案上。

明早师父起床，会不会发现？他只会以为是自己放错了吧？

妩媚的凤眼眨了眨，得意地眯起。

这点小动作，真以为能瞒过他？瞬间，洛音凡好气又好笑，只觉当年那顽皮的小徒弟又回来了，不禁睁开眼，略带责备，"重儿！"

师父果然厉害，被发现了！重紫做贼心虚，想要溜走。

瞬间还魂，原本只需一个仙咒，可是情急之下，元神竟再难回归本体。

惨了，竟然回不去！

发现出问题，重紫傻眼了。

一看便知她是不听警告，急于求进，强行剥离元神，才导致这样的后果。洛音凡翻身坐起，既无奈又生气，披散着头发教训道："你这般胡来，只会大伤元气，倘若为师不在，肉身出事，你将如何归位？"

重紫差点儿哭出来，往榻前跪下，"师父……"

未及认错，一只手伸来在她额上重重拍了下，接着神志一恍惚，瞬间人已经回到了房间里，好端端地坐在自己的床上。

真的太轻率了！

头一次顽皮就出事，重紫惊出身冷汗，当然不会再主动过去挨骂，乖乖地蒙着被子睡下。

可惜小孩子就是这样，越纵容，越放肆，洛音凡这次不曾责罚，重紫越发看出师父好说话。第三日早起，洛音凡刚起床，就见送信的灵鹤等在大殿外，见了自己便畏畏缩缩地蹭过来，脑袋几乎垂到了地上，走路姿势非常奇怪。

看清状况，洛音凡失笑。

竟敢擅自拿灵鹤修习移魂术，想必是元神互换，不能归位，小徒弟当真该吃个教训了！

他板起脸，"不长记性，就罚你做一天灵鹤。"

重紫欲哭无泪，摇摇细长脖子，跟进殿去围着他转。

洛音凡哪里理她，丢出一封信，"去送信。"

真要这副模样去送信？重紫求了半日无果，只得拍拍翅膀，无奈这身体始终不是自己的，勉强飞了半米高，就因掌握不好平衡跌落下来。

"师父，弟子的肉体现被灵鹤占着，会被它弄出事的！"

话音刚落，殿门外"重紫"忽然走了进来，塌着腰，挺着胸，昂着脖子，一步一抬腿。

重紫羞得简直想找个地缝钻进去。

见她拿长嘴衔自己的衣角，洛音凡也好笑，助她与灵鹤分别归了本体，叹气，"你这般性急，万一出事，如何是好？"

听出担心，重紫咬唇笑，半晌道："师父不在，我才不会修它。"

洛音凡摇头，拉她至跟前，语重心长道："重儿，为师教你术法，并非盼着你名扬天下，而是希望为师不在的时候，你能保护自己周全。如今你这般胡来，只会伤到自己，叫为师如何放心？"

重紫沉默许久，低声道："师父，弟子是阿紫，不是重儿。"

"你……"

"我天分不高，师父收我，还对我这么好，是因为以前的重紫吗？"

被她一语点破心结，洛音凡看着面前那双红红的有些失意的眼睛，沉默。

他会这样纵容她，爱护她，不可否认，完全是因为愧对前世的她。赐名，送星璨，他就是把她当作前世的重儿来对待。可是她呢？言行相貌早已变成了另外一个人，根本不记得什么，有时连他自己也怀疑，他守着的这个徒弟，到底是不是当初那可怜的孩子？

这样的补偿，究竟是不是她想要的？因为他的内疚，就要她承受来自前世的一切，对她会不会太不公平？

这些问题，他从未想过。

或许，有些错本来就是弥补不了的。

殿内寂寂无声，旁边灵鹤无故被摆了一局，原本满肚子委屈，想要再讨些公道，此刻察觉气氛凝重，也只好识相地衔起信踱出殿外，拍拍翅膀飞走了。

终于，洛音凡扶住那小小肩膀，"不喜欢，师父便不叫重儿了。"

重紫看他一眼，垂眸，"只要师父真的喜欢阿紫，叫什么都是一样的。"

"师父喜欢以前的重儿，也喜欢现在的阿紫。"

"阿紫好，还是重儿好？"

听话懂事的孩子一旦倔起来，比顽皮的孩子更难应付，洛音凡哭笑不得，这如何能比？本就是一个人。

从未见过师父这么为难的模样，重紫心里暗乐，决定先放过。

"师父是把阿紫当成重儿吗？"

"阿紫，重儿，都是师父的好徒弟。"

那个师姐，她才不是什么好徒弟！重紫腹诽。她让师父失望，自己可不会，日子久了，师父总会发现自己的好处。

洛音凡没忘记方才的事，"再要乱来，定不轻饶。"

"知道了！"

名师出高徒，这句话未必是真理，可在重紫身上却得到了充分的证明。在洛音凡细心教导下，重紫术法突飞猛进，两年后竟小有成就。南华新弟子里，数她与司马妙元风头正盛，不过中间也有区别。

司马妙元出名，是天分高术法强，而重紫的名气更多则是来自容貌。

这有个缘故。现今重紫的术法远非当年能比，较真的话，未必会输给司马妙元，只不过她素来低调，不爱出风头。反倒是年龄渐长，身体容貌上的变化更加明显，关注的目光不出意外的越来越多，凡是来过南华的年轻仙门弟子提到重华尊者，势必都会顺带说上一句，"他老人家座下有个极美貌的徒儿"。

司马妙元虽不忿，可任凭她如何嘲笑挑衅，重紫只是不理，倒也免去许多麻烦。同辈弟子们知道她的为人，偏见渐除，不少人还有献殷勤的意思，唯独秦珂对此视若无睹。

十四岁的重紫也有少女心事，对于外貌上的优势，她原本沾沾自喜，然而自打发现秦珂态度无任何转变，知道他并非以貌取人的那种，也就灰了心。

最近她更郁闷，因为洛音凡再次闭关了，而且长达两个月。

入关前，洛音凡特地将她叫去嘱咐了一番，大略意思是自己修炼至关键处，心神归一，她身上的仙咒有可能会失灵，因此不许乱走，免生意外。

师父每三个月闭关一次，出关时脸色都极差，定是真神损耗严重，可知其艰辛程度。重紫看着心疼，也曾问过缘故，"师父说过，凡事不可急于求进，来日方长，何必这样辛苦？"洛音凡先是不答，被问得多了，只说是一门极重要的术法。

劝阻不了，重紫无奈，照常修行，偶尔也会出去找其他弟子说说话。相比司马妙元，她人缘还不错，与燕真珠又走得格外近些。

就在此时，仙门出了件不大不小的事。

驻守人间的弟子送回消息，有妖族在洛河一带作乱。虞度与闵云中商议之下，认为是个历练的好机会，决定在委派任务时带上一些新弟子。新弟子们得知消息，皆摩拳擦掌十分踊跃，学了两年术法，总算能亲自上阵见识了。

　　作为新弟子里的拔尖人物，司马妙元第一个自告奋勇请命，虞度应允，再根据慕玉推荐，酌情选了几十个新弟子。

　　重紫听到消息已动了念头，见虞度始终不提自己，遂主动请求前往。

　　洛音凡不在，虞度原是不答应的，闵云中却很赞赏，"果然是护教的徒弟，术法好坏且不说，正该有这样的胆识，她是紫竹峰唯一的传人，行事也还稳重，出去历练一番有何不可！"虞度转念一想，这孩子资质虽不算拔尖，却也不差，两年来总不至于落后太多，历练历练对她来说是好事，反正新弟子去也多是探听消息，不会正面应付强敌，到时叫秦珂多留意就行了。

　　原来这次是由秦珂带两百弟子前去，新弟子们跟随一道出行，这也是重紫坚持前往的原因之一。洛音凡闭关修炼至紧要关头，哪里知道重紫已高高兴兴跟到人间除妖去了！

　　两百南华弟子匆匆赶往洛河，途中极少停留。新弟子们到底韧性不足，头一次跟随出山，从早到晚御剑赶路，几日下来纷纷显露疲态，那满腔壮志灭了一半，唯有重紫与司马妙元忍耐不出声。

　　正好燕真珠也在一行人中，怕她支持不住，上来关切道："累了没有？姐姐带你一程。"

　　这两年苦修，练上个一整天是常事，重紫摇头谢过。

　　燕真珠惊讶，赞道："早知道你不会比人差，好样的！"

　　重紫与她并肩而行，眼睛盯着前面的秦珂与司马妙元，甚觉无趣。成日里女弟子们都爱围着他转，自己难得有机会与他说话，而他也始终淡淡的，可知并没将自己放在眼里。

　　燕真珠是过来人，看出不对，拿手指戳她的额头，"小小年纪想什么？他只是二十五岁修得仙骨，长生不老罢了，想当年他出道时，你还没出生呢！"

　　重紫原有些懵懂，经她一打趣，顿时闹了个大红脸。

　　"师兄师妹，天造一双，地设一对，放心，他眼高于顶，公主也抢不去的。你快快修仙骨，到时求尊者做主，去跟掌教说声，他敢不从师命？"

　　重紫一声不吭，抬手去打她。

　　燕真珠笑着御剑上前去了。

　　重紫跺脚就要追，冷不防发现前面秦珂正转身朝自己看，于是尴尬地停住，规矩了。

　　秦珂受了虞度嘱咐，想连日赶路她可能会支持不住，所以打算问一问，哪知回身就见她御剑乱跑，心里奇怪，将她叫到面前，"何事慌张？"

　　想起方才燕真珠的话，重紫大窘，"没事。"

“闵仙尊才夸师妹稳重，怎么出门就慌起来？”旁边司马妙元轻笑，假意安慰，“小小妖怪作乱，怕什么？只要跟紧我们就没事了。”

秦珂显然也不满意，“仔细跟好，免得生事。”

见他跟着司马妙元看轻自己，重紫气性上来，想他反正对自己有偏见，干脆不管了，“师兄放心，重紫术法虽差，尚有自知之明，绝不会给师兄惹事。”说完再不理二人，退至燕真珠身旁。

司马妙元不悦，“仗着有尊者撑腰，对师兄如此无礼！”

秦珂没有责怪，“走吧。”

这边燕真珠叹气，拉重紫，“他原是一番好意，怕你支持不住，你向来待人有礼，怎么顶撞起来了？”

重紫侧脸，“哪里是他，分明是掌教的好意！他才不想理我呢，我何必自讨没趣？”

燕真珠看着她脚下星璨，道：“他是个聪明人，心里其实很明白，你原是无辜的，只怪尊者他老人家行事太不妥当。”

听人说师父的不是，重紫蹙眉，含蓄道：“长辈行事，我们做晚辈的怎好议论？”

“我知道你不爱听，”燕真珠轻哼，“你别以为尊者如今待你好，就指望太大，他老人家做事可从未手软过，无情的名声不是白得的。”

重紫摇头，“师父不无情。”

燕真珠道：“不无情，他又怎能当上仙盟首座？你那个师姐，正是太傻太信他，到头来才落得那样下场。”

重紫原本就对那位师姐没好感，闻言将脸一沉，“正是为她，师父连逐波都不要了，这能叫无情吗？”

燕真珠嗤笑，“没有逐波，他老人家照样六界无敌，你当一柄剑对他有多重要，当真有情，他就不会冤枉……”

重紫不悦，“真珠姐姐！”

“罢了，说不过你。”

眼见离洛河近了，重紫精神尚好，秦珂也为她隐藏的实力惊讶，打消了叫人带她的念头。一行人很快行至洛城，秦珂命众弟子进城歇息，再派两人过去与驻守的仙门弟子接洽。

走进城门，重紫闷闷不乐落在后头，说什么也不肯再到秦珂跟前去，燕真珠劝她不过，自己先到前面听命。城里大街上，人来人往，出了事，仙门弟子立刻便会知晓的。

重紫磨蹭着，待秦珂他们消失在前面转角处，才准备跟上，就在此时，左手边传来说话声。

一名黑衣女子与一位年轻男人走过来。

女子自是年轻美丽，男人的微笑却分外好看，淡淡的，带着无限包容与溺爱，有点像……

重紫连忙打消脑中念头。

胡思乱想什么，师父才不常笑呢，而且笑得绝对没这么温柔，也没这么……这种感觉真奇怪。

两人出现的速度太快，就像突然冒出来的一般，重紫正是为此惊讶——好高明的结界，竟能瞒过秦珂他们！

她兀自揣测，那女子却已察觉到，侧脸看她一眼，若无其事拉着男人出城去了。

重紫有点尴尬，加快脚步。

这种结界应是仙门特有，自己头一回出来对付妖怪，太紧张，看什么都疑神疑鬼的。

夜里，两名弟子带回消息。原来当年逆轮魔宫鼎盛时期，吞并妖界，妖族各部落纷纷臣服，后来南华一战，逆轮败亡，魔宫陷落，众妖魔没了容身之处，各奔东西。魔剑虽勉强成就万劫，无奈万劫野心不足，直至魔尊九幽现世，于虚天开辟九幽魔宫，魔界才重新得以一统。妖族本就四分五裂，收服起来不太费力气，先后归顺了九幽，只剩那些不肯称臣的小股势力遗落在人间。

这次洛河水妖作乱，为首的乃是只蛟王。

己方人虽少，但个个实力不弱，而且虞度还赐了法宝缚妖绫，对付寻常魔王应不成问题。秦珂素来沉着，与几名大弟子商议之下，决定先派人去洛河探路，主动接下任务的是闵云中的徒孙林真。

秦珂又问新弟子，"你们谁愿意跟随前往？"

司马妙元立即道："我去。"

重紫想了想，亦上前，"重紫愿去。"

秦珂看她一眼，"妙元，你随林师兄走一趟，凡事小心，不可妄为。"

司马妙元得意地应下。

当夜司马妙元随林真潜往洛河，至第二日清晨返回，成功完成任务，探得详细消息与路径。原来那蛟王住在洛河河底千尺窟里，手底大小水妖近两千，都无甚可怕，唯有那只蛟王修炼五百年，有些难对付。

秦珂与几位大弟子商议，安排下法阵，决定自领一百弟子，带缚妖绫，由林真引路，先去千尺窟收那蛟王，余下的一百人与新弟子们，则一并由燕真珠带领，司马妙元领路，半个时辰后前去接应。那时蛟王与主要部下估计已伏诛，新弟子们对付溃散的小水妖，应该不成问题，这也是虞度所指的"历练"，积累临阵对敌经验。

速战速决，免生枝节，行动时间定在次日夜。

新弟子们头一次对敌，紧张又兴奋，都不停地掐算时辰。时候一到，秦珂他们果然捏了隐身诀，御剑往洛河去了。

不知怎的，重紫总是坐立不安。

燕真珠只当她紧张，过来安慰，"有姐姐在呢，怕什么？到时跟紧我就行了。"

重紫摇头，"我就是担心，秦师兄他们……"

燕真珠笑道："秦师叔做事素来沉稳，掌教才这么倚重他，我看他安排很周密，你想到的，他还想不到？何况他的术法在仙界也很有名。"

重紫想想也对，一笑，"姐姐说的是，可能是我头一次出来，太紧张了。"半晌她又叹道，"人外有人，山外有山，强中更有强中手，多考虑总是好的。前日城里还有位高人姐姐在，设了好厉害的结界，连秦师兄和你们都瞒过了呢。"

燕真珠"哦"了声，"何方高人？"

重紫将前日所见那对男女的事讲了出来，"我看那位大哥乃是凡胎肉体，可见施展术法的必是那位姐姐。"

燕真珠脸色凝重起来，"她长什么模样？"

重紫根据记忆细细形容了一番，"不知是哪个门派的……"

燕真珠惊得站起来，"阴水仙！"

重紫莫名，"什么？"

"阴水仙，她是阴水仙！难道九幽魔宫先一步插手了？"燕真珠迅速招手叫来一名弟子，"快去请几位师兄，事情有变！"

重紫总算明白她说的什么，失声，"她就是阴水仙！"

阴水仙，魔宫四大护法之一，据说她原是天山派弟子，怪不得设结界用的仙门手法如此厉害！

很快，燕真珠将众人召集至一处，众人得知都变色。

"前日从驻守弟子处得到消息，并未听说附近有九幽魔宫的人出没。"

"会不会看错了？"

"无论如何，小心为妙，魔宫护法现身，这件事只怕不简单，秦师叔他们此去很可能会中计，"一名弟子制止众人，看燕真珠，"秦师叔临行前，将这里的事交与你，便由你来主持大局，你有什么主意尽管说吧。"

燕真珠沉吟。

司马妙元忍不住道："城里既然有驻守的弟子，找他们调人去救！"

重紫阻止，"不可！洛城一带地广人稀，周围无所依傍，驻守的弟子原就不多，若是再调人离开，城内空虚，万一九幽魔宫趁机来袭，要道失守，岂非因小失大！"

司马妙元道："那秦师兄怎么办？"

"阴水仙来洛城，并不代表什么，这些都是猜测，"重紫边想边道，"依我看，还是前往最近的门派求救最妥。"

燕真珠道："最近的云崖山，来去至少一日。"

"方才妙元不是说洛河一带地势平坦吗？那应该不容易设埋伏。秦师兄素来谨慎，真发现了，必会及时退回来，就算他们已进了千尺窟，有掌教所赐法宝在手，应该也能支持些时候。我们可以一边派人去云崖求救，一边按时前去接应，看情况再说，能救则救，不能则退回城来，等待援助。"

"姐姐倒小看了你！"燕真珠目光一亮，转脸问众人，"你们的意思？"

众弟子皆点头，"甚妥。"

司马妙元急道："如此，岂不是将秦师兄他们置于险地？"

重紫其实也很担心，默然半晌，道："纵然秦师兄在，也必会以大局为重。"

"你！"

燕真珠正吩咐几名弟子去云崖山，见状回身喝止二人。再等半个时辰，约定的时间到，立即带众人赶去洛河接应。

河面宽阔，景象骇人，妖风呼号，黑浪滔天，竖立如墙，似乎整条洛河要被翻过来了，巨浪不停拍打着岸边岩石。

这洛河长数百里，宽约百丈，两岸是一望无际的平原，放眼所有景物尽收眼底。半路上就已发现仙门告急信香，此刻所见更证实了先前的猜测，众人隐去神气，趁夜色小心翼翼靠近千尺窟所在河段。

漆黑水底隐约透出红色光芒，燕真珠认出来了，"是缚妖绫！"

司马妙元喜道："秦师兄他们没事！"

重紫也喜悦，但定睛一看，那浪涛之上，有位黑衣女子仗剑而立，足踏一粒人头大的蓝色魔珠，正是当日所见阴水仙。此刻她浑身上下再无半点温顺之态，唯余冷狠，俨然魔宫护法。

听说这阴水仙原是天山派有名的美女，想不到竟会堕落入魔。她果真那么不堪，爱上了自己的师父？

重紫脸上一热，赶紧收心敛神。

阴水仙身后跟着数十妖兵魔将，并上千的小水妖，想是自蛟王老巢逃出来的，可知秦珂他们顺利进了千尺窟，不料阴水仙突然带兵来袭，断了后路，一百弟子被困在了河底。

"她用汲水珠封住了千尺窟入口，"燕真珠看得真切，知道秦珂他们尚能支撑，当即挥手，"快退！"

司马妙元却道："那些小水妖不足为虑，我们也有这么多人，合力上去，难道还对付

不了她?"

道理上是这样,但重紫依旧摇头,"还是退回洛城稳当。"

"贪生怕死,也配当重华尊者的徒弟?"司马妙元一心想救秦珂,哪里肯听她的话,自顾自冲了出去。

燕真珠急怒,"司马妙元!"

阴水仙早已发现有人靠近,转脸过来。

事已至此,重紫也想早些救秦珂,忙道:"引开阴水仙,打碎那魔珠,让秦师兄他们冲出来便好。"

己方人多,燕真珠镇定,命十来个弟子护着新弟子们在后面,专对付那些小水妖,自己则率其余弟子朝阴水仙与魔将们围上去。

阴水仙并不意外,冷笑,"送死的总算来了。"

长剑高扬,带动河面巨浪如黑龙,朝众弟子卷来。

堂堂魔宫护法,百年修为,非同小可,司马妙元冲在前面,见状倒吸一口凉气,这才知道自己太过鲁莽。她急中生智,瞬间倒转身,双足朝上头朝下,总算勉强避开攻击。

燕真珠松了口气,喝道:"回来!"

显露了一手高超的御剑术,司马妙元非但没有丝毫得意,反而惊出身冷汗,连忙退回去。

大部分弟子与那些妖兵魔将对上了手,新弟子们对付小水妖,虽有些手忙脚乱,倒也未落下风。燕真珠领着十来个弟子围住阴水仙苦战,无奈阴水仙始终稳稳立于浪尖,汲水珠亦纹丝不动。

千尺窟内,秦坷等人原打算用缚妖绫捉拿蛟王,谁知阴水仙突然来到,一时两面受敌,不得不暂时放过蛟王,以缚妖绫与洞口汲水珠对抗。

司马妙元打散几个水妖精魂,还是记挂着秦珂,见阴水仙只管对付燕真珠等人,心下暗喜,悄悄移动身形绕向她背后,打算偷袭。

阴水仙身经百战,哪里会上这样的当?她左手掌心朝下,猛地一握。

重紫看出不对,正要开口提醒,司马妙元已宝剑横劈,扫向那颗蓝色汲水珠。

剑气精纯,短短两年修成这样已是了不得。

阴水仙似浑然不觉。

自以为得手,司马妙元正沾沾自喜,忽觉足下波浪震动,顷刻之间,四道黑水练分别自斜角射来,顿时大惊,连忙凝集全部灵力,挥剑结印,勉强挡去一道,当下喉头一咸,险些跌落入水。

眼睁睁看另外三道水练卷来,躲避不及,她这才明白自己自视过高,顿生绝望。

情况危急,好歹是同门师姐,不能不顾其性命,重紫离得近,忙抛出星璨挡下一道水练。同时施展瞬息移动之术至她身旁，单足踏浪，左右双掌同时挥出，呈白鹤亮翅之势，再各接下一道，掌动不停。但闻嘭的一声，足底巨浪炸开，水花溅出足有十丈。

众南华弟子与妖兵魔将们，连同阴水仙都忍不住侧脸看过来。

小小年纪，竟能接下阴水仙七成功力！

众人都震惊。实际上重紫自己明白，阴水仙何其了得，自己哪敢硬接，这一招应急之术，正是洛音凡所授绝学"移花接木"，重紫只不过借机取巧，将力量改变方向，借足下水力释放掉而已。

阴水仙"咦"了声，挡开燕真珠的攻击，开口问："你是谁？"

到底才修行两年，灵力不足，为救司马妙元勉强用出这一式，已是大伤元气，重紫只觉胸中气血翻涌，心道不如拖延时间等待援兵，至少引她分神，好让燕真珠等人得手，于是收了星璨，作礼答道："重华座下弟子，重紫。"

阴水仙美目微动，"你便是洛音凡新收的徒弟？"

重紫不答，运气调息，半晌道："前辈也曾是仙门中人，何必为难仙门弟子？若能高抬贵手……"

"果然是洛音凡的徒弟，句句大道理，"阴水仙打断她，淡淡道，"我与仙门早已无干，放过他们，哪有那么容易？"

重紫道："前辈太无情。"

"无情？"阴水仙冷笑，"你可知道，谁才是重紫？"

"是我师姐。"

"她喜欢你师父，你何不回去问问你师父是如何对她的？"

重紫目瞪口呆，虽说她很讨厌那个师姐，但这番话实在惊天动地，未免有损师父威名，一时又惊又怒，涨红脸斥道："你自己……也罢了，我师姐已经不在，又何苦坏她名声？"

阴水仙嗤笑不语。

燕真珠早已过来将司马妙元救走，所幸她二人都离得远，没有听清，见重紫还站那儿，不由着急，连连喝命她回去。

众弟子加紧攻势，阴水仙也懒得多说，长剑引天风，黑袖掀巨浪，铺天盖地扫向众人，同时探左手入怀，取出只锦袋，从中倒出一小撮褐色泥土。

那是什么？重紫愣了下，猛然想起上个月在书上看到的图样，"息壤！神之息壤！"

昔年神界尚未覆灭，息壤乃是天神之宝，传说只需小小一撮，便能自行生长成丘成山，想不到如今竟落到阴水仙手上，她如何取得的？

看她的意思，难道是打算……

"有些见识，"阴水仙挡开众人攻势，手托息壤，笑容变得毒艳，"不早动手，正是要引出你们，待我料理了下面的小辈，再与你们计较。"

燕真珠等人大惊，顾不得什么，齐齐扑上来。

阴水仙喝道："蛟王，你还不肯舍弃巢穴，归顺圣君，是要与他们陪葬吗？"

远处隐隐传来一声巨响，大约两里外的河面上，竖起十几丈高的水柱，一道黄影自水柱里现身，旋风般朝这边卷来，须臾已至面前。

那是个面目狰狞的黄袍妖，正朝阴水仙赔笑作礼，"小王早有归顺之心，劳烦阴护法引见。"

阴水仙神色缓和了些，"蛟王素有勇猛善战之名，圣君自不会亏待你。"

先前听那话蹊跷，只来不及深想，此刻见状，重紫一颗心直往下沉。

千尺窟乃是蛟王老巢，当然不止一个出口，他不肯早些逃出来，无非是舍不得老巢，不甘心的缘故，如今被迫下定决心，秦珂他们则被彻底困在了河底。

与人称臣，哪比得自在为王！蛟王长叹一声，低头看水底缚妖绫的红光，再看看周围溃散的部下，想仙门逼得自己无容身之处，恨意更重，"他们是出不来了，阴护法何不快些动手？"

"阴护法且慢！"重紫忽然道，"你当真只顾自己得手，就忘记了别人的安危？"

不出所料，阴水仙面色一变，"什么意思？"

"你难道连那位凡人大哥的性命也不顾？"

阴水仙倏地缩回手，厉声，"你把他怎样了？"

这样要挟她未免卑鄙，但重紫为救秦珂已经顾不得了，"当日我见前辈与那位大哥关系匪浅，无意中告诉了真珠姐姐……"停住。

阴水仙冷冷看着她。

心知她在试探，重紫不慌不忙抬眸与她对视，带了丝微笑，"仙门弟子寻了两日，一个时辰前，在洛城找到他，阴护法虽将他隐藏得很好，却没料到他会自己出来行走吧。"

"条件？"

"放过仙门弟子。"

"你如何能做主放他？"

"我不能做主，但你若杀了仙门弟子，事情就更难说了。"

重紫微笑，两手冷汗，这些其实都是猜测而已。那样的人，阴水仙定然不会带他回魔界，魔界也不会有那样的人，看当时阴水仙设结界，那人似全不知情，分明是阴水仙对他说了谎，所以她才敢大胆猜测。也是阴水仙太紧张，否则多问几句就要穿帮了。

"不愧是仙门中人，小小年纪便会使手段。"阴水仙侧身，带动脚底蓝色汲水珠也跟着平移开。

瞬间，河底红光大盛，一条红色鲜亮的宝带卷上来，分水开路。

重紫大喜。

"阴水仙，你这蠢物！"低沉的冷笑声，前一刻还很远，很快就近在耳畔了。

"虫子！"燕真珠的呼声。

重紫慌忙闪避，饶是反应得快，背后仍觉一冷，心知来了大人物，这般强大的魔力自己是万万受不起的。情急之下，重紫再次施展"移花接木"，借足底河水将力量消去大半，然而剩下的力量仍使得她眼前一黑，喷出一大口鲜血，险些晕过去。

红绫卷来，将她带入怀里，正是自水底脱困的秦珂。

阴水仙与一名鬼面人对面而立，二人皆有怒色。

"你来做什么？"

"你那相好的一根汗毛也没掉，圣君早料到你会坏事，堂堂护法竟被小丫头诓了！"

有弟子已认出那鬼面人，"欲魔心！"

欲魔心转脸打量重紫，"移花接木？"

不只他，燕真珠等人也都骇然，欲魔心乃是堂堂魔宫大护法，那一掌力道显然不轻，纵有"移花接木"，可她到底才修行两年，根基限制，半点儿作不得假，硬接一掌，不知还有无性命在。

秦珂当即扣住她脉门，半晌松了口气，暗暗惊疑。

"活着？"欲魔心也觉吃惊，方才算准她定要毙命的，谁知掌出便察觉她体内似有股极弱的阴柔的力量，硬将他掌力化了一部分，"这么快就修得护体仙印，洛音凡果然教出好徒弟。"

护体仙印！燕真珠等人恍然，又喜又忧。

情况突变，谁也想不到欲魔心会来，再战下去必定危险，唯有放走蛟王了，秦珂断然下令，"回洛城！"

"哪里走？"得知被骗，阴水仙大怒。

欲魔心哼了声，挥手，周围数百魔兵即刻现形，原来他趁众弟子全神对付阴水仙时，已布下了阵势。

众南华弟子被围在中间，脸色都差到极点。

看情形，今日唯有舍命一战了。

岸边浪花飞溅，长长的斗篷纹丝不动，与脚底的黑色礁石连成一体。

半晌，他抬起那只戴着紫水晶戒指的手，接下一滴飞溅的河水，"很热闹，比我想的热闹多了，她的确没让我失望。"

"她将来一定能入魔？"不知从哪里传来的声音，有点粗。

"普天之下，万物皆能入我之门。"

"别忘了规则。"

亡月侧脸，"你好像忘记你的身份了。"

"不敢，主人。"那声音恭敬回答。

魔宫两大护法现身，转眼间已有十多名弟子负伤。秦珂见状，心知不能再拖，斩去围攻的几个魔兵，移至燕真珠身旁，将重紫丢到她怀里，"随我来，有机会带新弟子先走！"

司马妙元拉住他，"秦师兄！"

欲魔心与蛟王正巧被十来个弟子拖住，机会难得，秦珂运足灵力，八荒神剑蓝光大盛，罡风形成一个个小漩涡，横扫过去，数十魔兵瞬间灰飞烟灭，紧接着八荒剑带着水珠如弹，直击阴水仙。

阴水仙轻易避开，剑气直劈燕真珠与重紫，"想要救人？谁也走不了！"

此招故现破绽，秦珂原是想引她对自己下手，好让燕真珠乘机带重紫等人逃走，谁知她竟不上当，只得变招去挡。

忽然，阴水仙变色，收招急退。

夜空现奇异光芒，须臾，云中一剑直直坠下，剑挑星落，光华耀眼，恍若白昼。

"落星杀！"众弟子欢呼。

剑斩落，光骤灭。年轻的白衣仙人步云而下，踏足河面的那一刻，排空黑浪陡然平静。

"阴水仙，你如此妄为，枉费雪陵一番苦心。"

师父！师父来了！听到熟悉的声音，重紫喜得睁大眼，顾不得胸口疼痛，努力抬头去看。

眨眼间，洛音凡出现在面前，探手查看重紫的伤势。

再看那边阴水仙，只见她安然无恙立于浪尖，旁边欲魔心嘴角却溢出鲜血，可知是替她挡了这一剑，黄袍蛟王已是骇得呆了。

欲魔心咬牙拭去血迹，"洛音凡，又是你！"

阴水仙也不扶他，冷冷道："今日欠下大护法一个人情。"

欲魔心怒道："若非圣君旨意，你当我会出手？"

阴水仙道："争执无益，撤！"

小徒弟受伤极重，洛音凡大怒，冷然侧身，抬左手，并二指拈剑锋送出，墨峰剑顿时带着雄壮劲气，如青龙腾空，直朝欲魔心卷去。

不远处，亡月笑道："看来我要出去了。"

原以为今日必胜无疑，想不到最后会吃这么大的亏，连性命也难保，欲魔心负伤，速度大减，阴水仙咬牙，运毕生魔力要去替他挡。

众目睽睽之下，一道黑影悄无声息出现。

左手轻抬，硕大的紫水晶戒指在黑夜里光华夺目。

单掌对剑气，轰然巨响，大地摇晃，洛河水四下炸开，刹那间几乎可见河床。

洛音凡自是纹丝不动，意外的是那人竟也未后退半步，众弟子简直不敢相信面前发生的事情，都睁大了眼睛。连带洛音凡自己也吃了一惊，这一剑他已用了七成灵力，纵使万劫在世，硬接下来也没这么容易，此人分明毫发无损，当今六界竟还有这样的人物？

水花落尽，终于现出那人模样，是个男人，身材修长，几乎全身都裹在黑斗篷里，连同眼睛都被斗篷帽遮住，只露出苍白的尖下巴，犹如古墓幽灵，神秘，邪气。

欲魔心与阴水仙大喜下跪，"参见圣君。"

众弟子变色。

最震惊的莫过于重紫，她用尽全力张嘴，立即有无数血沫子涌出，带动口齿也含糊不清，"亡……月。"

亡月转身，带欲魔心等人遁走。

"九幽！"确认他的身份，众弟子都看洛音凡。

都说魔界以万劫为尊，这么多年一直追寻魔尊九幽踪迹，今日交手，方知此人法力远在意料之外，小徒弟的伤势不能拖，原不宜久战，洛音凡伸手自燕真珠怀里接过重紫，说了句"速回南华"，便御剑消失在天际。

　　白衣被吐出的血染红，剧烈的疼痛感反而在逐渐减轻，重紫很快感知师父在替自己接续灵力，心内一丝甜蜜悄然漾开。

　　记忆里，师父从没抱过她。

　　很喜欢，很安稳，很放心，应该是在看到他的那一刻，她就什么也不怕了。

　　师父身上的味道真好闻……

　　重紫悄悄吸鼻子，睁开眼，望见线条柔和的下巴、紧抿的薄唇，还有垂落眼前的几缕黑如墨的长发。

　　不知为何，重紫有点害羞，连忙将脸埋进他胸前，闷闷地叫了声"师父"。

　　没有回应。

　　他在生气？重紫抿嘴，轻声道："弟子知错，师父别生气了。"

　　知错知错，却每每做出让他惊心的大事！洛音凡原是打算要狠狠责骂她一顿，然而见到她这身受重伤的模样，哪里忍心再骂？只冷着脸。

　　"师父？"

　　"师父。"

　　……

　　牵动胸口疼痛，重紫剧烈咳嗽。

　　手臂一紧，洛音凡终于低头看她，有无奈之色，"回去再说。"

　　重紫眨眼道："只要师父不生气，弟子甘愿受罚。"

　　洛音凡严厉道："为师入关前如何吩咐你来的，可知道擅自跑出来，有什么不对？"

　　"擅自跑出来，让师父担心，是不对。"两年来，重紫早已能在他跟前应付自如，一本正经地望着他，"师父叫我保重自己，我却让自己受伤，更不对了。"

这个可气又可爱的小徒弟！洛音凡迅速移开视线，不知道该说什么好，最终叹了口气。

师父竟会脸红！重紫偷笑，情不自禁伸臂抱住他的脖子，"师父不想我受伤，可我也不想输给别人啊！"

洛音凡不动声色拂落她的手，"不长记性，回去面壁思过半年。"

"弟子不敢了。"重紫再次将脸埋在他怀里，忍笑忍得胸口颤抖，牵动伤势，疼得呻吟。

受了重伤，师父心疼她还来不及，能罚个什么，面壁思过不过是让她在房间休养罢了。

洛音凡果然放软语气，"伤了元气，不要多话。"

"师父，我们这好像不是回南华呢！"

"去小蓬莱。"

"去那儿做什么？"重紫惊讶。

"不要多话。"

……

"师父累吗？"

"不要多话。"

"我没多话。"

"不许再乱跑。"

"知道了。"

……

怒火，连同故意装出来的冷意，都随风消散，俊脸恢复柔和，泛起一丝浅浅的爱怜的微笑。

永远留在紫竹峰，永远不要记起来，永远是师徒，让她可以安安全全地在他羽翼下长大，在他怀里撒娇，快乐地生活。

梦境很乱，也很奇怪，许多面孔不断在眼前闪现，有爹娘，有亡月，有秦珂，有燕真珠，有虞度，有闵云中，还有很多不认识的却很眼熟的人……可是梦里发生过什么，醒来后就全不记得了，唯一记住的，只有那张熟悉的淡漠的脸，还有一双为她担忧的眼睛。

房间很美，绣帐如霞，软榻精致。

温柔的怀抱却不见了。

师父呢？重紫正欲开口叫他，忽然听见外面隐约传来说话声，忙坐起身，咬牙忍住胸口伤痛，缓缓下了软榻，放轻脚步，吃力地挪到外间。

门外，俨然一个仙境般的所在。白雾迷蒙，鸟啼声幽，奇花遍地，异果满枝，芳香沁人。

当然，重紫最先看到的还是那白如雪的身影，几乎与雾色融为一体。

他背对着这边，身旁还站了一名女子。从侧面看，女子很年轻，粉面朱唇，绿裙拖地，如同碧叶托粉莲，浅浅的笑，端庄又温婉，略带慈悲，好似传说中南海那位观音菩萨。

"她伤得重，根基又浅，这一路幸亏有尊者替她接续灵力，倒不会留下什么病根，只是几味药难得，需要些时日。"

洛音凡放了心，点头，"我师徒二人便多打扰你几日。"

"云姬面前，尊者何需这般客气？只是她现在不能妄动真元，还需尊者替她接续灵力才好。"

"劳你忙了一整日，早些歇息。"

"云姬没事，"女子垂眸微笑，接着又摇头，"听说她叫重紫，尊者如此，又是何必？"

……

两人议论的话题始终没有离开自己，并未涉及其他，重紫却听得满心不悦，手指不觉抓紧了门框。

她就是云仙子？传说中医术超群的仙界第一美女，卓云姬？

不可否认，那卓云姬长得太美太美，是重紫见过的最美的仙子，温柔又善良，其实很容易博取重紫的好感。

如果，她不是站在师父身边，用那样的眼神望着他的话。

那种眼神重紫看得很多，尤其是在秦珂身边。秦珂原就出色，别的女孩子那样看他，重紫并不觉得怎样，可是如今有人这样看师父，不免令她烦躁起来。

仙门允许婚配，师父是单身，有仙子喜欢似乎没什么奇怪，然而重紫从来都没想过这种事会在现实里发生，毕竟，她一直都把师父当成神来尊敬，高高在上无所不能的神，守护仙门，俯瞰苍生，只要往这方面生个念头，便觉得亵渎了他。

平日练功太紧，师父也常让她"早点歇息"，现在换了对象，明知道是寻常客套，重紫还是听得酸酸的。

重紫知道自己这心理很可笑，很孩子气，可是眼见卓云姬越来越靠近他，她还是咬住唇，故意扶着门框发出一声呻吟，成功引得那边两人转过身来。

"重儿？"洛音凡蹙眉。

重紫低低叫了声"师父"，摇晃着似要倒下。

她脸色本来就差，加上伤痛有七分是真，洛音凡并未怀疑，快步过来抱起她，走到里间放至榻上，一边度灵力与她，一边责备，"又不听话，乱跑。"

重紫别过脸，"我见师父不在，以为师父走了。"

洛音凡面色缓和了些，"你伤未痊愈，为师怎会走?"

重紫不说话了，暗自欢喜。

卓云姬也跟进来看她的伤势，安慰，"无妨，只是牵动伤处疼痛，尊者不必担忧。"

不待洛音凡回答，重紫先道谢，"这次受伤，害师父担忧得紧，多谢仙子。"

卓云姬愣了下，微笑点头，转向洛音凡，"前日炼成丹丸一炉，可解十种魔毒，正要请尊者过目。"

洛音凡自然很赞赏，看重紫。

卓云姬道："这边我叫童儿照顾，不妨事的。"

重紫哪里肯放，扯住他的袖子，"师父!"

懂事的小徒弟难得撒娇，洛音凡有些尴尬，再看那双凤眼满含委屈，想她伤势严重必定难受，心就软了，"天色已晚，明日再看吧。"

卓云姬也不勉强，点头，"我先出去炼药。"

房间剩下师徒二人，还有个小药童。重紫生怕他走了，仗着受伤，拉着他不放，在床上躺了会儿，又苦着脸说疼痛，直到最后被他扶起来倚在怀里，才彻底安静了，那小药童无事可做，索性退到门外。

见她这般折腾，洛音凡也庆幸自己没有离开，趁机训她，"此番下来，还敢逞能吗?"

重紫沉默片刻，仰脸望着他，"司马妙元主动请命，我不想落后于她。我不会像师姐那样，让师父失望的。"

她做这些，就是为了争这口气? 洛音凡没有表示。

"师父不相信我?"

"师父信。"当然信，她从未让他失望过。

瞧见那眼睛里的痛色，重紫越发心疼，鼓足勇气道："师姐的事，并不是师父的错。她虽然犯了错，被逐出师门，但如今师父还有我在跟前啊。"

洛音凡沉默。

重紫有点犹豫地拉住了他的手，"师父。"

洛音凡低头看看那眼睛，半晌，又移开视线，"为师并未将她逐出师门。"

重紫突然想哭了。

犯了大罪，被逐出师门，师父为什么还那么喜欢她? 自己都这么努力了，难道还比不上她? 他也抱过那个"重儿"吧!

洛音凡当她伤势复发，"重儿?"

重紫马上后悔了，"没事，我不疼。"

嫉妒是有的，可他现在是真正在为她紧张担忧呢，既然他的爱移到了她身上，那就让她来代替那个"重儿",好好孝敬他,陪伴他吧。

重紫安静地倚在他怀里。

洛音凡心里想的却是另一件事,开口询问:"你如何认识九幽的?"

对于亡月就是魔尊九幽这件事,重紫也很意外,心道果然师父已经发现了,好在这事没什么可瞒的,于是照实讲了出来,"我原以为他是寻常路人,如今看来是他扮作路人哄我。那些给我指路的人也可能是他安排的,他们故意指错路,好使我迟到,不能上南华拜师,可知他没安好心。"

不是不许她上南华,而是让她迟到,好遇上赶回南华的他,让他再收她为徒,这些都被算计好了。洛音凡没有多说,警告她,"既明白,就不能再与他来往。"

仙门弟子与魔尊扯上关系,本就是件危险的事,传出去后果难说。重紫含笑道:"我与他只见过一面而已,算不上熟,谈何往来?何况我已知道他是谁,自当加倍提防,更没有往来的道理,弟子再愚钝也明白其中利害,师父太多虑了。"

不是多虑,是害怕。前世失去她,就是因为她与楚不复扯上关系,她太善良,太容易动感情,好在今世的她明白得多。

对于她语气中所带的那些嗔意,洛音凡并未留心,缓缓点头,"只望你牢记。"

"师父的话,弟子自然铭记于心。"趁他不备,重紫悄悄拉住他一缕头发,在手指上缠绕。

暮色自窗外流入房间,小药童忙走进来,琉璃灯亮起,有了火气的仙境,顿时多出几分人间的味道。

"师父当年没修仙时,也在人间生活过吗?"

"没有。"

"师父的爹娘呢?"

"也是仙门中人。"

"怪不得师父比他们更像神仙。"

"这是什么话?"洛音凡笑道。

……

许久不见他动作,重紫歪着脸看。

"疼?"

"没有。"

衣衫是冷冷的白,怀抱却一点儿不冷,柔和的灯光衬出脸部柔和的线条,脸上没有过多的表情,可是只要看一眼,便再难忘记。

微锁的眉头,让她无端心疼。

这样的人,怨不得云仙子会喜欢,连自己也有点希望他不是师父呢。有他在身边,秦珂之类的都不重要了……

师姐？

鬼使神差，阴水仙的话突然冒出来，重紫头脑一炸，被那想法吓得发呆。

喜欢师父？师徒如父子，对师父，不是应该敬畏，应该如父亲般侍奉的吗？虽说自己从未将师父当作父亲过，可是喜欢……败坏伦常的大罪，有关师父的名声，师姐她怎么敢？她就不怕被所有人唾弃，落得阴水仙的下场？

重紫惊慌地收起思绪，再也不敢乱想。好半天，狂跳的心才渐渐恢复平静。

阴水仙胡说而已，竟跟着起了邪念！哪个师父不疼徒弟，哪个徒弟不爱师父？

入夜不久，卓云姬亲自送来药丸，其时重紫已经在洛音凡怀里沉沉睡去。

卓云姬见状一愣，"尊者？"

洛音凡示意她放下。

卓云姬放了药，半晌道："很像。"

洛音凡抬眸。

"云姬只是想起了那孩子，"卓云姬看看重紫，又看着他，"太傻，明知错的，还不肯放手，如今这孩子也长大了。"

见他皱眉，卓云姬移开视线，微笑，"想是她疼痛难入睡，我明日再添几味药，尊者不必担忧。"

洛音凡正要说话，忽听得怀里重紫轻哼，似要醒来，当即住口。

卓云姬嫣然一笑，款步出门去了。

"师父。"重紫眯眼，斜斜望着他，长睫轻颤，长发散乱，在灯影里竟越发妩媚。

洛音凡取过药丸，"吃药。"

前世她糊涂，连卓云姬都看出来了，幸好只是卓云姬。如今他并不怎么担心，性格、容貌，今生的她与前世判若两人，更主要的是她对他不再那么依赖，更不会那么傻。

听说她一直想接近秦珂。

几日过去，重紫伤势稍有好转，就央求着回南华，洛音凡拗她不过，转念一想，既无性命之虞，留下也是枉然，何况行玄亦懂些医术。九幽魔宫动向难测，仙门各派随时会报来消息，总靠灵鹤送信也不是办法，遂取了药，带着重紫离开了小蓬莱。回到南华，因恐她过于要强，便封了她的灵力，命她养伤。

洛河一战，由于九幽魔宫插手，导致失败。虽说捣毁蛟王老巢，附近百姓得了安宁，但蛟王与部下皆投奔了九幽，仍是得不偿失。幸亏当时有重紫及时作决定，南华伤亡不大。重紫初次立功，出乎虞度与闵云中意料，二人当众称赞勉励了她一番。闵云中命弟子送来一粒九转金丹与她疗伤，另加增进修为的天元丹一粒，以示嘉赏。

得卓云姬救治，重紫伤势原已无碍，半年便痊愈。中间秦珂来探望过她几次，惹得司马妙元十分不快。二人都是新弟子里出色的人物，本就不合，从此越发在暗地里较劲，都想在三年后的试剑会上击败对方。

光阴荏苒，两年过去，重紫十六岁，术法拔尖，几次出色完成任务，也小有名气了。

就在这时仙界迎来一件盛事——数十年一度的仙门大会又将召开。对洛音凡等人来说，这原是仙盟聚会商议大事，但在弟子们心里，仙门大会就是个热闹的宴会。南华上下自一年前就开始关注，当然寻常弟子是没有资格参加的，新弟子更没份。

凡事总有例外。

这日，重紫自慕玉处打听到消息，洛音凡将本届仙门大会地点定在天山。

"当真?"

"尊者才定下的，过两日就会有消息出来。"

"师父并没告诉我。"

"这种大事怎能随便告诉你?"

"那……师父与掌教会带谁去呢?"

"掌教我不知道，但尊者他老人家并无别的弟子，到时……"

重紫喜得忘记礼节，拉住他的袖子，"慕师叔没骗我?"

慕玉含笑道："几时骗过你?"

重紫不好意思，连忙放开他，"师叔是首座，也会去吧?"

慕玉摇头，"掌教与尊者都不在，南华总要有人留守，我与几位师兄都不去。"

重紫失望。

"又不是什么大事，"慕玉拍她的脑袋，安慰，"玩得高兴些，回来跟师叔说说。"

重紫早听说天山雪景很有名，不由为慕玉惋惜，但更多的则是喜悦，她高高兴兴回紫竹峰找洛音凡确认，忽见秦珂站在紫竹峰下。

"秦师兄?"

秦珂点头。

"师兄是找我，还是找我师父?"

"过两日我要去天山。"

果然慕玉说的没错，重紫暗忖，接着又惊讶，"仙门大会不是还要过两个月吗?"

秦珂没有多解释，"尊者与掌教命我先随闵仙尊过去。"

重紫很快想明白，仙门大会乃仙界盛事，就怕九幽魔宫插手破坏，让闵云中带弟子先去，多半是助天山派探魔族动向，确保仙门大会上的安全。

秦珂道："妙元与你闻师叔都会去，你要不要一道前往?"

重紫迟疑，"我可能跟师父一起……"

"尊者他老人家已有安排，快回去吧。"秦珂难得弯弯嘴角，走了。

重紫满腹狐疑地回到重华宫，见洛音凡站在阶前，忙快步上前，"师父。"

洛音凡看了她片刻，移开视线，"见过你秦师兄了？"

"是的。"

"他过两日要去天山。"

"方才秦师兄已经说过了，仙门大会当真定在天山，师父连我也瞒着。"重紫面含嗔意，想了想又问，"我们几时动身？"

"你准备下，随他们出发。"

"师父不去吗？"

"为师随后便来。"

怪不得秦珂会笑，原来师父早替自己安排好了，重紫满腔的喜悦刹那间消失得无影无踪，惆怅又不解。

这两年，师父待她的好并未减少，南华上下都知道，明里谁也不敢让她受半点儿委屈。每次外出任务，他都会"无意中"路过邻近城镇，虽极少出手，但也能知道他的担心。可是不知为何，两人平日相处时，再不像当初那样亲密了，除了教授术法，他都很少说话。

自古师父的决定，徒弟只有听从的，不过他态度的转变令人难以接受，甚至问都不问一声便让她先走，这让重紫有种被丢下的感觉，终于忍不住抗议，"我不去！"

"为何不去？"

"路上无趣。"

"你秦师兄也在。"

"我就不。"

洛音凡微愣，"你……不想一起去？"

"师父！"重紫似明白了什么，脸一红，"我还是跟你一道去啦。"

洛音凡也觉得尴尬，轻咳，"不可胡闹。"

"师父！"重紫索性抱住他手臂撒娇。

小徒弟分明是故意的，越来越会对付他了。洛音凡无奈又无措，待要推开吧，轻了她不肯放，重了又怕她委屈，只得放柔语气，"为师尚有要事在身，听话。"

两日后，重紫闷闷不乐地跟着闵云中一行上路了。这一路人不少，但除了秦珂、闻灵之等数十位有地位的弟子，新弟子就只有重紫与司马妙元，毕竟虞度对这两个后起之秀还是很偏爱的。

离仙门大会召开尚有两个月，原不必急着赶路，可闵云中素来以严格出名，极少停歇，众弟子暗暗叫苦，不消几日便到达了天山。

天山教乃仙门十大剑派之一，元知祖师所创。当年元知祖师路过天山，为雪景所迷，从此长住天山，且由雪中得灵感，创下天山剑术，空灵飘逸，神奇莫测，因而闻名天下。

不过第一眼吸引重紫的，还是天山的雪。

入目的冷，入目的白，只见山腰不见山头，雾蒙蒙的，不知是雪，是云，还是天。

雪山与云天相接，茫茫一片，看上去更加巍峨壮观。

至山脚，蓝老掌教亲自出来迎接，碍于礼节，众人改为步行上山。

山下一带景色还很好，花草遍地，草木葱茏。往上走，树木渐渐变得稀疏矮小，也开始起了风，再到后来，风力甚紧，雪片纷飞，片片大如席。放眼望去，银装素裹，处处冰谷雪洞，草色树色山石色全失，俨然一冰雪世界，其间更有雪狐奔走，雪莲摇曳，景色奇丽。

天气恶劣，唯有仙门弟子不惧，只觉新鲜，纷纷赞叹。

山顶雪雾弥漫，簇拥着两座高高的白镶金石柱，石柱中间，仙门大开，方是凡人到达不了的天山仙境。

步入大门，头顶雪花变得细碎而轻盈，无声飘落，如诗如画。

放眼望，更有琼花玉树千万，皆生于茫茫大雪原之上。

不远处，一座长长的山脉向远处延伸，分支无数，依稀可见雄伟精致的殿宇楼台，在雪中沉寂，宁静，悠远。

头一次见到这么美的雪景，重紫始知天山仙境名不虚传，心情总算好了点，抬手接住几片小小的雪花，只觉得晶莹剔透，形状各异，小小的分外可爱。

要是师父也在这儿，一起看雪花飘飘，那该多好。

她只管走神，哪知这雪原并不似表面看着那么平坦，冷不防脚被树根一绊，整个人竟栽倒在雪地里。

这一行客人中，女弟子就数她与闻灵之、司马妙元最出色，众天山派弟子原就留意着，见状极力忍笑。

心知出丑，重紫大窘，正要翻身，一只手已将她从雪地里拉了起来，却是秦珂。

司马妙元不出意外地嘲笑道："师妹怎么这样鲁莽？"

前面闵云中与天山蓝老掌教听见动静，回身来看，只见重紫顶着满头满身雪，涨红脸站在那里，情状尴尬。

蓝老掌教顿觉有趣，笑问："这孩子是谁？"

闵云中忙道："护教重华门下。"

近几年，洛音凡收徒弟的事已传开，蓝老掌教闻言讶然，"原来是重华尊者座下那位高徒？"

"正是，"闵云中板起脸道，"重紫，还不快来见过蓝掌教？"

重紫反应过来，飞快弹去肩头雪，上前作礼问候。

"仔细些，雪原看着好走，其实要步步留神，许多孩子头一次来都吃过亏的，当年雪陵座下那孩子也……"说到这里，蓝老掌教原本慈祥的脸忽然阴沉下来，转为痛悔羞愧之色，半晌才重重叹息，"罢了，那孽障丢尽天山的脸，还提她做什么？"

众人都知道他说谁，一时不好多言。

重紫很快也明白了，见气氛不对，适时移开话题，"重紫早听家师说过天山雪景，今日晚辈亲眼见到，方知所言不虚，看得入神，不提防闹出笑话来。"

蓝老掌教点头，有黯然之色，"尊者已多年不曾来天山了，当年他与雪陵交情极好。"

重紫道："家师倒是常提起蓝掌教，只无暇分身。"

一条三丈宽的锦带凌空卷来，铺成大道，直通远处殿宇，映着白雪分外醒目。众人踏锦带而行，至正殿，两派弟子正式见过礼，蓝老掌教与闵云中自去偏殿用茶说话，命徒弟带众南华弟子去客房安顿。

　　重紫边走边听介绍，原来这座长长的山脉名为白邙，分五岭，主脉正殿所在地最高，为凌虚峰，客房则在落梅岭。

　　负责接待的天山派首座弟子名唤月乔，长得也算高大英伟，见重紫即惊为天人，有心献殷勤，让两名弟子招呼其余众人，自己则引着秦珂等四位走进另一个院子，指定房间，再客气几句，眼睛看向旁边的重紫，"天山就是冷清了些，师妹恐不习惯吧？"

　　"师兄有心，"重紫道谢，由衷赞叹，"我看这里景色很好。"

　　"雪原另一边更好看，有空我带师妹过去。"

　　"这……怎好劳烦师兄？"

　　"初来此地，还是先歇息，或许晚点尊者会有信来，"秦珂打断她，淡淡道，"改日再去烦扰月师兄吧。"

　　重紫听说师父可能来信，更不去了。

　　月乔正失望，忽然旁边司马妙元上来，笑靥如花，"月师兄，雪原那边真有什么好景致？"

　　早听说她是人间九公主，身份尊贵，长相也出众，月乔受宠若惊，忙道："师妹倘不嫌弃，我稍后带你去游览一番。"

　　见秦珂并不开口，司马妙元气打不到一处，脸白了又红，笑容越发甜美，"那就有劳师兄。"

　　房间安顿好之后，月乔果然带司马妙元出去了，闻灵之对身旁事视若无睹，自己关门歇息，剩下秦珂与重紫在外头。

　　秦珂道："仙门大会当前，恐魔族作乱，尊者吩咐不得让你乱跑。"

　　原来师父关照过！重紫喜悦，想起方才当众摔倒的事，红着脸道谢。

"要去看雪景吗?"

"师父要是送信来……"

　　蓝剑优雅,带着二人在雪花缝隙里穿行,茫茫大雪原,只见遍地雪松,时有雪兔、雪狐、雪鹰等灵兽灵禽奔走飞翔。

　　重紫看得新鲜,指着一只雪狐,秦珂果然御剑下去,重紫很快制住小东西,将它抱在怀里,雪狐也顽皮,拿爪子送了她一脸雪。

　　秦珂只在旁边看。

　　重紫不好在他面前闹得过分,加上始终惦记着师父来信的事,放了雪狐起身,"时候不早,我们……该回去了吧?"

　　"喜欢,便多玩片刻,"秦珂踏雪而立,"明日再带你去山那边。"

　　重紫迟疑片刻,道:"有些话,重紫不知当不当讲?"

　　秦珂示意她讲。

　　"师兄不必这么迁就我,我并不是她。"

　　"谁?"

　　"先前那个重紫,我的师姐。"重紫鼓足勇气,望着他的眼睛,"师兄往常不理我,难道不是因为她的缘故?我用了她的名字,用了她的法器,师兄生气讨厌我,是因为觉得我不配。"

　　秦珂紧绷了脸,沉默。

　　不是不配,是用着她的所有却不是她,杀了一个,以为这一个就能弥补了吗?

　　"直到洛河一战,师兄才不再小瞧我,"重紫有点落寞地侧过脸,"但我根本不可能变成她。"

　　秦珂忽然道:"真正将你当作她的,并非是我。"

　　重紫愣住。

　　"是谁强行将这身份赐予你的?"秦珂替她拂落头发上的雪花,"我并非讨厌你,更不是生你的气。"

　　"是生我师父的气吗?"重紫很早就看出他对洛音凡有偏见,忙解释道,"其实师父并不是你们想的那样,师姐的事,他……比谁都伤心。"

　　"你师姐也曾这么信他。"

　　"那是真的!"

　　"事情已过,多说无益,"秦珂淡淡道,"回去吧。"

　　重紫亦十分不快,知道话题不能继续,只好闭了嘴,默默跟他回到落梅岭,各自进房间歇息。

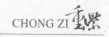

门派往来，是互相结识的好机会。秦珂堪称仙门后起之秀，外加长相俊美，常被一群天山女弟子缠着说话，不过他生长于王侯世家，入仙门后更不乏爱慕者，倒还应付自如。

这边几位闻名的南华美女，也免不了有天山男弟子私下献殷勤。闻灵之是出名的"雪灵芝"，对别人一概不理，而司马妙元与月乔形影不离打得火热，唯有重紫，长得最漂亮，性格又最和气，并不仗着师父的身份摆架子，因此比另两位更受欢迎。

然而接连一个多月，重紫都没精打采，赏雪的兴致也大减。原来那夜洛音凡真来信了，却是给闵云中的，旁人哪里看得到，上面说了什么更一概不知。

闵云中与秦珂没忘记正事，与蓝老掌教商议，每日派出几路弟子去天山周边查探。

这日黄昏，重紫不知不觉闲逛到苦松岭。

这苦松岭也是从白邙主脉分出来的一条小岭，旁有山谷，周围一带是天山弟子们的居处，暮色降临，亭台在纷飞的白雪下，更加寂寞冷清。

"月师兄！"

"我都说了，是师妹你误会。"

亭子里传来说话声，估计是男女二人起了争执。重紫掉头不及，连忙闪到一株雪松后，打算取旁边小路回去，谁知眼角余光一瞟，发现那男人很眼熟，仔细看，正是天山首座弟子月乔。

"你说过喜欢我的，"女子面有急色，语气激动，"我要去问问那个司马妙元，她凭什么缠着你不放？"

月乔软语哄道："她是客，让我陪着看看雪，岂有拒绝的道理？"

女子敏感，意识到什么，"她长得好看，月师兄你是不是喜欢她了？"

月乔敷衍，"怎么会？"

看这情形，重紫大概猜得出来龙去脉，想是他二人原本要好，谁知月乔近日被司马妙元迷住，丢开这女子，因此闹起来。

此人只看重皮相，委实肤浅！重紫暗生鄙薄之心，却不知其中有内情——这月乔原是西海君之孙，西海君与蓝老掌教交情极好，故将他送来天山派学艺。月乔修行已有小成，可惜个性张扬，不太得人心。蓝老掌教念着故人，未免纵容他些，小事上睁只眼闭只眼就算了。

月乔本性喜新厌旧，解释两句，见对方始终不依不饶，也失去耐性，将她狠狠一推，骂了几句，那女子登时哭起来，转身跑了。

月乔并不去追，反而朝重紫这边看过来，目光凶冷，"谁？"

想不到被他发现，重紫有点尴尬，待要走，又显得自己心虚似的，迅速衡量一番，干脆自雪松后走出来，"月师兄。"

见是她，月乔转怒为喜，"重紫师妹！"

"无聊出来走动，不巧打扰师兄，"重紫装作奇怪的样子，"方才那位师姐是谁，走这么急？"

月乔赶紧上来，笑着去拉她，"并没事，不过是个寻常师妹，实在缠人得紧。"

幸亏亲眼看得明白，否则还真要信了他！重紫见他一副若无其事的模样，更加不齿，不动声色避开他的手，后退一步，装作看天色，"不早了，我也该回去了，师兄自便。"

"我送师妹回去。"

"不劳师兄。"

月乔强行拉住她，"我与她真的没什么，师妹莫要误会。"

这话听着不对了，重紫皱眉，缩手，"师兄这是说什么？"

所谓色令智昏，月乔见她面含嗔意，凤眼微横，虽有不悦之色，却依旧动人得紧，哪里肯放？

不想他无耻到这种地步，重紫大怒。正拉扯间，月乔忽觉手臂一麻，再看时，重紫已被那白衣青年拉至身后。

"巧得很，月师兄也在。"

月乔暗恨，皮笑肉不笑，"秦师兄好闲情。"

"这么晚，乱跑什么？"秦珂转向重紫，"尊者过些时日便来，他老人家特地在信里嘱咐，叫你规矩些！"

重紫低头答应。

这话明里训重紫，实际已搬出洛音凡来，月乔果然醒悟。听说重华尊者极其护犊，这徒弟的地位不必说，连南华虞掌教也要顾着些，真冒犯到他门下，不待他亲自动手，自己也会倒大霉。

心知再放肆不得，月乔忙笑道："正是呢，方才我见师妹一个人乱走，恐她出事，想送回去，谁知反惹误会，秦师兄来得正好，我就不打扰了，失陪。"说完随意拱了下手，匆匆离去。

幸好有秦珂解围，否则闹开，两派面上都不好看。重紫悄悄拿眼睛瞟秦珂，心里感激，却不知该如何开口。自那日回来，二人就再没多说一句话，眼下这事更尴尬了。

"走吧。"

重紫跟上去，"秦师兄！"

秦珂停住看她。

"那日我不该惹你生气……"

"我并不曾生气。"

"啊?"

看她意外,秦珂难得笑了下,"我成日忙不过来,为这点小事与你生气么?"

重紫赧然,"早知道师兄大人大量,不会跟我计较。"

秦珂继续朝前走,"再乱跑,定叫闵仙尊罚你。"

重紫跟着走了几步,又拉他,"师兄。"

秦珂侧脸。

"其实……"重紫吞吞吐吐,始终是想改变他对师父的偏见,"我师姐,其实师父并未将她逐出师门的。"

秦珂竟没有反驳,沉默半晌,忽然道:"我有件事一直想要问你。"

重紫松了口气,忙问:"师兄想知道什么?"

秦珂道:"洛河一战,你受欲魔心那掌。"

重紫记起来,"嗯。"

秦珂低声问:"尊者当真在你身上留了仙咒?"

提起这件事,重紫至今仍不解,强受欲魔心一掌,当时人人都以为自己修得了护体仙印,事实上当然不可能,一个新弟子两年就修到仙印,那些修几十年也未必有的前辈都该去上吊了。虞度问起,还是洛音凡出来解释,说事先在她身上留了护体仙咒的缘故,这才没人追究。

真相如何,唯有重紫自己明白。

秦珂既然问起,明显已经在怀疑了,可师父不说,必定也有他的道理,重紫十分为难,只得拿话支吾,"这个……我也记不清了,当时好像……"

话没说完,脚下人地猛地一晃,仿佛受到强烈撞击,紧接着空气中有热浪翻涌而至,漫天雪花瞬间散尽,天边竟亮起血红色晚霞,奇丽诡异。

重紫惊讶,"这……怎么回事?"

秦珂皱眉,"天现异象,必有大事发生,回去看看!"

二人匆匆回到落梅岭,不出所料,所有弟子都聚在园子里议论纷纷,面上皆有不安之色,很快闵云中与蓝老掌教带着几名天山大弟子走来。

蓝老掌教也惊疑不定,"仙界怎会有这等异事?"

"有来自外界的力量干扰,"闵云中沉吟,"六界皆因人间连通,人间力量根本不足以撼动仙界,奇怪。"

蓝老掌教猛地记起一事,"莫非真是那条海底通道?"

闵云中变色,厉声,"秦珂,你速速带弟子回南华报信!"

"这么大的动静,尊者与虞掌教他们想必都已察觉了,"蓝老掌教急忙阻拦,"还是先去天池看看再说!"

仙界天池位于白邙山主脉尾部，方圆数里，如天降明镜，此地终年飞雪，池上却从未结过冰，十分神奇。

众人御剑至天池上空。

"有动静。"蓝老掌教低喝。银光闪过，手心出现一把钥匙，他抬手将钥匙往底下一抛，池水顿时翻涌搅动，形成巨大的漩涡，直达千丈池底。

闵云中执浮屠节率先跃下，闻灵之毫不迟疑地跟随，蓝老掌教回身叫过月乔，令他带其余大弟子们出去看紧门户，以防意外，几句话安排妥当，蓝老掌教便也领着几名弟子下去了。

月乔拉司马妙元，"师妹，你也跟我出去吧。"

司马妙元咬了咬唇，过去劝秦珂，"师兄，这里已经有闵仙尊他们了，不如我们都出去守外面大门怎样？"

秦珂摇头，吩咐重紫，"你留在上面，等候尊者。"

自洛河一战，重紫对水就有心理阴影，迟疑着，最后仍将牙一咬，"说不定出了大事，我还是去看看，或许帮得上忙。"

秦珂也不勉强，拉着她跃入水底。

司马妙元见状气得脸白，甩开月乔的手，"我也下去看看！"

原来六界并非每一界都相邻，而是通过人间连通。当年魔尊逆轮偷袭仙界，为掩过仙门耳目，瞒天过海，利用虚天万魔之力，在万域海底与天山天池之间秘密开辟了一条通道，从魔界直达仙界。也是天时契合，当时适逢数万年一度的七星涅槃日，北斗生魔气，加上逆轮乃天魔之身，有号令万魔之能，故而成功。

魔族意外自天池潜入，天山派惨遭重创，同时逆轮亲自率大军取道人间，猛攻南华，形成内外夹击之势，此举果然令仙门措手不及。援兵尚未赶到，天山蓝老掌教率弟子苦战，最终还是雪陵仙尊舍身，用天山镇教法宝幻晴石赢得时间，保全了天山派，雪陵身亡。逆轮攻上南华，在通天门之战中与南华天尊同归于尽。

许多人都在猜测，逆轮在大战前夕，将一半魔力封入魔剑，可能就是为了开辟这条通道，毕竟要冲破六界自然生成的仙魔屏障，不是件容易的事。

浩劫过后，洛音凡接任仙盟首座，下令以恒河泥沙并海底寒铁炼成浆汁，加以浇灌，将这条海底通道牢牢堵住。由于逆轮伏诛，再生魔王都不成气候，因此这条通道多年没再出过意外，如今仙界出现异象，必是受外力干扰，秩序被破坏的缘故，很可能与它有关。

接近天池底，现出幽幽的通道入口，闵云中先察觉强大魔气，叫一声"不好"，浮屠节提仙力，三道封印同时罩下。

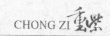

魔力仙力碰撞，周围水浪翻滚，四道人影逐渐变得清晰，重紫定睛一看，除了欲魔心与阴水仙，还有两个从未见过的人物。

一名年轻公子，黑发白面，冠带整齐，颇有王公贵族之风，只是浑身妖气冲天。

另有一个却是三十来岁的瘦和尚，手执紫檀钵盂法华杖，身上竟然披着佛门禁用的正黑色袈裟。

"法华灭！"

"妖凤年！"

后面弟子们赶来，见到这两人都忍不住惊呼，重紫这才知道二人名号，暗暗吃惊，想不到魔宫四大护法都来了。

一招见分晓，闵云中被震得后退三丈才站定，勉强将一口血吞了回去，蓝老掌教与秦珂忙上前相助。

看清形势，闵云中反而露出喜色，冷笑，"只有四个吗？"

堵塞之物已被重新破坏，可是过来的却只有他们四个，必是还有最后一道六界自生的天然屏障未能冲破。

这道屏障曾遭逆轮破坏，只是多年过去，天地灵气自然修补，如今就算不够坚韧，法力弱些的魔兵仍是过不来的。目前单凭自己这边的力量，要击败四大护法的确很难，但比起面对千万魔军，已经很幸运了。

蓝老掌教也松了口气，与闵云中递了个眼色，同时挥剑，身后众弟子立即围上来，摆开剑阵，要将四魔困住。

"凭我们四个，天山派已经难保。"邪笑声里，妖凤年身形已失，鬼影般出现在另一侧，以迅雷不及掩耳之势将一名天山弟子拉至面前，扭断脖子喝血。

爱徒身死，蓝老掌教大怒，"摆阵！"

话音刚落，又是几声惨呼，几名弟子不敌魔力，化为枯骨。

蓝老掌教又气又痛，"孽障！竟敢助魔族对付师门！只怪我当年不该听了雪陵求情，心软饶你一命！"

"我早就与天山无关，何来师门？"阴水仙看他一眼，淡淡道，"若不是你们无能，他就不会死，看在他叫你师父的份儿上，我会留你一命。"

转眼间，妖凤年已饮尽鲜血，随手将尸体丢开，广袖轻挥，身上血迹消失得干干净净，重新变回风度翩翩的逍遥王孙模样，朝阴水仙笑道："今日你可以杀个痛快，我也可以喝个痛快了。"

阴水仙冷冷道："喝血的人，令我生厌。"

妖凤年并不生气，哈哈大笑。

蓝老掌教长叹数声，亲自挥剑斩过去，"混账！你以为今日当真能得手？"

重紫来的路上已听秦珂说过这通道的事，心下暗忖。

魔尊九幽能耐果真不小，不用虚天万魔之力就能破坏至此，可见他这些年都在打通道的主意，如今四大护法全都来了，他自己却迟迟不现身，莫不是沿用当初逆轮的计策，自己带兵攻南华了？

重紫倒抽一口冷气，再仔细想，还是觉得不可能。

修成天魔的逆轮攻上南华，都要借助虚天群魔之力，九幽哪有那么厉害？毕竟控制人间要道的是仙门，近年在师父率领下，仙门各派防守严密，单凭九幽魔宫之力，要攻南华怕是不容易。

退一步，有师父和虞掌教他们在，就算出事也能守住。

重紫自我安慰，一边帮衬天山弟子们围攻阴水仙，一边冷眼观察形势。

此刻魔宫四大护法里，只有三个真正在应战，大护法欲魔心一直站在通道口，莫不是……

重紫惊道："他想要破坏仙障！"

欲魔心的确是这计划，他让阴水仙三人稳住战况，自己则与另一边的人接应，内外夹击，妄图合力冲破那道天然的仙魔障。

仙魔障破除，魔兵便能利用这条通道，从此在仙界来去自如，闵云中和蓝老掌教都察觉到这点，无奈被阴水仙、法华灭与妖凤年三魔拖住，抽身不得，手下弟子已现败势。

三大护法合力，闵云中等人哪里是对手！就算派了弟子去附近门派求救，来回最快也要一两天，这么打下去，顶多一日，别说仙障破除，连天山派也要遭受灭顶之灾。

倘若三大护法去了其中一个……

重紫重新动起心思，大声道："阴护法且慢，先听我一言！"

阴水仙转脸看她一眼，认出来，"又是你。"

重紫作礼，"阴护法还记得我？"

"又想诈我吗？"

"不是诈，晚辈只是想劝一句，当年雪仙尊为了守护天山，不惜散尽仙魄，阴前辈为他入魔，可知对他的敬意与爱意，既然敬他爱他，又怎忍心毁掉他用性命维护的东西？"

"就凭你，也想说服我？"

重紫并不回避，"晚辈不敢，但雪仙尊乃是死于魔族手上，阴前辈如今反助魔族攻天山派，叫他知道，岂不失望？"

阴水仙闪至她面前，"可惜，我决不会背叛魔宫。"

纤手如鬼手，闪着蓝光，掐向重紫的脖子，秦珂正要过来相助，闵云中与闻灵之已经先一步上来替她挡过，闻灵之迅速将她带开，闵云中低喝道："还不住口？快出去，速速报信与你师父！"

现在离开天山？重紫摇头，"恕重紫不能从命。"

闵云中既怒且喜，挡去妖凤年攻击，"好孩子，我知道你是有胆识的，但你师父如今只有你一个徒儿，怎能再出事？不可辜负他的苦心。"

"仙尊与师兄师侄都在苦战，重紫若临阵脱逃，那才是丢师父的脸，仙尊不必顾虑，我尚能应付。"

闵云中无奈，再次与妖凤年战成一团。

重紫再看那阴水仙，见她虽然不肯买账，攻势却明显慢了许多，分明在迟疑，不由暗喜。

这样一个痴情女人，怎会成为传说中可怕的女魔？

想到这儿，她索性放胆道："此地应是雪仙尊舍身之处，重紫比不得他老人家，愿追随前辈而去，幸好雪仙尊不在了，阴护法何须顾忌，别说杀我，就算杀尽天山弟子，也不算什么。"

阴水仙收回剑，"你以为没有我，你们就能阻止？"说完果然退到旁边。

妖凤年脸色一变，高声笑起来，"看我们的阴护法，倒听起小姑娘的话。"

欲魔心转身，大怒，"阴水仙，你找死？"

阴水仙不语。

没了她，妖凤年与法华灭渐觉吃力，秦珂等人都脱身出来，齐齐攻向欲魔心，闵云中与蓝老掌教亦大喜。

欲魔心再不能专心破通道，闪身挡开秦珂攻击，"你当圣君次次都能容你放肆？"

阴水仙迟疑。

欲魔心不再逼她，丢开通道，冷笑着攻向重紫，"一张利嘴！不若先灭了天山，再开通道。"

重紫吃过他的亏，不敢硬接，只是闪避。

欲魔心插手，远非阴水仙能比，激战之下，天山南华两派弟子节节败退，眼看着要被逼得退出天池。

重紫忐忑不安。

看欲魔心的样子，是打算速战速决灭了天山派，如此一来，天山派被逼入险境。可是换个角度想，引开他们，就无人再去破坏仙魔障，通道反而暂时安全了。

欲魔心带两护法步步紧逼，至天池水面，猛然察觉不对，大喝，"不好！快退！"

数道青气自他袖中飞出，散入人群。

"欲毒，小心！"众弟子纷纷退避。

"拦住他们！"蓝老掌教大喝，周围数条人影闪现，直扑四魔，似早有准备。

重紫犹未反应过来，忽觉一道热流侵入身体，以极快的速度蹿上心头，然后消失得无影无踪。大惊之下，她连忙运气细细检查，又似乎并无大碍，那热流仿佛石沉大海，再也感觉不到，灵力依旧运转自如，不痛不痒，于是便不甚在意了。

众人的视线都被吸引到另一边，无人留意到她。

一道青光不知从何处飞来，横在旁边观战的阴水仙颈边。

"师父！"

神出鬼没般，明明应该还在南华的洛音凡，此时竟然现身半空，身旁还站着几位掌门模样的仙者，皆面带微笑。

小徒弟凤眼闪闪，洛音凡先朝她颔首，再看阴水仙，"息壤。"

这是怎么回事？师父怎会突然出现？重紫正糊涂，忽听旁边秦珂道："尊者早已察觉万域海底的动静了。"

重紫大悟，欣喜又疑惑。

原来师父早已布好陷阱，怪不得闵仙尊与蓝老掌教虽慌不乱。这么说，自己方才说服阴水仙，也算歪打正着，引欲魔心起了屠天山之心，杀出天池来，才让师父得手？

果然，闵云中全无半点儿意外之色，蓝老掌教还冲她微笑点头。

师父要夺息壤干什么？重紫望着他。

洛音凡缓步走到阴水仙面前，"交出息壤，看在雪陵面上，饶你一命。"

阴水仙微嗤，"他早就死了，你不必给这么大的面子。"

欲魔心已退至池底通道口，闻言转身冷笑，"洛音凡，你这圈套设得的确好，可惜你打错了主意，息壤并不在她那里，在我手上！"

洛音凡皱眉。

欲魔心怒视他片刻，扬手丢出一个锦囊。

洛音凡接过，并不多看，墨峰剑自动归鞘。

欲魔心不理会阴水仙，回身，"撤！"

三条人影消失在通道口，阴水仙呆了呆，也跟上去，众人虽有想追杀的，但洛音凡向来言出必行，说放就是放，也无人敢追了。

　　原来洛音凡早已察觉万域海底通道出了问题，料定是九幽魔宫所为，由于仙门大会各派内部空虚，因此动身前他特地安排仙门加强了人间要道的防守，以防魔宫趁机来犯，纵出事也能最快得知。而最要紧的，还是当前的通道。洛音凡带几位掌门下到天池底查看，只见先前的堵塞物已被破坏尽，通道口依稀透出魔气，但大部分被阻隔在天然仙魔障之外。

　　仙魔障天成，说它脆弱，却能阻隔千万魔军，说它坚固，法术高强的却仍能闯过来。

　　闵云中道："必须尽快修复，耽搁不得。"

　　洛音凡道："前日我与几位掌门特地去了落霞山，取得五彩石一块，如今有神之息壤，正可修补，从此永绝后患。"

　　他早有修补通道的意思，这才设计夺息壤，闵云中原是知情的，听说五彩石也顺利取回，不由喜悦，"还等什么，这便去吧！"

　　"有些不妙！"旁边蓝老掌教仔细查看洞内情形，忽然摇头道，"地火之气上涌，万域海水似有倒灌之势，欲魔心虽退，毕竟不甘，恐怕留了陷阱，下去修补定然危险。"

　　重紫立即望洛音凡。

　　不出所料，洛音凡道："我下去一趟。"

　　"师父！"

　　"我与你同去，有个照应，"闵云中断然道，"这洞口，有劳蓝掌教派弟子守护，应该出不了意外。"

　　蓝老掌教劝说不回，无奈答应，"仙尊放心，我亲自带人守着。"

　　仙门大会召开在即，各大门派掌教与弟子陆续赶来，南华虞度、青华卓耀并昆仑玉虚子等人也到了。

意外的是九幽魔宫非但未进攻南华，甚至连半点儿动静也无，只派四大护法闯通道，令众人百思不得其解。严格地说来，此番行动九幽并未捞到什么好处，花这么多年时间破坏通道，难道就是为了给仙门添点乱？

不过众人目前最关心的还是通道下的洛音凡与闵云中，虞度与卓耀等几位掌门商量一番，也决定进去帮忙。

听说虞度等人也去了，重紫这才放心了些，整整七日，她都坐在天池畔的雪松下，远远望着不肯离开，秦珂来劝她两次，后来也就只看不劝了。

仙界秩序颠倒，白雪融化，松枝呈现出一片墨绿，这些变化令重紫恍惚，简直就像过了七年。

"重紫。"有人在身后轻声唤她。

重紫迟钝地转脸看，半晌才认出来人，不由意外，起身作礼，"云仙子。"

卓云姬换了身粉色衣衫，笑若莲花，"别担心，他不会出事。"

许久未有洛音凡的消息，重紫原就心烦，听到这声"他"，竟莫名升起怒意，轻哼，"是吗？"

卓云姬微微蹙眉。

察觉不对，重紫冷汗出来，忙展颜道："云仙子莫怪，我只是有些害怕，失了分寸。"

卓云姬点头，安慰两句就走了。

无缘无故失礼，幸亏卓云姬脾气好没计较，重紫松了口气，目送卓云姬离去，抬手拈过松枝，暗暗纳闷。

方才重紫真被自己吓到了，那陌生的冷笑听得人毛骨悚然，仿佛不受控制就从鼻子里哼出来，自己往常明明很能自制的，谁知最近突然性情大变，浮躁无比，一丝情绪都藏不住，是太担心师父的缘故吧？

她兀自惊疑，忽然一声巨响自耳畔炸开，天池水面卷起无数漩涡。

出了什么事？

重紫变色，发疯似的奔往池中心。

遭遇巨变，地力释放，守护通道口的蓝老掌教与众弟子都被逼退了出来，停在天池上空。旁边还站着许多人，虞度、闵云中、卓耀……都是先前一同下去协助修补通道的掌门与仙尊。

这么多人，却无一个开口说话的。

重紫只管在人群中寻找，半晌煞白了脸，拉住秦珂，"怎么回事？"

秦珂不答，面色也很难看。

胸中好像有什么东西裂开了，重紫失神道："掌教都出来了，闵仙尊也出来了，我师父呢？他是不是早就出来，去外头了？”

秦珂沉默片刻，握住她的手安慰，"你先别急，或许……"

重紫忽然推开他，"我要下去看！"

就在她要往下跳的时候，天池里又是一声巨响，池水四溅，一道白影自水里缓缓升起，浑身湿透，却无半丝狼狈之态。

瞬间，四周热浪退却，冷意弥漫。

日光急速消失，头顶重新布上厚厚的阴云，须臾，漫天雪花飘飘洒洒下来，似垂落的帘子。

熟悉的人影独立雪帘那一边，映着白雪越发庄严。

重紫傻傻地望着他，身旁惊喜的人们刹那间都自动后退，成了背景。耳朵里听不见声音，眼里看不见别人，终于，她不顾一切冲上去扑到他怀里，哽咽着说不出话来。

他知不知道刚才她多害怕？若他不在，她怎么办？

这不是做梦？重紫慌忙抬脸，擦干眼泪，睁大眼睛确认——苍白平静的脸带了几丝疲惫，在看到她的那一刻，不自觉流露出几分温柔与慈爱。

重紫马上又重新趴在他怀里，又笑又哭。

当众被徒弟这样抱着，洛音凡既感动又尴尬，轻轻推她，"重儿？"

好像有粒种子在心里生了根，蠢蠢欲动，似要发芽，重紫也说不清那种感觉，只知道留恋这怀抱，双手死死抱住他不放，喃喃道："师父。"

重紫身板瘦了许多，形容憔悴，想是一直在为他担忧，洛音凡见状也心软了，拍了两下她的背，"为师好好的，哭什么？"

二人本是师徒，方才情形的确算得上生死　线间，情况特殊，众人自然不会计较，乐得看笑话，唯有旁边蓝老掌教皱了下眉。

闵云中难得也露出笑容，斥道："这么大了，也不怕丢脸，赖在师父身上做什么，还不放手让你师父过来！"

重紫回神，发现众人都看着自己，立即涨红了脸。

洛音凡轻咳，示意她放手，"通道已封，应是永固。"

他既安然出来，事情毫无疑问成功了，众人早已料到结果，如今听他亲口证实，更放了心，纷纷道贺。

卓耀提议道："仙门大会当前，尊者何不借它庆贺一番？"

洛音凡点头，"理当如此。"

众人拊掌大笑。

仙界秩序恢复，盛会在分香岭举行，美酒仙肴，参会者不下万人。这次的仙门大会比以往几届都热闹，成功封堵了海底仙魔通道，永除仙界后患，是洛音凡等人苦心筹划的结果，仙门上下无不称颂。提壶放歌，弹琴献舞，各展术法，尽情畅饮，当真是神仙之乐。

雪花飘洒，喜气洋洋，寒冰雕成巨大餐桌与饰物，嵌着夜明珠的冰灯闪闪发光，照得分香岭只有白天而无黑夜。

不知哪位玩性高涨起的头，仙人们各显神通，用冰变出自己的座位、莲花、蘑菇、鲤鱼……醒时继续行乐痛饮，醉了就地卧冰榻。

数万壶酒如水泻，上用流霞，下用琼香。

洛音凡这边敬酒的人多，且都是有身份的人物，重紫不好意思夹在中间，悄悄移到下面燕真珠身旁，陪她喝了两杯酒，又左右望，"姐姐，怎不见秦师兄？"

燕真珠笑指，"在那边拼酒呢。"

重紫顺着她的手看去，果然见秦珂与一位华服青年站在一处，重紫仔细瞧，发现那男人有些眼熟，立即想起来，"那不是卓少宫主吗？我见过他一次的。"

燕真珠闻言将酒杯一搁，紧张，"你几时认得他？他欺负你了？"

重紫奇怪，"这话怎么说？我看他很是和气呢。"

"和气？"燕真珠张大嘴巴，半晌笑起来，"没被他骗就好，我说就是借他十个胆子，他也断不敢打主意到你身上。"她一边说，一边拿起片果子吃了，"你不知道，那可是仙界出了名的人物，各派有名的女弟子，一半着过他的道。"

重紫"啊"了声，"我想起来了，他很怕那个叫织姬的。"

燕真珠道："那是活该！他和你闻师叔一样，碰巧都在二十九岁上得了仙骨，仗着好皮相，成日花言巧语，风流成性，当年他还曾向你师姐提过亲呢。"

"师姐？哈！"重紫乐了，"师姐不喜欢这样的人吧。"

"尊者没答应。"燕真珠手一摊，"你师姐出事才几年，他便娶了闵仙尊的侄孙女素秋。听说开始感情还好，谁知有一日，这位少宫主不知听到了什么，突然与夫人大吵一架，之后就再没进过她的房，再然后就这样了。"

重紫惊讶，"闵仙尊那么厉害，侄孙女受欺负，他就不管吗？"

燕真珠本性大大咧咧的，加上喝得有点多，顾不了忌讳，看看四周，悄声笑道："管，怎么管？闵仙尊再厉害，总不能捆了他送到夫人床上去吧。"

重紫红着脸与她笑成一团。

"那织姬怎么回事？"

"你别急，听我慢慢说。"燕真珠示意她倒了杯酒，这才继续道，"卓少宫主只管拈花惹草寻乐，不想前几年惹上了一位厉害人物，那便是东君的女儿织姬，这位痴心仙子仗着老爹的名头，找上青华宫去，只说卓少宫主骗她，要他负责。卓少宫主哪里肯负责，早躲开了。卓宫主也拿这儿子没奈何，又无法跟织姬交代，索性放话将他赶出来，眼不见心不烦。"

"织姬找上青华宫，他夫人不生气吗？"

"他那夫人往日看着极贤惠，想不到也是个厉害人物，只骂别人勾引丈夫，成天忙着捉奸，正泡了一缸醋，当时就和织姬打了一场。"

重紫再转脸瞧那位卓少夫人，见她生得极温柔美丽，脸上却果真隐藏了几分气苦之色，眉心那粒美人痣不知为何看着有点刺心。

须臾，燕真珠的丈夫成峰过来，重紫不便再扰他两个，回去洛音凡身边坐好。其间许多别的门派的弟子上来搭话，她也心不在焉，随便应付过去，眼睛只瞟着身旁人，好在当着他的面，那些弟子不敢多缠。

但有掌门上来劝酒，洛音凡都不推辞，饮必满杯。

从不曾见师父喝这么多酒，可知他今日真的很高兴。重紫好容易等那些人走得差不多了，也凑趣斟了杯，正要递过去，忽然卓云姬捧杯走来，盈盈下拜作礼，"尊者。"

洛音凡微微点头，接过喝了。

卓云姬莞尔，没再说什么，转身离去。

胸中酸意翻涌，几难控制，重紫立即将酒杯送至他面前，"师父！"

洛音凡一愣，侧脸看她。

重紫方才见过许多喝醉的仙人，通常酒喝得越多，眼神就会越飘忽，唯独面前这双黑眸反而更加清澈，有如水波，看得人心荡漾，一时间她竟连要说的话也忘了，慌乱垂眸。

杯中流霞，灿烂若锦。

小嘴微抿，粉面桃花，含羞带喜。

洛音凡移开视线，抬手接过酒杯，却没喝，搁至面前桌上。

无论她怎么努力，在他眼里，她都只是那个师姐的替身，连卓云姬都比不上！重紫委屈得咬紧牙，一气之下抛开礼节，忽地起身就走。

天已经黑了，细碎雪花落到脸颊上，冰冷。

酒意随风而散，头脑渐渐清醒。

最近情绪失控的状况越来越严重，居然敢跟师父摔脸子！重紫捂着胸口，暗暗心惊，开始害怕起来，有气无力漫无目的地朝前走。

前面一片梅花林，红梅白雪，分外喜人。

不觉行至深处，石板路已被厚厚的雪淹没，可见平日极少有人来，重紫立于花林里，白雪悄悄落在花瓣上，优美宁静。

前面，一树梅花开得格外茂盛。

重紫心血来潮，抬手作法，地面白雪纷纷飞扬，现出底下干净的青石板路。

顺着路走到那棵梅花树下，重紫正在欣喜，低头之间，忽然发现脚底那块青石上依稀有许多小字。

谁会在这上头刻字？重紫奇怪，蹲下身仔细辨认。

这一带太僻静，常年雪飘，无人打扫，所以年月虽久，却始终没被发现，字迹不至磨损太多，辨认起来并不困难。

看清之后，重紫整个人都呆住。

青黑石板，一笔一画，反反复复都只刻了四个字。

师父，水仙。

心仿佛被什么狠狠地捏了下，重紫白着脸，飞快站起身往回走。

阴水仙？那是错的……

是错的……

"卓昊，你今日不给我个交代，休想离开！我们去尊者跟前理论。"女子气愤的声音。

"尊者他老人家怎会管这些？"男人的声音很耳熟，明显是在敷衍，"我对你自然真心，只不过我娶的那位，你又不是不知道，她是南华闵仙尊的侄孙女，我若变心，闵仙尊岂不要先砍了我？"

"总之你不能不管我！"

"你别急，待我稍后禀过父亲，求他老人家与闵仙尊说情，好不好？"

"闵老儿算什么，我君父也不怕他！"

"你一向最温柔体贴的，如今当着这么多人闹，岂不招他们笑话？"男人放软语气哄她，"大会过后再说。"

"你又骗我！"

"怎么会？三日后你在这里等我，我必定带你走。"

女子纵然怀疑，禁不得男人许多好话，终究还是答应了。

见一个爱一个，哄人的更不是好东西！重紫匆匆走了段路，正努力平复心情，无意中就听到这段对话。男人不难认，正是青华宫那位卓少宫主，女子除了织姬再无别人。

原来他叫卓昊？

重紫向来秉着"不干己事不开口"的原则，谁知她最近脾性大变，见到这场景竟莫名来气，忍不住脱口道："他哄你呢，你别上当了！"

花丛中二人同时转脸看过来。

"她是谁？"织姬神色不善，质问卓昊。

卓昊认出她，挑眉不答。

好心提醒反遭怀疑，重紫暗骂这织姬坏了脑子，更为自己变得口没遮拦而着急，转身就要溜。

织姬哪里肯罢休，上来拦住她，"你是谁，你怎认得他？"

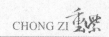

重紫奇道："卓少宫主大名远扬，放眼仙门谁没听过，谁不认得？"话里已带了三分讽刺。

织姬被噎住，半晌看卓昊，"她说你哄我，可是真的？"

"家里那位来了，"卓昊忽然皱眉，"我先避过，你替我挡着，别说我在这里。"说完隐去身形。

织姬与重紫同时转脸看，果真见两个女子一前一后匆匆走来。前面那个重紫认得，是冷冷的师叔闻灵之，后一个正是方才宴席上所见到的那位卓少夫人闵素秋。

闵素秋冷冷道："闻灵之，你给我站住！"

闻灵之回身，"卓少夫人这是在命令我？"

"是你挑拨我夫妻二人？"

"我只说了事实，何来挑拨？"

闵素秋怒视她，手上白绢几乎要被狠狠拧断。

闻灵之并不在意，"当初难道不是你放出万劫残魂的消息，引重紫前去探视，害她丧命？我向来只喜欢让别人背黑锅，如今难得替你背了这么多年，说出真相，你该谢我才是。"

听到自己的名字，重紫有点傻，不过她很快就反应过来是在说谁，暗暗吃惊，听闻灵之话中意思，难道师姐的死竟与这位卓少夫人有关？

重紫并不喜欢那个师姐，可真有人害过她的话，那又是另外一回事了。

"如此，秦珂便会理你？"闵素秋冷笑。

"同门叔侄之别，卓少夫人的意思我不明白，"闻灵之淡淡道，"有小辈在，我劝夫人言语谨慎些，方不失身份与体面。"

闵素秋也是气糊涂了，这才发现不远处有人，丈夫常年在外拈花惹草，因此本能地厌恶美丽少女，看到重紫先皱眉，再看她身旁那女子，登时大怒，顾不得闻灵之了，"织姬！"

织姬显然不怕她，扬起俏脸挑衅道："老妖婆，你叫我做什么？"

闵素秋道："卓昊呢？"

织姬恨不得将卓昊藏到只有自己的地方，哪里肯说与她，"他在哪里，连你都不知，我又如何知晓？"

闵素秋冷笑，"不要脸的贱人，勾引别人丈夫！"

"是你自己长得丑，又这么凶，当然看不住他了，"织姬毫不示弱，转转眼珠子，故意气她道，"靠玉还丹驻颜，修了三十二年才得仙骨，哪里配得上卓昊哥哥？他现在后悔得很，说娶错了人，恨不得打发你回去，还说这辈子只爱人家一个。"

仙门夫妻得仙骨时间不同，为了外形般配，晚得的常用名贵丹药保住青春，这种事原不稀奇，更无人在意，可闵素秋是个多心人，一直对此事耿耿于怀，如今被织姬说中痛处，急怒之下，上前就要扇她巴掌。织姬早有防备，侧身躲开，抬手拔下玉钗，化作短锥去扎她。

大约是女人形象天生代表着美与善的缘故，打架风度可差远了，二人抓扯一番，很快使上术法，把个梅林搅得好不热闹。

重紫在旁边看得无言。

此事罪魁祸首原该推卓昊，毕竟是他先哄骗织姬，而非织姬主动勾引他，就算没有织姬，他照样会找上别的女人。

这位卓少夫人表面看着柔弱优雅，宴席上身份摆得十足，想不到动起手来，狠劲丝毫不输织姬。织姬看似凶恶，实际出手很有分寸，并无真正伤人之心。反倒是卓少夫人，一心往织姬脸上招呼，分明是想毁其容貌，好在织姬术法不弱，这才没出事。

卓少宫主跟师姐提亲，如今却娶了她，师姐的死看来很遂她的意。

人间有句话是，咬人的狗不叫，会叫的狗不咬人，这样一个女人会背地算计，毫不稀奇。

重紫原本同情她失去丈夫的爱，可如今知道她与师姐的死有关，再想到方才她看自己的眼神，怨恨威胁都占全了，一时再无好感。

眼见两个女人打起来，重紫也不担心，现放着个长辈在呢，于是过去作礼，"闻师叔。"

闻灵之微嗤，"为男人变成这样！"

重紫愣了下，识趣地不答。

闻灵之转身离去。

重紫也没精神继续观战，打算返回宴席。低头走在小径上，她情不自禁地回味闻灵之这句话，竟大有感触，只觉心里有许多事，难以言尽，难以出口。

"重紫。"一柄折扇拦在她面前。

"卓少宫主？"重紫连忙止步，含笑作礼，心里暗叫倒霉。

"原来你便是那个重紫，"卓昊拿扇柄抬起她的下巴，"难怪秦珂当时不告诉我，可惜了一副好相貌。"

只怪自己多嘴生事，重紫理亏，气势跟着矮了几分，"我不明白卓少宫主的意思。"

卓昊丢开她，轻声，"这副相貌，实在是……不配叫这名字呢。"

没有比这更恶毒的话了，重紫大怒，想也不想便冷笑道："我自然不及师姐，可惜她再美再好，死了没几年，卓少宫主还不是照样娶了别人！"

倜傥笑意凝固在脸上，仿佛被雪冻住。

察觉不对，重紫害怕了，转身欲逃，手腕陡然被他扣住，疼痛难忍，饶是作法抵抗，

CHONG ZI 重紫

那汹涌的力量仍险些令她叫出声。

剑眉微竖，眸子里满是冷厉之色，卓昊淡淡道："你倒说说，她有什么美，有哪里好？"

重紫没好气，叫起来，"我哪里知道，放手！"

"不知道？"卓昊冷笑，手腕上力量反而又加重几分，"我对她怎样，为她做了多少，她又是如何对我……"

想不到他会这么激动，重紫忍痛，更加疑惑，难道事情并不是自己想的那样？

360

夜深，雪落得大了些。

风雪中，那双眼睛似曾相识……

重紫望着他片刻，忽然垂眸，"对不起。"

卓昊愣住。

长睫低垂，似有湿意，盖住眼中神情，整张脸明艳之色顿减，美得可怜，看上去竟有点熟悉。

轻易失态，这便是缘故？相同的名字，可惜说这句话的，不该是她。

"怪不得尊者会收你。"手缓缓松开，他轻叹了声，再不看她，大步离去。

重紫望着那背影发呆。

"回去吧。"

"师父。"

方才宴席上察觉她表现异常，洛音凡已经怀疑，只当是喝多了酒，见她许久不回，又怕她一个人乱跑出事，越发担心，故离席前来寻找。

重紫想起那杯酒，别过脸。

小徒弟安然无恙，洛音凡便不说什么，转身往回走。

重紫越发气闷，追上去拉住他，"师父！"

在赌气呢，只因为没喝她的酒？洛音凡半是好气半是好笑，再看她一副着急说不出的模样，不禁责备，"越大越胡闹，还不随我回去？"

刚碰到那手，重紫便觉体内似有道热流蹿过，心头一粒潜藏已久的种子正在发芽，蔓延，开花，全身血液也跟着发起热来。

走了几步，发觉那小手滚烫，洛音凡一惊，立即停下来细细打量她。

重紫绯红了脸，紧紧咬住唇。

洛音凡更加惊疑，忍不住开口问："重儿，你……可有不适？"

语气中的温柔与关切，驱散了她所有的理智，对与错，伦与礼，所有的顾虑都被心底汹涌的情潮彻底击败。

重紫抬脸望着他，"师父。"

轻轻的声音与素日大不相同，那是一种奇怪的感觉，好像熏风过池塘，无声惊起涟漪。

洛音凡愣住。

远处，歌声、乐声、大笑声、劝酒声依稀传来。

疏林小径，寒梅枝头，一盏半月形明灯高挂，灯影里，她倚在他臂上。

鬓角优美，小脸莹如玉，双颊飞红云。眼尾斜挑，含羞带笑，眼波微横，婉转妩媚，竟是风情万种。

红唇娇艳非常，似一朵雪润的鲜梅，看得人情不自禁想要去采撷，伴随轻喘，白色烟雾呵出，一片薄而晶莹的雪花被吹得重新飘起，迅速融化，散发出一丝暧昧。

心神一凛，洛音凡失措地移开视线，半晌才又重新低头看她，不动声色，"重儿?"

熟悉的呼唤点燃体内火苗，开始燃烧，重紫有点难受，有点兴奋，颤抖着，情不自禁朝他怀里移去。

薄唇微抿，有霜雪之色，与他的人一样冷清，可是他能用最温柔关切的声音叫她"重儿"。

想要怎么做，她不知道。

手指纤长莹润，如几管玉葱，拉起他一缕长发送至唇边，羞怯又放肆。

不喜欢卓云姬，不喜欢有女人靠近他，她会嫉妒！他不知道，他去修补通道的时候，她有多担心！他喝卓云姬的酒，却不接她的！她是他最疼爱的徒弟啊！

"师父！"她微露嗔意。

曲线完美的胸脯半贴着他，随呼吸剧烈起伏，小脸仰起，委屈的，热切的，期待的，离他太近。

小嘴轻吐热气，混合着梅花香，温柔地在他鼻端萦绕。

洛音凡沉默片刻，抬手往她额间一拂。

重紫顿觉头脑昏沉，身体似失去了骨架，软软地倒在他怀里。

洛音凡单手抱着她，自袖中取出个小玉瓶，倒出一粒药丸，迟疑着，最终还是喂给了她。

"师兄?"

"多时不曾与你喝酒，方才竟寻不见人，一个人出来了?"虞度缓步走来，看着他怀中重紫，惊讶道，"这孩子……"

"小孩子不知节制，想是喝醉了，我先送她回去。"

虞度含笑点头，不再说什么。

第二日醒来，重紫很疑惑，困扰多日的浮躁感消失，如同卸了个重重的包袱，心地清明许多。回忆起昨夜情形，隐约只记得自己做了些不太合适的逾礼的举动，更加忐忑不安，至于缘故她不敢去深想，直到出门问安，见洛音凡神色并无异常，才略略放了心。

是啊，她是他的徒弟，也曾在他怀里撒过娇，有什么不妥的？

只不过，空气中似乎总残留着一丝古怪的近于暧昧的气氛。

仙门大会整整热闹了七日，意料中的事果然发生。卓昊悄悄离去，织姬气得哭哭啼啼，找上青华宫。宫主卓耀自觉丢脸，禁不住她缠，提前告辞要走，东君也很尴尬，好说歹说劝了女儿回去。所幸仙界岁月无边，谁没有过年少风流的时候，顶多算作荒唐，并非什么十恶不赦的大错，只是这场闹剧传得沸沸扬扬，实在太引人注目，成为仙门大会一大话题。众人暗暗发笑，更有那诙谐好事者拍着卓耀肩膀问几时孙子上门认祖父，戏言"有其子必有其父"之类，将卓耀一张脸气得发黑。

第八日，各派纷纷辞行，重紫也随洛音凡与虞度踏上归途。蓝老掌教送出大门外，见重紫抱着洛音凡的手臂撒娇，半开玩笑说了句"女娃娃长大了，不能总赖着师父"，洛音凡当场将她推开，气得重紫在心里将蓝老掌教骂了几百遍。

这次盛会除了庆贺成功，融洽各派关系，还有一大作用——那就是在各门派间促成了不少姻缘。此刻分别，自然依依不舍，私底下都悄悄商议着提亲，最显眼的一对莫过于月乔与司马妙元。

月乔原是惯于逢场作戏的，不过看中了司马妙元的美貌与人间尊贵身份，能有几分真情实意？司马妙元也是想借他出风头而已，并无半点留恋。二人假惺惺地说了番惜别的话，便各自丢开了。

这时又接到消息，涂州有冰魔作乱。洛音凡决定取道涂州，原不让重紫跟去，令她随虞度先回南华，结果重紫自己悄悄禀过虞度，花言巧语哄得他同意，还是追了上去。

云中，重紫壮着胆子跳上他的墨峰剑，"师父带我。"

洛音凡严厉呵斥，"回去！"

多年没受重话，突然见他这样，重紫眼圈立即红了。

洛音凡欲言又止，最终叹气妥协，"只一程。"

重紫却赌气回到自己的星璨上，默默不语。

行至涂州界界，忽见前面魔气聚集，地面上隐约有厮杀之声，洛音凡立即令墨峰落下，只见数十妖魔正围攻一名女子。

那女子手提青青药篮子，应付虽显艰难，面上却无半分慌乱之色，正是卓云姬。

仙力凝，剑光起，几个妖魔来不及叫出声，就消失得无影无踪，余者纷纷逃散。

卓云姬莞尔，轻拂衣袂盈盈下拜作礼，"原来是尊者。"

"为何在此？"

"听说涂州有魔毒，打算过来看看，谁知在这里遇上冰魔，幸得尊者相救。"

洛音凡点头，"一个人在外，务必当心。"

卓云姬又将所打听到的冰魔的消息告诉他，二人说着正事，重紫插不上话，失落感越来越重，退得远远的，低垂着头，拿脚尖踢地上的石子儿。

卓云姬转脸看她，"她的毒解了？"

洛音凡点头不语，想不到她竟中了欲毒，幸好他随身带了卓云姬当年赠重紫的那粒解药，及时救治，这才不曾出事。至于将解药带在身上的缘故，他也说不清楚。

卓云姬没有多问，只微笑，"或许，云姬可以帮得上忙。"

洛音凡忽然转身，"重儿当心！"

重紫远远站着，只管想自己的事，并没留意周围动静，直到被他这么一喝，才终于回神，已觉颈边有寒意，顿时大吃一惊，身形急变，反手一指，施展仙门幻箭之术，同时跃起闪避，一连串动作做下来，漂亮又高明。

原来那冰魔王心恨手下被杀，前来报复，哪知道对方是洛音凡，也就吓得再不敢动手了，可就这么收兵又不甘心。正在气闷，忽然发现重紫独自站在旁边，遂打起了劫持为人质的主意，想不到她反应迅速，事情败露，只得率部下仓皇撤退。

无数冰刺袭来，有先有后，正是冰魔王掩饰退走的余招。重紫闪身避开两拨，心里一动，鬼使神差停住身形，抬小臂，双手上下当胸合掌，结印去挡那剩下的一拨。

卓云姬见状，忍不住"呀"了声。

洛音凡惊得双掌推出。

遭遇偷袭，知道她的能力可以应付，所以才没有插手，万万想不到她会硬挡。冰魔王再不济，到底修炼过百年，功力惊人，岂是她四五年修为能比的？对方魔力强盛，取巧躲

闪方是良策，硬拼只会吃亏，一向聪明谨慎的小徒弟竟犯起这样的错误！

果不其然，重紫重重跌落于地。

洛音凡既痛又气，将她扶起来骂道："如此逞能！你……"

"弟子疏忽。"重紫苍白着脸，吐了口血。

到底受伤的是她，洛音凡没有再多责备，将她抱起。

重紫立即埋头在他怀里。

卓云姬上来看过，道声"不妨"，自药篮中取出张药方交与他，"受伤虽重，好在未中冰毒，但这冰魔王修的是寒冰之气，因此这伤别的不忌，唯有一点儿就是受不得寒，尊者须格外留心。"她有意无意加重"留心"二字。

洛音凡淡淡道："有空多上南华走走。"

卓云姬含笑答应，垂下眼帘，掩饰目中苦涩。

答应她，只为断了徒弟妄念，却不曾想她也是有妄念之人，他费心保护的是谁呢……

回到南华，虞度与闵云中见重紫受伤，都大吃一惊。洛音凡略作解释，便请燕真珠上紫竹峰照看她，秦珂与慕玉等也时常去探望关照。光阴荏苒，匆匆几个月过去，眼看五年一度的试剑会近了，重紫算算自己已经十七岁，再也闲不住，借机让燕真珠回去。见她伤势已无大碍，洛音凡也没反对。

重紫失望又气闷，养伤期间，洛音凡照常闭关或处理事务，极少过问她的事，反而是卓云姬上紫竹峰拜访的时候越来越多。他二人经常在殿内共处，一说就是两三个时辰，重紫看得不忿，几次找借口进去，可只说上两句话，洛音凡便打发她出来了。

面对他突如其来的冷淡，重紫很不安，师父是什么人，怎能骗过他，难道受伤的事……他已经看出来了？

重紫暗悔，知道自己做错，再也不敢胡来，日日苦练术法，决心要在试剑会上大出风头，好求他原谅。

重华殿外，洛音凡亲自送卓云姬出来。

重紫站在阶前，怔怔地看。

卓云姬冲她微微一笑。

重紫垂眸。

待卓云姬离去，洛音凡回身叫她进殿，嘱咐道："试剑会近了，虽不必去争什么，但也要用心才是，你的伤……"

重紫原就恭敬立于一旁，闻言忙道："师父放心，弟子伤势将痊愈，并未荒废术法。"

洛音凡点头，"昨日我与掌教打过招呼，让你暂且搬去玉晨峰居住，与你秦师兄一处修行，秦珂那孩子也答应了，你收拾下，明日过去吧。"

重紫呆了。

师父这是……要赶她走？

"我不去！"

"为何不去？"

"我……"重紫目光躲闪，支吾，"我……习惯在紫竹峰，何况修行尚有许多难解之处，还需师父教导。"

"为师自会去玉晨峰检查你的功课。"

重紫沉默半晌，跪下，低声道："弟子要是做错了什么，师父尽管责罚便是，为何要赶我走？"

用意被她道破，洛音凡多少有点尴尬，"为师并非要赶你走，只不过试剑会将至，近日紫竹峰访客多，难以清静修行。"

"我不信！师父分明是借口赶我走！"重紫急躁了，仰脸，"师父说的访客是云仙子吧，我并不曾失礼得罪她！"

"胡闹！"洛音凡呵斥，"明日搬去玉晨峰，不得再多话！"

下意识地认为他还会迁就，重紫侧脸道："我不去！"

洛音凡噎住，半晌将脸一冷，"好得很，我教的徒弟，连我也不放在眼里吗？目无尊长，给我去闵督教那里领罚！"

重紫果真赌气去了摩云峰闵云中处，闵云中听说事情经过，倒没意外。徒弟大了原该自立门户，不过女孩子敏感些，受不得重话，洛音凡一向又护得她紧，如今突然赶走，她难以接受也在情理之中，因此闵云中只训了她几句，便让她回去跟师父请罪。

事情很快传开，听说她被洛音凡赶下紫竹峰，司马妙元等人都暗暗得意，等着看笑话。

重紫跑到小峰，扑在燕真珠怀里哭得眼睛通红。

燕真珠得知原委也惊讶，埋怨道："就算要让你自立，也不必急于一时，尊者实在是急了些。"

重紫低声，"还不是云仙子，没事就来，必定嫌我了。"

燕真珠听得扑哧笑出声，推她，"我还当你真舍不得师父，原来是闹孩子脾气！你师父并不是你一个人的，难道只许他收徒弟，不许他娶妻子不成？多个师娘疼你有何不好？那云仙子脾气最温柔和顺，待人更好，也勉强配得过尊者。尊者与她的交情可比你早得多，云仙子不吃你的醋就罢了，你反倒醋起她来！"

"师父当真要娶她？"

"你不知道，眼下我们都在说这事呢。最近她常来造访，尊者也肯见她，往常他可从

没对哪个仙子这般另眼相待，更别说自由上下紫竹峰，想必是有些意思了。方才听慕首座说，过些日子，云仙子还要到紫竹峰小住呢。"

重紫喃喃道："小住……"

"说不定小住过后，就变长住了，"燕真珠笑道，"男女生情，少不了卿卿我我，他老人家不好叫你看见，所以借口让你搬出来，你不与师父方便，还在那儿做什么？"

"我先走了。"

重紫匆匆起身就走，不慎碰翻桌子，燕真珠连忙赶去扶她，发现她脸色煞白，双目失神，不由拧紧了眉。

"你……"

"没事，我回去了。"

重紫拂开她的手，勉强扯了下嘴角，快步出门。

燕真珠原是猜测的话，重紫却当了真，连星璨也不用，一路走下小峰，只觉脚底软绵绵轻飘飘的，如同踩在棉花上，心头也开始迷糊。

茫茫云海，竟不知往何处去才好，许久，重紫终于记起该回紫竹峰。

重华宫一片寂静，四海水冒着寒烟。

他是她的师父，高高在上，不容亵渎，她对他又敬又爱，从不敢生出污秽的想法，对卓云姬的敌意、故意受伤、不肯离开，是她太小孩子心性？

秦珂遇险，她尚能急着设计搭救，可是他遇险，她什么都不敢想。

他要娶卓云姬？

没有嫉妒，没有不平，没有痛苦，一只无形大手已经牢牢将她的心握住，再毫不留情地捏碎。

他给了她五年宠爱，却只有五年。理智告诉她，绝对不能对他产生那样的感情，否则必定下场凄惨，可惜倘若人人都能依从理智，世上便不会有这么多错误了。

重紫失神站了许久，忽然飞快地朝对面大殿跑。

她要告诉他，不要娶卓云姬，不要这样！他只需要徒弟就可以了，虞度他们不也没有娶妻吗？她可以留在紫竹峰，陪伴他到永远。

踏上石桥，脚底踩空，反应迟钝得来不及自救，整个人扑通落入水里。

彻骨的冷，让重紫清醒了点儿。

做什么！想什么！你喜欢的是秦师兄！师徒有别，败坏伦常，那是错的！仙门不允许发生那样的丑事，他更不可能！他再疼爱你，纵容你，都是以师徒关系为前提，让他知道你存了这样丑恶的心思，只会吃惊、失望、恼怒、唾弃，哪里还会让你留下？你分明就要变成第二个阴水仙！

冰寒之气如锋利的刀刃，割破皮肤，钻入全身筋脉，腐蚀着骨头。

是了，这伤要忌寒的，病了会令师父担心。

重紫哆嗦着攀住岸沿，想要爬起来，忽然间全身骨头似化掉了般，力气消失，缓缓地重新沉入水里。

"重儿?"迷糊中，有人紧紧抱着她，温暖她，心疼地唤她。

"师父……"她想要抓住，浑身却僵硬得动不了一分。

一只手握住她的手，源源度来灵力。

明珠光芒幽幽，原本美丽的眼睛肿得可怕，双唇无血色，发青发紫，手指冻得变了形，她整个人就是个大冰块，在他怀里颤抖，口里反复唤着他，每唤一声，他便多一分后悔。

只是个孩子，糊涂的孩子，单纯地依恋着他，怎比得卓云姬她们，不该逼紧了她。

洛音凡心急如焚，催动灵力护住她的心脉，替她疏通血脉。

他回到重华宫时，重紫已失去意识。这四海水至寒，修得仙骨的弟子也未必能忍受，何况她连半仙之体都没有，加上旧伤在身，寒气引动伤势复发，失足落水之后稍有耽误，起不来也不稀奇。平日紫竹峰少有人来，谁想到会有这种意外，此刻他只后悔没在桥边设置栏杆与结界。

仙门弟子岂会轻易落水?分明是她精神恍惚，心里害怕的缘故。

幸好，四海水原是南华一宝，行玄深知治疗的办法。

见她无甚好转，洛音凡想了想，将她平放到床上，仔细盖好被子，快步出门，打算再去天机峰问行玄。

重紫昏沉沉，猛然察觉他离开，心急。

"师父! 师父!"

"阿紫永远留在紫竹峰，别赶我走……"

虞度已走到门口，正要进来看她病情，闻言立即止步，缓缓拧紧了眉。

重紫本身是备受关注的人物，这件事闹得着实不小。不过也没人怀疑到别的上面，在众人看来，她是被洛音凡宠惯了，突然被遣离紫竹峰，接受不了，小孩子闹委屈。

整整两日，重紫才自昏迷中醒来。洛音凡既没骂她，也没像前些日子那么冷淡，白天几乎都寸步不离，亲自照料她，督促她吃药。灵鹤将所有书信送到她的房间，他就在案前处理事务，直到深夜才回房休息，毕竟四海水之寒非同小可，疏忽不得。

回忆昏迷时那双紧紧抱着自己的手，重紫幸福着，又担心让他着急，心中内疚得不得了。可是当她发现，原来师父依然惦记她的时候，她简直快要被喜悦溺死，这种矛盾的心理让重紫坐卧不安，忽愁忽喜。

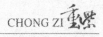

房间火盆里燃起九天神凤火，以极炎之火驱除极寒之气。

洛音凡将药汁端到她面前，重紫尝了尝，皱眉。

"苦?"

"没有。"

他天天在这里陪她已经足够，还要费心照顾她，替她配药，就算再不懂事，她也不该撒娇嫌苦了。

看她一口一口满脸痛苦地喝药，洛音凡忍不住一笑，"下次放几粒甜枣。"

重紫喝完药，抬眼看他，"师父，我不想离开紫竹峰，我不会扰着你……和云仙子的。"

洛音凡没有回答，站起身。

虞度自门外走进来，看着师徒二人笑道："总算醒了，可还需要什么药?"

知道昏迷时他曾来探望过，重紫连忙作礼道谢。

"病了，就不必多礼，师伯原不是外人，"虞度示意她躺下，看洛音凡，"我看她现在气色好些了，你二师兄怎么说?"

洛音凡搁了药碗，"旧伤复发，病险，先将养半个月再看。"

"如此，我叫他们再送些温和驱寒的药来，岂有调理不好的?"虞度停了停，忽然又微笑，"前日珂儿知道她病了，十分担心，我看不如让她早些去玉晨峰，那边清净，正好养伤。"

洛音凡看看旁边煞白的小脸，没有表示。

"莫嫌我多事，都知道你护着徒弟，但孩子如今也大了，你照顾起来多有不便，"虞度意味深长地道，"到了那边，我让真珠过去照料，师兄妹们也能随时探望，免得扰了你。你这重华宫里的事件件紧要，关系仙门，出不得错，倘若人多嘴杂传出什么，恐怕会有麻烦。"

二人对视片刻，洛音凡淡淡道："也罢，待她病好些就过去，眼下我还有些不放心。"

虞度暗暗松了口气，"师弟说的是，我正有这意思。"

师徒有别，原本没人会想到这层，可是自从仙门出过一个阴水仙，也就怪不得自己多心了，毕竟防患于未然的好，女徒弟和师父原不该太亲密，连闲话也不能生出半点儿，说得这么明显，想来他已明白。

再说笑几句，虞度便回主峰去了，洛音凡也取了药碗出门。

重紫独自躺在床上，闭眼。

残留的药味在嘴里扩散，真的很苦。

"怎么样了?"一只手伸来试她额头的温度。

睁眼看见来人，重紫忙起身，"秦师兄。"

"方才师父让我送了几味药过来，顺便看看你，"秦珂往床前坐下，绷着脸责备，"跟尊者学了几年，到头来连路都走不好了，怎会无缘无故掉水里去？"

重紫赧然，"是我不小心。"

"师父已经与我说了，玉晨峰那边，你喜欢哪一处便住哪里。"

"师兄，"重紫垂首，半晌低声道，"我不想离开紫竹峰。"

秦珂眼底有了笑意，"岂有一辈子跟着师父住的？长大了更该自立，尊者这样也是为你好，仔细养着，病好了我就来接你，听话。"

重紫头垂得更低。

出乎行玄意料，重紫这一病，别说半个月，一连三四个月都没见痊愈，而且病情时好时坏，反复无常，难得好了点，没两天又转重，治起来棘手得很。行玄说可能是冰魔旧伤发作的缘故，让她静养。洛音凡索性推掉试剑会不令她参加，他疼爱徒弟是出名的，上下弟子们都不觉得意外。其间卓云姬也来过几次，为她诊治，对这古怪的病情也捉摸不定，唯有皱眉。洛音凡如今着急万分，自然没有工夫陪客，往往说两句便送她走了。

夜半，重华宫竹影婆娑。

重紫披着单衣，悄悄溜出门，走下石阶，来到四海水畔。

烟沉水静，尚未痊愈的身体感应到寒气，开始哆嗦。

是她不对，是她太任性太不懂事，她也不想看他担心着急的，可是不这样的话，她就要离开这里了。

尽力驱散愧疚与理智，重紫往水畔坐下，咬紧牙关，双手颤抖着捧起冷得沁人的水，闭着眼睛往身上浇去。

一捧又一捧，衣衫很快湿透，身体也几乎冻得僵硬了。

"要做什么？"淡淡的声音。

重紫惊得站起身，回头看。

廊柱旁，白衣仙人不知何时站在那里，一动不动，面无表情。

"师父！"

脚底一滑，眼见就要掉进水里，忽有一只手伸来，将她整个人拉起，带回，然后狠狠往地上一丢。

重紫尚未来得及站起身，脸上便挨了重重的一巴掌，重新跌倒。

不知道该如何解释，更不知道该怎么求他原谅，重紫惊惶着、羞愧着、哆嗦着跪在他面前。

"孽障！"看着心爱的小徒弟，洛音凡直气得双手颤抖。

孽障，懂事的时候让他牵挂，担心她逞能出错；不懂事的时候又能把他气死，竟然想

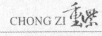

到用这样的法子来骗他！孽障，前世不珍惜自己，今世还是这样！没有一天不让他操心的！她以为自己是什么，连半仙之体都没有，禁得起几次折腾？再这样下去肉身迟早毁掉！掩饰煞气，一手栽培，日日悬心，他用尽心思想要保护她，替她筹划，她就用这样的方式来回报他！

"孽障！"盛怒之下想要再骂，却依旧只吐出这两个字，声音轻飘飘无着落。

"弟子知错，知错了！师父！"平生最大的恐惧莫过于此，重紫不停叩首，碰地有声，"别赶我走，我听话，我再也不这样！师父别生气……"

是她糊涂！是她错了！他对她百般呵护，百般纵容，苦心教导，他这个师父当得尽职尽责。可是她做了什么？伤害自己，害他着急，害他担心，又惹他生气，都是她不懂事，是她任性的错！她……她就是被他宠坏了！

湿漉漉的衣衫紧贴在身上，原本玲珑有致的身体，因为久病单薄得可怜，此刻不敌四海水寒气，她跪在那里瑟瑟发抖，牙齿碰撞，连声音都含糊不清。

洛音凡终于还是俯身抱起她，用宽大衣袖将她紧紧裹住。

快步走进房间，火盆自动燃起，他迅速将她放到床上，扯过厚厚的被子替她盖好，然后起身，丢给她一件干的衣裳。

"师父……"她挣扎着爬起来拉住他。

"再胡闹，就给我滚出南华！"

第一次听他骂"滚"，重紫灰白着脸，迅速放开他。

她原就是师姐的替身吧，他在意她，大半是因为师姐的缘故。在他眼里，那个师姐很好很美，而她现在却做出这样的事，他还会喜欢她？

浓重的睡意袭来，重紫只觉视线陡然变得模糊，整个身了软软地倒了回去。

见她昏迷，洛音凡一惊，立即往床沿坐下，迟疑着，最终还是作法替她将衣裳弄干，连同被子裹好将她抱在怀里，抬手将火盆移近了些，又恐她身体虚弱，寒热夹攻会受不住，再移远了点。

火光映小脸，颜色始终不见好转，眉间犹有绝望之色，可知心里害怕至极，前额碰得发青，左边脸颊上几道指印格外清晰，已渐肿胀。

太在意，才会失了分寸。

洛音凡低头看看右手，又疼又气，抱着她发愣。

五年，他将她当作孩子般疼爱保护，悉心教导。要骂，舍不得；要罚，也舍不得。已经分不清是因为内疚，还是因为别的。她不记前世，终于照他的意愿长大，善良、聪明、谨慎、坚强，深得仙门认可。他原以为会一直这样下去，可是如今眼睁睁地看她犯上同样的错，他竟不知所措，除了趁早警醒她，让她彻底死心，他又能做什么？

是他，将她再次带上南华，带回身边。

是她，引得他一次次心疼、内疚，想要对她好，想要弥补她。

他错了，还是她错了？

庆幸，庆幸她身中欲毒，早早被他察觉，否则后果难测。故意受伤，为的不过是让他紧张关切；故意受寒，是想留在他身边。天生煞气转世不灭，她性格里隐藏着不为人知的偏执的一面，是前世所没有的，他也曾留意，也曾引导，却没料到她会执著至此，叫他怎么办才好？

最纯真的爱恋，无奈错得彻底，正如前世那个卑微的少女，为了他甘受委屈，甘受欲魔污辱，弄得满身伤害，下场凄惨。

她不知道，其实她一直都陪伴着他，一直都在，在他内疚的心里。

倘若她记起前世，还会这样爱他？

体内有什么东西在蔓延，在放大膨胀，心神逐渐恍惚，洛音凡低头看那憔悴的小脸，忽然想起仙门大会那夜，娇艳似梅花的笑。

奇异的诱惑，引发最深处的怜惜，他情不自禁伸手想要触摸。

那夜她倚在他身上，呵出热气将雪花融化，此刻的她却浑身冰凉，肌肤散发着重重寒气，透过被子侵入他怀里，如海潮初涨，荡漾着，一寸寸前进，一步步侵占他理智的沙滩。

冷与热，急切地想要碰撞、交融，以求平衡。这一刻，他几乎要立即掀开被子，将她紧紧贴在胸前，压在身下，用尽所有温暖她……

到底仙性未失，念头刚起，洛音凡便猛然清醒，仓促地缩回手，将她和着被子一道推开，起身踉跄后退，直到扶住桌子才站稳。

喘息片刻，遍体热意被压下，胸口有点疼痛。

再多的震惊，都及不上此刻内心的恐惧、羞惭与自责。

他洛音凡修行多年，够凡人活十几世了，早已将这天地间万事万物都看透悟透，内心清静如死水。谁知到头来事实告诉他不是这样，他居然还留有这样可怕的念头，更不可原谅的是，对象是自己的徒弟！作为师父，他一直尽力教导她，保护她，却不想如今竟会对着她生出这般肮脏无耻的……

洛音凡白着脸摇头，闭目长叹。

这些年赶着修炼镜心术，太过急进，竟有走火入魔之兆。

夜半，重紫伤势果然发作，冷汗将头发和衣衫浸湿，梦中喃喃呓语，含糊不清，隐约能听出"师父"二字。

寒毒外泄，化作虚火，她挣扎着掀开被子。

隔着薄薄衣衫，可以感受到烫热，肌肤细致，带着病态的白，好似一片晶莹无力的白色花瓣。

洛音凡没有动，任那小手抓上胸前衣襟，抱住他。

　　虽然重紫这回受了惊吓，又提心吊胆怕他责怪，比往常病得更重，可是她再不敢乱来。南华有的是妙药灵丹，细细调养，最终还是一日比一日好转，两个月后行玄再来看过，欣喜万分，与洛音凡说没事了。

　　那夜的事，洛音凡没有再提，更没有责怪，确定重紫已无大碍之后，第二日便命燕真珠接她去玉晨峰。重紫不敢违拗，让燕真珠先走，自己出门去殿上辞行，却见两个小女童站在外面，十分眼熟。

　　慕玉也在阶前，见了她含笑点头示意，又提醒，"里面有客人，掌教也在，谨慎些。"

　　认出药童，那位客人是谁不难猜到，重紫低声道谢。

　　殿内，洛音凡、虞度与卓云姬正坐着说话。

　　重紫先与虞度作礼问好，又走到洛音凡面前听他训话，洛音凡只说了句"仔细修行，不可懒惰"，便令她下去。

　　"弟子得闲，还能上紫竹峰走动吗？"

　　"修行之人在哪里都是一样，你既到了玉晨峰，当以修炼术法为重，凡事有你师兄照看，不可再像先前那般任性，为师会定期去查你功课。"

　　连最后一丝念头也断了！重紫垂眸，答应着就要走，谁知旁边虞度忽然叫住她，笑道："云仙子今后要在紫竹峰住下，她也算是你的长辈，还不来拜过她再去？"

　　重紫答了声"是"，上前作礼。

　　卓云姬忙起身扶住她，"免了吧，不过是小住的客人而已。"

　　虞度道："小住久了，或许就变长住了。"

　　卓云姬微笑，"虞掌教惯会说笑话。"

　　洛音凡终于皱眉，开口，"既已拜过，就不要耽误了，让她去吧。"

虞度笑，果然不说了。

见重紫脸色雪白，神情木然，卓云姬看了眼洛音凡，轻声道："去吧，你师父会去玉晨峰看你，授你功课。"

重紫默默转身，再与洛音凡拜别，身形摇晃不稳。

洛音凡不动声色扶住她的手臂，起身道："为师还有话嘱咐。"说完带着她隐去。

刚出门，重紫便觉胸中闷痛，喉头咸腥，一口鲜血再也忍不住吐出来。

肩上有道沉缓柔和的力量注入，难受的感觉逐渐减轻。

重紫抬起脸，"师父。"

"仔细养伤，不得再任性胡闹，"洛音凡收回手，淡淡道，"用心修行，下次试剑会，莫叫为师失望。"

重紫绝望地看着他走进殿门。

入夜，房间灯火冷清，但闻参天古木随风呼啸，不似紫竹峰的低吟浅唱，令人倍觉陌生。

一路走上玉晨峰，慕玉与燕真珠将她送到房间安顿妥当，可巧早起秦珂接了任务出去，要明日才回来，燕真珠与几个要好的女弟子便主动留下来陪她。此刻夜深，几个女弟子都先去睡下了，唯独重紫倚着床头发愣。

黄黄灯光，竟无端透着一丝阴冷。

"重紫？"燕真珠看着她半晌，忽然低声叹气，"不要犯傻，快趁早断了那念头。"

重紫扑在她怀里，眼泪似珠子般滚落下来。

原来她看出来了，可是怎么断？真的断不了！

燕真珠强行将她自怀中拉起，双手扳着她的肩，正色道："你向来是个明白的孩子，这回就犯糊涂了？此事你不能单顾着自己，你想，倘若掌教他们知道，你不想活也就罢了，那时尊者他老人家面上有多难堪，你就不为他想想？"

听了她这一席话，重紫如梦初醒，伤心被恐惧取代。

这些年她被保护得太好，以致失了谨慎，养成了这种任性的顾前不顾后的脾气。一直以来只道自己委屈，却从没想过，此事一旦被发现，会害他落到何等尴尬的境地！她爱他，就更不能让他的名声受半点儿伤害。

此刻再仔细回味虞度的话，竟句句有深意，难道他已经察觉到什么了？

简单的"师徒"二字，就注定她是妄想。

重紫又悔又怕，再想到他与卓云姬此刻如何亲密，心口就阵阵揪痛，要放又放不下，更加悲凉，羞愧伤心交迸一处，终于昏昏沉沉睡去。

等她睡熟，燕真珠仔细替她掖好被角，也自去隔壁歇息了。

门关上，房间寂然，灯影无声摇曳。

重紫睁开眼，翻身下床。

殿上珠光犹亮，卓云姬捧着盏热茶走过来，轻轻搁至案上。

洛音凡记挂着重紫伤势，恐她受不了又要做什么傻事，本就心绪不宁，于是搁笔，随手端起茶杯，愣了下又重新放回去，"时候不早了，你且歇息吧。"

"我只看书，不打扰你。"

"多谢你。"

"那孩子，我也很喜欢，"卓云姬莞尔，轻声，"去看看吧。"

洛音凡没说什么，起身出殿。

卓云姬目送他离去，转身整理几案物品，忽见靠墙架上有只素色茶杯，杯身杯盖满是尘埃，不知多少年没用了，不由伸手取过来看。

一直执著地追随着那个遥远的背影，几乎快要失去信心，孰料有一日竟然可以走近他身旁，那女孩子，她是真的喜欢，更感激。

同样的名字，到底不是同一个，谁能想到，他这么明白通透的人也会因为内疚犯傻，果真把这孩子当作了替身，他的在意，他的关切，又有谁能抗拒？白天她看得清楚，那双美丽凤眼里全是令人心疼的绝望，却不知道，弄得他这样紧张，她其实也在羡慕呢……

心内酸涩，卓云姬轻轻拭净茶杯，放回原处。

"云仙子。"身后忽然有人低唤。

那声音听得不多，却很容易判断，卓云姬吃惊，转身微笑，"夜里不好生歇着，怎么跑出来了？"

仙界公认的第一美女，第一医仙，平生救人无数的最善良的女子，突然殒命，成为南华继净化魔剑失败后的第二件大事。此事轰动仙界，皆因她丧命之处，和那个糊涂的凶手，都与仙门最有名的一个人有关。在他居住的地方出事，已经不可思议，更令人称奇的是，天机尊者行玄仍测不出事实。

卓云姬遗体送回青华，青华宫宫主卓耀大恸，葬之于海底。

引人议论已在其次，更重要的是此事直接影响到南华派与青华宫的交情，两派关系遭遇了有史以来最尴尬的局面。通常遇上这种事，最好的最常见的办法，就是将那孽徒捆了交与对方处置，以示道歉的诚意，偏偏这次那女孩又不是普通的南华弟子。

睥睨六界，绝世风华，慈悲心怀，仙门至高无上的尊者，平生只收了两个徒弟，却都相继出事，未免令人生出天意之感慨。仙界人人都在叹息，或许正是因为他太强太好，所以才收不了好徒弟。

青华宫那边一直未开口提任何要求，但这并不意味着南华就不用主动给交代，所有人都将视线投向南华。

在议论声最紧的时候，洛音凡一句"交与青华处置"，成为最终的结果，也是最妥善的处理方式。

这分明是将徒弟的性命双手送了出去。

可是见过那女孩子的人，都不相信她会是凶手，南华本门上下也不信，甚至包括司马妙元。

偏殿内，闵云中断然道："其中必有内情，那孩子的品行是信得过的。这回的事，我看又与奸细有关，青华固然不能得罪，可也不能冤枉了我们自己人。卓宫主乃是位得道真仙，只要我们南华说声详查此事，他也不至于苦苦相逼！"

虞度道："这么多年都没线索，一时如何查得出来？"

自万劫事出，仙门有奸细已经确定，后来纭英自尽，更证实了这点。这些年各派暗中盘查，也清理出不少九幽魔宫的人，谁知如今又出古怪，可见那奸细还在南华，只是这节骨眼上，许多眼睛都盯着，必须给人家交代，一时哪里查得到？

"两次出事都是音凡的徒弟，我看那人有心得很，"闵云中冷笑，又有些急躁，"音凡平日也很护着徒弟，怎么出事就如此轻率？"

行玄迟疑道："当初那孩子的事，怕是真的冤枉，他这么做莫不是……"

"这如何能相提并论？"闵云中沉着脸，"何况他也知道，我们当时是不得已，天生煞气，留着她成魔，谁担得起这个责任？照音凡的性子，绝不可能拿徒弟性命与我们赌气。"

行玄点头不再说话。

闵云中无奈道："先前那孽障就罢了，事隔多年，难得他又有收徒弟的念头，如今再出事，我只怕他灰了心，今后……无论如何，此事不能轻易了结，定要查个明白！"

虞度叹了口气，道："那孩子不肯解释，说什么都是枉然，从何入手？"

几次用刑，重紫都不认罪，却也不肯申辩，这可是谁也帮不了了，闵云中更气，"他自己教出来的徒弟，叫他去问，难道在他跟前也敢不说？"

他不肯亲自去问，莫非果真……虞度一惊。

"有件事我竟不好说，"行玄忽然开口，"师兄可记得，当日师弟原不打算收徒弟，避了出去，后来匆匆赶回南华收了这孩子，我在那之前曾替他卜了一卦，想知道他命中有无师徒缘分，谁知竟是个极凶之兆，但其中又含变数，是以不敢断。"

不待虞度表示，闵云中先驳道："未必就应在这件事，何况暗含变数，或许正该有救，要害云仙子，她总得有个理由，那云仙子性格极好，几时招惹了她？"

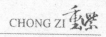

虞度苦笑，欲言又止。

行玄察觉，"掌教师兄莫非知道什么内情？"

这里都不是外人，虞度沉吟半晌，终究不好再瞒，将自己所见重紫的异常含蓄地提了下。

闵云中与行玄都惊得呆住。

"事关重大，我只冷眼揣测，未必是真，"虞度摇头，"但如此一来，云仙子之死便有了解释。那孩子向来被师弟护着，又是个性情从不外露的，恐怕她一时糊涂招致心魔，趁云仙子不备下手，也不是没有可能。"

大殿立时陷入沉寂。

浮屠节闷响，整张小几无声而塌，顷刻化作粉尘。

"孽障！她……竟然起了这心思！"闵云中青着脸低骂，片刻之后又冷静了点，"这种事不能光凭臆断，你会不会想太多了？"

虞度道："若非她心中有难言之事，为何不肯申辩？我看师弟自己是明白的，不肯去问必定有他的理由，无论如何，他既然决定交与青华宫处置，此事我们还是不要再多追究的好。"

行玄劝道："那孩子年轻，不过一时糊涂，我看……"

闵云中断然道："再好也纵容不得！"

事实果真如虞度所料的话，牵涉的问题就不仅仅在于冤枉不冤枉了，而是关乎伦常的大事，一旦传扬出去，非但南华颜面无存，连洛音凡的名声也会受影响。仙门不能再出第二个阴水仙，否则必将沦为六界笑柄，原有心保她一命，但倘若因此影响到更重要的人，也只得放弃。

东海潮翻，天地青蓝一片，亡月站在海边。

"主人，他这么快就动手了。"身旁传来粗重的声音，却看不见人。

亡月道："两生师徒，这原是他的安排，妄图激发她体内煞气，总不能真让她长成个规规矩矩的仙门弟子。"

"他太性急，未必能如愿。"

"这个险的确冒得太大。"

"转世之身，主人会有很多事无法先知，会不会头疼？"

"无所不知，才会头疼。"

"洛音凡将她送与青华处置，主人不担心？"

"不肯亲手处置，已生不忍之心，这就足够了，我不信洛音凡还会让她死。"

"可他是洛音凡，一切都有可能。"

"一切也都有变数。"

"是的，主人。"

第一次见到南华的仙狱，倒没有想象中那么可怕，什么老鼠蟑螂毒虫全都没有，唯有无尽的黑暗。当然夜中视物，对仙门弟子来讲并不难，如果不是有那么可怕的刑讯，重紫此时应该还能站起来走动两圈。

周围的墙都设了仙咒，外侧是拇指粗细看似寻常的铁栏。作为暂时关押罪徒妖魔的地方，再厉害的魔头进来，也是逃不掉的。

重紫精神好了许多，挣扎着挪到墙边。

近几日，他们似乎没有再继续审她的意思，大约是前几次刑讯下来都没有结果的缘故吧？幸好师父自始至终都没有来看，否则她不能保证撑得下来。为了让她说实话，他们不惜扰乱她的神志，而她，必须要保持绝对清醒。

"重紫。"有人低声唤她。

"慕师叔？"重紫眯了眼睛，半晌才认出来人，"秦师兄！"

秦珂蹲下，探一只手进去。

重紫尽量直起身，半跪着拉住他的手，强忍眼泪，"师兄怎么进来了，闵仙尊他们知道吗？"

秦珂反握住那小手，只觉瘦骨嶙峋，心里一紧，连忙度了些灵力过去，"可支撑得住？"

重紫低声，"多谢师兄惦记，我没事的，慕师叔已经送了药。"

秦珂默然片刻，问："此事到底与你有没有关系？"

"我没想杀她！"重紫头疼欲裂，"我真的不知道。"

自从被关进来，所有人都在反复问她这些问题：为什么会上紫竹峰？云仙子是不是她杀的？为什么她会在现场？她到底做过什么？

而她，始终只有一个答案，那就是不知道。

没有说谎，她是真的不记得，记忆从在燕真珠怀里睡着的那一刻起就中止了。醒来时，她已经不在玉晨峰房间里，而是回到了紫竹峰，站在重华殿上，卓云姬横尸面前，死于仙门最寻常的一式杀招之下。

唯一记得的是那个蛊惑人心的声音。

"我不知道怎么回去的，"重紫扯住一缕头发，喃喃道，"我只知道，有人在梦里对我说话，然后就什么都不记得了。"

秦珂立即追问："他对你说了什么？"

那古怪的声音说了什么？重紫紧紧咬住唇，不吭声。

它挑拨她，"若不是卓云姬，他怎会赶你走……"

它引诱她，"伦常是什么，师徒又有什么关系，只要你听我的，他就会喜欢你。"

它怂恿她，"去找卓云姬，去杀了她，他就是你的！"

……

她当然没想照做，云仙子对她有救命之恩，她重紫若连这点良心都没有，那就是辜负师父多年教诲，根本不配做他的徒弟！何况云仙子是他喜欢的人，就凭这个，她也断不会下手。

问题是，她能保证自己清醒的时候不会做，却不能保证自己不清醒的时候会怎样。

这是笔糊涂账，要求彻查也容易，可当着闵云中他们的面，这些事怎么能说出去？

燕真珠那夜一番话已经点醒了她，她的确想得太简单了，单纯地喜欢，单纯地任性，单纯地认为自己愿意承担后果，却不知会给师父带来多大的难堪，别人会怎么看师父。叫师父知道，他辛辛苦苦维护栽培出来的徒弟，是个不顾伦常、不知廉耻的东西？

重紫垂眸，"我不记得了。"

"再仔细想想，或许会是条线索，好还你清白，"秦珂握紧她的手，鼓励，"闵仙尊对你用刑是迫不得已，他想要救你性命，你若肯说出真话，他们必会信你。"

重紫只是含泪摇头。

师父说过修行中一旦产生心结，就可能导致心魔出现。她对师父有邪念，对云仙子有嫉妒，那个声音很可能是她的心魔，怎么查？杀云仙子的可能真的是她。

秦珂盯着她半晌，道："这里并无旁人，你若相信师兄，就原原本本照实说来，果真不记得？"

被他看得发慌，重紫别过脸，"不记得。"

脉象有变，分明是紧张说谎，秦珂难得发怒了，"事到如今还要隐瞒，后果不是你承担得起的！尊者已将你交与青华宫处置，你能指望他来救吗？"

"对不起，秦师兄！对不起……"重紫双手抓紧他，哭求，"你不必为我费心了，我……不怕的。"

秦珂丢开她，起身走了几步又停住，"可需要什么？"

"师兄能用净水咒吗？"术法暂时不能施展，浑身上下都已脏了，将来总不能这样去见师父最后一面。

有冤不去诉，反顾着这些！秦珂绷紧脸，简直不知道说什么才好。

此事洛音凡既已表态，所有人都把视线转投向青华宫。

南华主动交出人，道理上面子上都过得去了，可是说到底，做起来仍有伤和气，毕竟那女孩子身份特别；但若要就此罢休，又对不起无辜丧命的妹妹。此事实在敏感，因此宫主卓耀并未亲自出面，只让其子卓昊代为前往南华，至于到底要如何处置，大家都心知肚明。

洛音凡立于紫竹峰前，面朝悬崖，看不到他脸上神情，背影透着一片孤绝冷寂。

"秦珂拜见尊者。"

"若是求情，不必多说。"

"我只问一句，尊者当真相信是她做的？"

洛音凡淡淡道："事实，与信不信无关。"

"所以尊者就将她交与青华？"

"她是重华宫弟子，自然由我发落。"

"错杀了一个，连这一个也不放过吗？放眼仙界，除了尊者，秦珂还从未见过为交情拿徒弟顶罪的师父。"秦珂微微握拳，转身离去。

洛音凡依旧没有回身，仿佛成了一座石像。

玉晨峰，卓昊含笑合拢折扇，大步走到石桌前。

石桌上摆着仙果与酒，秦珂早已等在对面。

卓昊坐下，"秦师兄此番请客，甚是有心。"

秦珂没说什么，提壶替他倒满酒。

"那是我姑姑，"卓昊看着那杯酒，缓缓道，"她的为人你也知道，平生行医济世，慈悲为怀，仙界人间无不称赞，如今不白而死，我不能不给她一个交代。"

"我明白，此事叫你为难，"秦珂沉默半晌，有惭愧之色，"只希望师兄能手下留情，留她一缕魂魄。"

卓昊直视他，"我姑姑却是魂魄无存。"

"她没有理由害云仙子，何况云仙子是她的救命恩人，你阅人无数，也曾见过她一面，该有些了解。"

"这件事我也奇怪，但很多人只凭眼睛是看不出来的，你的意思是，尊者会冤枉徒弟？"

"这种事不是没有过。"

卓昊看着他许久，推开酒杯，"你难得开口，就凭这份交情我也不该拒绝，但你知道，此事干系重大，我也有我的难处。"

秦珂默然。

"或许，她确实有点像，可惜始终不是，"卓昊站起身，拍了下他的肩，"你已经尽力。"

"她的品行我很清楚，仙门有奸细，南华已经冤屈了一个，不能再有第二个。"

"这世上冤案还少吗？你多看看就习惯了。"

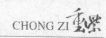
CHONG ZI 重紫

离开玉晨峰，卓昊径直朝主峰走，转上游廊，终于还是停了脚步，侧身望那座长满紫竹的山峰。

容貌言行截然不同，不经意间流露的东西，偏又那么神似。

天山雪夜，梅花树下，那女孩子轻声对他说"对不起"，竟让他生出是她在道歉的错觉……秦珂的紧张，也是来于此吧。

或许，该查一查？

卓昊移回视线，继续朝前走。

查什么，就算查到什么，消失的人能再回来？堂堂尊者舍得徒弟，一个亲手杀了，他会去救第二个？别人的徒弟与他有什么干系？救她对他有什么好处？自寻麻烦！

不知不觉中，脚底原本通向主峰的路竟改了方向，向着摩云峰延伸。

卓昊吃惊，接着忍不住一笑。

能在南华施展幻术不被人察觉，还能困住他，会是谁？

"当年又何曾为徒弟这般费心？"他打开折扇轻摇，悠然踏上小路，"如此，晚辈遵命去看看就是。"

仙狱这边地方较僻静，恰巧闵云中有事出去了，守仙狱的两个女弟子都认得他，并没拦阻，毕竟重紫本就是要交给青华宫处置的。

步步石级延伸而下，直达黑暗的牢房，少女趴在铁栏边，似在沉睡。

卓昊看清之后，有点吃惊。

不是因那瘦美的脸，不是因那深深的鞭痕，而是这少女单薄的身体上，此刻竟呈现着一幅奇异景象。

五色光华浮动，分明是金仙封印。

寻常人需要什么封印？下面掩盖着什么？

原以为引他来此的目的是想借徒弟惨状引他怜悯，如今看来，让他知道这封印下的秘密，才是那人的真正用意。

卓昊定下神，迅速合拢折扇，走近栏杆，皱眉查看。

天目顿开，少女体内灵气已不那么充沛，极其虚弱，想是受刑所致，令人意外的是她全身筋脉里，除了天地灵气，竟还有另一股青黑浊气在流动！

瞬间，封印与黑气重新隐没。

那是什么？卓昊倒抽一口冷气，退后好几步才勉强站稳，浑身僵硬，简直不敢相信看到的一切。

煞气！是煞气！

小脸颜色很差，几道伤痕清晰，依稀有着当年的倔强。

是她，是她！他飞快走上前，半蹲了身，急切地伸手想要去触摸，然而就在即将碰到她的前一刻，那手又倏地缩了回来，改为紧扣铁栏。

所有的狂喜，转眼之间化作无尽悲凉，他几乎想要立刻逃走。

重紫，星璨，第二个徒弟，尊者护犊，一切都有了解释！

告诉他这个秘密，算什么？

求他放过她？

可是这一切对他来说，又算什么？

十几年前，他眼睁睁地看她赴死，却无力回天；十几年后，在他的生活因此变得一塌糊涂的时候，有人突然来告诉他，告诉他所有的事都是一场游戏，告诉他死了的人没有死，活着的人被骗了，告诉他面前少女就是当初那个女孩子，是他少年时最真挚的爱恋，是他曾经一心想要保护的人，是他的"小娘子"？

他宁可什么都不知道，什么都没看到！

这所有的一切，是谁造成的？

手握紧折扇，仙力控制不住，折扇瞬间化为灰烬。

原来，那样的人，仙界至尊无上的最公正最无情的人，为了救徒弟，竟也对仙门撒下了弥天大谎！传扬出去有谁会相信，他玩弄了整个仙界！

天生煞气，魔剑宿主，多么危险，他亲手杀死她的时候，许多人都松了口气，可有谁会想到今日呢？

泄露秘密，不惜放下身份相求，仙界最受瞩目最受拥戴的人，总是自以为料定一切。算准父亲不会出面，算准他没有忘记，可是心里所承受的也不会少吧？

转世煞气不灭，还敢让她活着，替她掩饰，当真就不怕三世成魔的预言？有朝一日天魔重现，浩劫再起，他便是头一个帮凶！出事后选择沉默，不愿详查，让她蒙冤，是怕被人发现她天生煞气，还是害怕自己真的犯错，要借机作另外的打算？

卓昊缓缓站起身，缓缓后退，轻笑着，踉跄着，一步步走出仙狱。

第十一章 【行刑】

　　一片飒飒声里，灵钟的声音不再清晰，南华遇上罕见的雷雨天气，雷鸣电闪，大雨滂沱，冲洗着十二峰，却始终到不了通天门。

　　雨被无形屏障阻隔在外，通天门石台上，中间坐着请来作见证的长生宫明宫主，南华掌教虞度坐在左手边第一位，几位尊者依次过去，最后是慕玉，秦珂佩剑而立。青华宫这边，卓昊因代父亲而来，坐在明宫主右边第一位，第二位便是夫人闵素秋，再过去是青华两位长老仙尊。石台底下，数千弟子屏息而立。

　　虞度与明宫主解释两句，又叹息一番，在场几乎所有眼睛都看着洛音凡，见他端坐不语，谁也不好先开口。

　　卓昊手里换了柄新扇子，左右看看，道："时候差不多了，还是尽快了结吧。"

　　"也罢，现就将这孽障交与少宫主发落。"虞度点头，看了眼闵云中。

　　闵云中立即下令，"带那孽障上来！"

　　须臾，两名女弟子带重紫驾云而至。

　　不再受刑，重紫精神略有好转，已能自己走动，只是颜色憔悴，瘦得可怜，虽然术法被封，但为了对青华表示诚意，依旧给她手脚上了仙枷。

　　至刑台前，她默默跪下。

　　虞度有惭愧之色，"发生这等事，南华无颜见卓宫主，如今孽障已带到，任凭少宫主处置。"

　　卓昊收起折扇搁至面前几上，平静地打量刑台上的少女。

　　容颜虽改，却照样傻，竟不知开口申辩，还是果真与她有关？

　　"你有何话说？"

　　重紫垂首摇头。

闵云中暗暗松了口气，松开握着浮屠节的手。照他的主意，倘若这孽障果真当众说出不合适的话，是顾不得什么的，先解决了再说，"人就在这里，少宫主何必多问？行刑便是。"

"姑姑死得蹊跷，我受父亲之命而来，不该问个明白吗？"卓昊皱眉，眼睛看着他的手，"莫非闵仙尊不想让我知道？"

傻子都听得出这话不单纯，闵云中一张老脸顿时变得铁青。

闵素秋先怒，"你对堂祖父出言不逊，是什么意思？"

卓昊脸一沉，"我代父亲而来，这里并没什么堂祖父，如今掌教仙尊都在，岂有你一个女人说话的地方？叫人笑我青华门风，还不给我闭嘴！"

闵素秋涨红脸，"你！"

最疼爱的侄孙女受气，闵云中待要发作，又恐惹得他夫妻关系更加恶化，无奈之下只得叹了口气，抬手制止闵素秋，冷笑道："我堂堂南华督教，平生磊落，还怕了晚辈不成？少宫主要问什么，尽管问。"

"如此，甚好，"卓昊直了身，看重紫，"你为何要害人？"

重紫摇头。

"是你杀了她。"

"我不知道。"

卓昊离开座位，走到她面前，拿扇柄托起她的下巴，轻佻的动作引得众人纷纷摇头，这位少宫主果然名不虚传，风流本性难改。

重紫也意外，当然众目睽睽之下，用不着担心他会做什么出格的事，遂低声劝道："重紫乃将死之人无妨，少宫主却是代令尊而来，身份不同，如今一言一行都关系到青华宫，理当谨慎些，以免招人闲话。"

"难得你肯为我着想一回，"卓昊剑眉微扬，有一丝嘲弄之色，"死的是我姑姑，我理应找真凶报仇，究竟是不是你？"

重紫立即望向秦珂，迟疑。

虞度忽然开口，语气温和不失严厉，"你师父苦心栽培你多年，纵然你犯下大罪，他也并未将你逐出师门，你若良知未泯，就要仔细回话，不可妄言，辱没师门。"

重紫心中一凛，"掌教放心，重紫明白。"接着，她镇定地转向卓昊，"重紫无话可说，但凭少宫主处置。"

卓昊不语。

果然还是那样，为个师门就可以忍受一切委屈，怎会狠心杀人？

闵素秋见状，暗暗捏紧双手，指甲几乎掐进肉里。因为丈夫的缘故，她对前一个重紫痛恨至极，对这一个长得更漂亮的自然无好感，于是忍了气，朝旁边两位青华长老使

眼色。

两位长老也觉得自家少宫主丢脸，互视一眼，其中一位咳嗽了声，道："她既已认罪，少宫主何须再问，不如快些处置吧。"

闵素秋亦柔声劝道："你是心软，怕她冤枉，但她自己都无话可说了，想是不假，何不尽快料理完此事，你我也好回去禀报父亲。"

卓昊点头，后退几步，"也罢。"

闵素秋立即转向另一位长老，"就请长老代为行刑吧。"

那长老起身离座，走到刑台前，拔剑。

卓昊转脸看座上洛音凡，见他依旧纹丝不动，神色淡然，不由笑了笑，回身用扇柄将拔出一半的剑推回鞘内，"还是由我动手最妥，退下吧。"

长老依言退回座中，地上重紫却忽然道："少宫主可否稍等片刻，重紫还有两句话说。"

卓昊示意她讲。

"求师父回紫竹峰。"重紫叩首，伏地。

五年呵护，五年教导，师姐之死已让他内疚至今，她又怎能再让他亲眼看这一幕？对他，对她，都太残忍。

经她一提，明宫主连忙也转脸劝道："尊者是不是先……回避？"

洛音凡不答，亦不动，用行为表了态。

虞度叹道："行刑吧。"

"尊者收的好徒弟。"卓昊笑着后退两步，抬左手。

海之焰，青华杀招，漫天细小蓝光撒下，在场众人却感觉不到半点儿杀气，美丽，伤心，如暮春时节纷飞零落的柳絮，又如夏夜里即将消逝的萤火虫。

仙枷脱落，浑身剧痛，重紫终于趁机抬脸望了眼座中人。

黑眸无悲无喜，淡漠的神情，就像初次见她时一样。

但她不会被骗，他肯定失望，也伤心。为卓云姬之死伤心，那是他喜欢的仙子，无辜命丧南华；至于她这个徒弟，他应该是失望又气愤，或许，会有一点儿伤心，他曾经那样疼爱她，如今却要眼睁睁地看她被处死。

她不怕死，只是有点不甘，卓云姬之死，她连一个确切的答案也给不了他，他肯定也很想知道。

幸好，能够这样美丽地死去，不至太难看。重紫转脸望卓昊，想要谢他，视线所及，却只见他满眼落寞的笑。

只一瞬，美丽的一瞬。

蓝光散尽，刑台死寂。

少女歪倒在台上，极度虚弱，元神迟迟未散。底下众弟子犹在发愣，旁边秦珂已面露感激之色，握着八荒剑的手逐渐放松。

察觉不对，两名长老试探，"少宫主？"

卓昊没有回答，眼睛看着地上人。

魂魄有损，几欲昏死，可这明显不是预料中的结果，重紫惊讶，费力地抬脸望他。

"青华已处置过了，"他不再看她，移开视线，轻拂衣袖，"余下的，就交与重华尊者吧。"

此话一出，在场所有人，包括作证的长生宫明宫主，都再次呆住。

闵素秋倏地站起来，厉声，"你糊涂了吗？那是你亲姑姑，回去如何与父亲交代？"

折扇展开，卓昊竟再也不理会众人，大步走下阶，朝山下而去。

一道萧条背影，隐没在外面狂风暴雨中。

身后是纷纷议论声。

长辈丧命，他却如此草率了结，轻易放过凶手。不过更多人以为，他这么做，其实是在给洛音凡面子，虽然这女孩子名义上是南华弟子，比起两派交情来说不足为惜，但那毕竟是洛音凡的徒弟，而且人人都知道他对这徒弟曾经有多重视多爱护，主动交出来处置，必是不得已。

卓昊留情，闵素秋越发认定他二人有不可告人之事，恨得咬牙。待要再说什么，无意间对上洛音凡的视线，黑眸平静无波，仿佛洞悉一切，看得她心头发凉，忙闭了嘴，又惦记卓昊，怕他去找织姬那些女人，于是匆匆与闵云中道别就追上去了。

谁也没料到会发生这样的变故，虞度与闵云中等都有些措手不及。

明宫主轻咳了声，道："既然青华已处置过，少宫主又将她交与尊者，如此，还是由尊者带回去吧。"

这句"带回去"说得极巧妙，众人都看洛音凡。

闵云中立即道："青华放过她，是卓宫主慈悲，这孽障到底是南华罪徒，祖师教规在上，死罪虽免，但就这么让她回紫竹峰，定难服众！"

她既有那样的心思，的确是不能继续留在紫竹峰了，虞度看着洛音凡，意味深长，"师弟。"

"送回仙狱。"洛音凡起身。

再次被丢进黑暗的仙狱，重紫伤重昏迷，幸亏有秦珂燕真珠等人送来的药，连躺了两个月才逐渐好转。这期间慕玉没来，后来听说是闵云中不许他探望，反倒是秦珂得以允许。其实这也是闵云中对重紫还留有一分欣赏的缘故，他只当她年轻，一时糊涂才生妄念，见秦珂待她格外不同，便借此机会，有心想要让她移情改过，也算是惜才之意。

重紫当然不知道这些，以为那日刑台死里逃生，必是秦珂求情了。想他生性骄傲，头一次这么拉下脸求人，重紫越发不安和惭愧。

至于卓昊，自己跟他只见过几面而已，为什么他会有那样的眼神，恐怕也是因为师姐的缘故，倘若师姐喜欢的是他，其实会幸福的吧？

可惜，被那样一个人宠过护过的女孩子，又怎会喜欢别人？

师姐喜欢谁，阴水仙那番话是真的。

重紫倚着墙出神。

事情过去，仙狱看守没有先前那么严了，加上她术法受制，不用担心逃跑，再有秦珂说情，困仙的铁栏也被撤去，尽管这点自由仍然很有限。

耳畔响起脚步声，须臾，有人顺着石级走下来。

看清是谁，重紫也猜到她来做什么，不过面上礼节要做到，遂起身叫了声"师姐"。

"我来看看你怎么样了，伤好了吗？"司马妙元假意关切两句，又望望四周，抱怨，"师妹受了重伤，怎能住这种地方？尊者也太狠心了。"

她原本就是来看笑话的，重紫冷眼不搭理。

司马妙元上前拉住她的手臂，叹气，"当日师妹拜入紫竹峰，又得尊者看重，多少人羡慕，谁料到会出这种事呢？"

手腕剧痛，全身筋脉奇烫，似要爆裂，难受至极，重紫心知她在使阴招，无奈术法受制，反抗不得，只得咬紧牙关不吭声。

司马妙元斜睇，"师妹在发热？"

额上满是冷汗，重紫极力忍受，口里淡淡道："多谢师姐赐教，只是将来掌教发落，必会提我问话，那时我若又添新伤，恐怕不好回呢。"

司马妙元也不屑再装了，"犯了这样的大罪，你当尊者还会护着你？真那么看重，他老人家就不会将你交给青华处置了，现在你是死是活，也没人会管，拿什么跟我比？"话虽如此，到底还是放开了她。

重紫后退几步，扶着墙站稳，"师姐是人间公主，身份尊贵，重紫如何敢比？师姐的教训，重紫记住就是了。"

司马妙元轻蔑道："啊，我忘记告诉你了，你过几天就要被遣送去昆仑冰牢。"

重紫果然听得愣住。

冰牢？关押十恶不赦之徒和魔王的地方？

"下这道命令的不是掌教，正是尊者，"司马妙元一阵快意，"原本掌教与闵仙尊还替你求情，是尊者坚持要送你去的。"

见重紫没有反应，她正要再说，忽然身后传来秦珂的声音，"妙元？"

"秦师兄。"司马妙元连忙换了笑脸，过去作礼。

秦珂点了下头。

知道他是来看重紫，司马妙元更加嫉恨，怪不得这臭丫头落到现在的境地还敢嘴硬，原来是仗着他！因不知他有没有听到方才那番话，她连忙笑道："听说尊者要送师妹去昆仑，我怕师妹伤心，所以来劝劝。"

秦珂仍没表示。

司马妙元更觉心虚，再说两句便出去了。

秦珂这才走到重紫面前，拉起她查看伤势，"她就是这样，不必理会，师父与闵仙尊都在替你求情，事情尚有转机。"

重紫摇头，无力地伏在他怀里。

遣送昆仑，她不敢有意见。云仙子的死，她虽然不清楚和自己有没有关系，但嫉妒之心引出心魔是肯定的，她没脸见师父，她害死了他喜欢的人，他有理由怪她罚她。只不过，去了传说中那个可怕的地方，她将再也见不到他，再也见不到这些人了。

秦珂轻轻拍她的背，半晌低声道："早知如此，我该收你为徒。"

有这句话，还奢求什么？重紫眼眶微红，"师兄待我这么好，是因为师姐吗？"

这段日子的陪伴照看，不知何时开始，他待她好得远远超出了寻常师兄妹的程度，但与恋人又有距离，重紫多少也猜出他的心结。

秦珂沉默片刻，道："因为她，也因为你。"

重紫紧张，"如果云仙子真是我杀的，师兄还会这样对我吗？"

"你不想杀她？"

"不想。"

"果真是你无意识动的手，那就赎罪，"握着她的手忽然收紧，秦珂看着她的眼睛，"重紫，掌教他们如今还是看重你的，会替你说情，但尊者那边……不论发生什么，都应该坚持下去，不能轻易低头放弃，就算去了冰牢，也要忍耐，师兄迟早会想办法接你出来，知道吗？"

平静的声音是最坚定的承诺。

重紫鼻子一酸，"师兄为什么这样信我？"

"你不明白，"秦珂道，"这种事不只你一个人遇上，我保护不了她，如今不能再让你走她的路。"

重紫有一丝不祥的预感，"难道师姐也是……"

"你师姐，本是个大胆又聪明的女孩子，可惜她太重感情，太相信尊者，以至忘记了最初的坚强，甚至忘记了自己，"秦珂停了停，道，"你现在也看见了，尊者没你想的那么……"

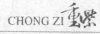

重紫立即打断他，"不，这次不关师父的事！"

那种情形下，谁都会怀疑她，虽然也伤心他那么快就放弃，将她交出去，但如果她能坚定地开口叫冤枉，他必定会彻查的吧，问题出在她自己，这是她该受的惩罚。

秦珂没说什么。

是真的像，一样的善良，到这种地步也不会恨。

沉默片刻，他双手扶着她的肩，"不论如何，你要明白，一个人倘若连自己都不想保护自己，又怎能指望他人来帮你？"

重紫垂首，迟迟不能言。

她当然明白，如果这件事牵扯的是别人，她绝不会轻易放弃申辩，可是现在她最想保护的已经不是自己。

心魔，还有那些话，说出去会造成怎样的影响？堂堂重华尊者被徒弟爱上，后果不是她承受得起的。她的坚强，注定要在他面前低头。

秦珂离开没多久，燕真珠就来了，带了许多药不说，居然还搬了张小木榻，还有块漂亮的火鸦毛和天鹅毛编织的毯子。

重紫笑起来，"真珠姐姐要搬来陪我住吗？"

"你泡过四海水，现在又有伤，不能再受凉了，"燕真珠铺好毯子，拉着她坐下来，递给她一个玉瓶，"这是首座给你的药。"

重紫忙道："我的伤差不多好了，姐姐叫慕师叔别担心。"

燕真珠道："你还需要什么，我下次带进来。"

重紫小声道："我可能住不了多久了，趁眼下还在南华，姐姐有空多看看我就很好。"

遣送昆仑的事上上下下都在传，燕真珠自然也听说了，闻言伸臂搂住她，"事情还没定，你别急。"

重紫勉强笑道："我没事的，掌教他们既肯为我说好话，就不会让我吃太多苦，说不定冰牢里头清静正好修行，过个几年他们就放我出来了。"

"事情没那么坏，"燕真珠拍她的脸，笑道，"你秦师兄怎么舍得让你去那种地方？他已经求过掌教，如今掌教与闵仙尊都在替你说情。虽然你是尊者的徒弟没错，可在南华，掌教说话是有分量的，尊者很可能会松口。"

原来掌教插手，也有秦珂求情的缘故，他还为自己做了多少？重紫掰着手指，心头有暖意化开。

燕真珠想到什么，"听说方才司马妙元来过，是她告诉你的吧，别理她！"

重紫将经过说了一遍。

听到司马妙元使阴招，燕真珠大怒，倏地站起身，"太过分了！我去……"

重紫连忙阻止，"算了，我又没受伤，无凭无据，闹出去掌教他们顶多责骂两句。司马妙元心窄，姐姐却一向不拘小节，叫她记恨上姐姐，没事寻点把柄出来，姐姐只会吃亏。"

"这种时候你还……"燕真珠叹气。

"早知道她是这样忘恩负义，我当初在洛河也不救她了，"重紫拉着她重新坐下，"现在不是时候，等出去了我才不怕她，姐姐何必气这个？"

燕真珠沉默许久，移开视线，"你……不怪我？"

重紫明白她内疚什么，"那晚该当要出事，又怎能怪姐姐？姐姐难道天天守着我不成，何况有心魔在，迟早……"停住。

"心魔？"燕真珠看她。

重紫咬了咬唇，忽然扑在她怀里低声哭起来，"姐姐，我不怕去冰牢，我只怕云仙子真是我杀的，师父喜欢她，我……有心魔……"

"虫子！"燕真珠欲言又止。

秦珂自仙狱出来，径直去了闵云中处，再去主峰见过虞度，然后才回玉晨峰，还未走到门口，远远就看见外面石桌旁坐着一人，一手执酒壶，一手扶酒杯，自斟自饮。

见他回来，那人侧脸笑道："这流霞酒只有仙门大会才有，你敢私藏？"

秦珂微微抿嘴，走过去坐下，"卓师兄又藏了几壶？"

"不多，也就两缸，"卓昊举杯一饮而尽，"偷酒的神仙自古就有，岂止你我，当时连昆仑君那样的人也藏了两壶。"

秦珂道："偷了两缸，他们竟没察觉？"

卓昊取过折扇打开，"我从三百缸里匀了两缸出来，然后倒了琼香进去混着，他们如何能察觉？仙门大会上喝的都是掺了琼香的流霞。"

秦珂失笑，"你很惯于做这种事。"

"守仙门守人间，需你们去，品酒，需我这样的人来。"卓昊说完又饮了一杯，"纯正的流霞一旦掺了琼香，果然味道也不似先前了。"

一杯接一杯，眼中杯中都光华闪烁。

秦珂有点吃惊，"你……"

"我教你怎么认流霞，"那点光华迅速消失，卓昊摇摇酒壶，再也倒不出一滴，于是将空壶在他面前晃了晃，"真正的流霞酒，是苦的，只要你接连饮上三百杯，就能察觉了。"

秦珂皱眉，"果真？"

卓昊丢下酒壶，"假的。"

秦珂没有笑，反而面露歉意，"多谢。"

"你可以当作我是在给你面子，"卓昊笑了声，"白赚个人情，我会觉得愧对你。"

秦珂沉默片刻，问："你为何放过她？"

"我放过她，她也会被送去冰牢。"卓昊没有回答，移开话题，"我要去西天佛门一趟。"

秦珂愣了下，沉声，"你……"

卓昊忍笑，"我这样的人像要当和尚的？不过是有事求佛祖而已。"

秦珂道："令尊可知道此事？"

"我来你这里，就是不想让太多人知道，"卓昊站起身，"酒喝完了，我也该走了。"

秦珂跟着起身，"此去西天，路途遥远，我送你一程。"

卓昊拿扇柄拦住他，"我劝你还是留下来，否则再出事，连我也救不了，实在不行，就让她去冰牢吧，尊者有他的苦处。"

秦珂看着他，没有多说。

一柄金黄色古剑飞来，卓昊手握折扇，踏上剑身，离去。

记忆里，那个小女孩和少年的故事，正变得越来越遥远，越来越模糊……

"你的剑真好看。"小女孩赞叹。

"此剑名安陵。"少年不高兴的声音。

……

"师弟近日忙得很，也不过来走走。"夜里，重华宫大殿珠光映照如白昼，虞度含笑往椅子上坐下，"事情都处理完了吗？有没有打扰你？"

洛音凡道："师兄有什么事，就说吧。"

虞度轻咳了声，"既这样，我就直说了，你莫嫌我话多，让那孩子去冰牢，我与师叔以为还是判得过于重了。"

见洛音凡没有表示，他继续道，"她是不是真有罪，你比我们都清楚，我与你师叔先前是担心她……小孩子年轻，一时糊涂罢了，并未因此犯大错。我看她很有志气，品行也好，是个极有前途的孩子，就这样被罚去冰牢，未免太可惜。"

洛音凡道："师兄要留下她？"

虞度道："这段日子她与珂儿感情甚好，师叔的意思，如今青华肯放过她，我们这边也不必那么认真，罚她受点重刑，贬去孤岛几年，然后依旧回玉晨峰，与珂儿住在一处。"

洛音凡脸色不太好，半晌道："祖师教规在上，恐难服众。"

"教规不外乎人情，这群年轻孩子里出色的不多了，"虞度摇头，"仙门有奸细，可能是盯上了你，那孩子只怕真被冤枉了。我知道你怪她不争气，可昆仑冰牢是什么地方，被关进去的弟子，有才两年就疯了的，无论怎样都是师徒一场，你当真要将她送去？"

洛音凡沉默。

"师弟考虑下吧，你处置徒弟，我原也不该多插手。"虞度移开话题，又商议两件正事，就起身回主峰去了。

待他离开，洛音凡缓步走到殿门口，望夜空。

平生决策无数，极少有迟疑的时候，甚至包括当年斩下那一剑，可是现在究竟该怎么做？

天生煞气，三世成魔，这是第二世了。

不是不想维护，他是她的师父，岂会真那么狠心？平生极少有求于人，却也是为了她，没人知道行刑时他有多紧张，对于她，他比谁都在意。

可他不能拿六界安危去赌。

眼下她又被人盯上，倘若煞气泄露，师兄他们岂会甘休？冰牢反而是最安全的去处，她不明白他的苦心，他更无从解释，没有勇气唤醒她前世的记忆。

受这场委屈，又受过刑，旧伤新伤，不知那些药有用没有，当真关去冰牢，她受不受得了……

突然想起当初的自己，那个已经有点陌生的自己，一路云淡风轻走来数百年，几乎没有任何事能在心里留下太深的印象。

多少人以为，他洛音凡术法强站得高，却不明白，生于天，死归地，得之于天地，失之于天地，天地众生，我即众生，无须高高在上去俯瞰一切，因为谁能俯视自己；也无须低于尘埃去膜拜一切，因为谁又能仰望自己？

自负，只因能更清楚地看到自己，就是无敌。

然而现在，他发现"自己"这个概念开始有点模糊了，不再像先前那么空明通透，身上多了些东西，什么时候开始改变的？

半空中清晰地呈现出画面。

阴冷黑暗的仙狱内，少女沉沉睡在榻上，身上盖着的毯子滑落大半，露出瘦得可怜的小臂。

洛音凡叹了口气。

"师父！"重紫猛然睁开眼。

仍是漆黑的牢房，四壁冷清，身下是燕真珠带来的木榻，身上毯子盖得严严实实，哪里有半个人影？！

为什么会有那种熟悉的感觉？好像他来过一样……

反复做梦，梦里总是卓云姬与师父并肩而立的画面，下一刻卓云姬倒在殿内地上，师父站在旁边，面无表情地看着自己，大约是从没见过师父伤心欲绝的样子，所以想象不出来吧，可是，那双眼睛里的无力与灰心，自己看得清楚。

他怎么可能再来？

不怕死，不怕惩罚，只怕他不肯原谅。

重紫抱着毯子坐到天明，秦珂照常进来看她，见她神色不好，也没有多问，拉起她的手度了些灵气过去。

经过他的开解和鼓励，重紫虽然还是放不下，但已经能开始准备接受现实了，想到这段日子他常来照看自己，更加感激，"师兄总来看我，会不会耽误你的事？"

秦珂道："青华卓师兄来过了。"

重紫愣了下，垂眸，"谢谢你。"

秦珂沉默许久，道："他饶过你，并非是承我的情。"

"他可能是看在师姐的份儿上，"重紫不觉得奇怪，半是羡慕半是黯然，"有人这样喜欢，就是死也值得了。"

秦珂瞟她一眼。

重紫兀自沉浸在想象里，拉着他，问："师兄，我那个师姐长什么样子，很好看吗？"

秦珂道："一个丑丫头。"

"我不信！"重紫抱住他的手臂，"我知道，你一定也替我求过情的，还是谢谢你。"

秦珂皱眉，"放手。"

重紫发现，只要脸皮厚点，这个精明稳重的师兄其实很好欺负，"不放！"

……

见她难得心情好，秦珂容她闹了阵，等到安静下来，才将要说的话告诉她，"尊者态度已有松动，闵仙尊可能会罚你受刑，贬去守毒岛，目前消息还未公开，你先有个准备。"

乍听到这消息，重紫也不知是喜是悲，结果比想象中要好，可师父同意轻判，是看掌教的面子吧，她丢尽了他的脸，不该奢求原谅的。

秦珂扶住她的肩安慰，"守毒岛虽苦，但至少比冰牢强多了，我与真珠他们会常去看你，忍耐几年就好。"

求到这样的结果，他不知费了多少力气，自己决不能辜负，重紫郑重点头，"师兄放心，我不会放弃的。"

秦珂难得笑了下，变出只报时小金鸟，"真珠这些日子急得很，托我带这个给你。"

重紫欣喜接过。

黑漆漆的仙狱，眼睛看得见，时间概念却很模糊，上次不过随口提了句，谁知她真的找来了这个。

重华尊者不管徒弟，反倒是掌教和督教仍怀有爱才之心，对遣送昆仑之事极力劝阻。秦珂获得特许，经常去仙狱探视重紫，南华上下都知道闵云中有意撮合，有高兴的有失望的。司马妙元看在眼里，嫉恨万分，却不敢再轻举妄动，这日她正要去主峰，忽然有个弟子跑来叫她。

"师叔快些回去吧，有客人要见你。"

司马妙元疑惑，匆匆回到住处，见到那位来客之后便不大耐烦，"你怎么来了？"

"前日去昆仑拜见舅舅他老人家，路过而已，"月乔站在案前，边打量案上东西，边笑道，"听说你们南华出了大事，所以特意来看看你。"

司马妙元意外，"你舅舅是昆仑的？"

"我舅舅正是昆仑玉虚掌教，你连这也不知道？"月乔得意，搂住她。

"少动手动脚！"司马妙元推开他，心内一动，"既然来了，何不去看看你那一直念念不忘的重紫师妹？"

月乔愣了下，笑着拉起她的手，"师妹想哪里去了……"

"她现在仙狱里，马上就要被遣送昆仑冰牢了。"司马妙元打落他的手，斜眸，似笑非笑，"犯下这等大罪，尊者再没去看过她一眼，早就不管了。如今她术法受制，甚是可怜，师兄何不趁机去关照关照，说不定她就感激你了。"

月乔原是个逢场作戏的，闻言暗喜，口里道："你果真不吃醋？"

司马妙元心里冷笑，假意叹气道："我们姐妹一场，眼下看她受苦，我担心得很，可惜将来她去了昆仑，有什么我也照应不到，你舅既是昆仑玉虚掌教，将来还望你多照顾她才好，我能吃什么醋？"

且不说司马妙元暗含鬼胎，这边仙狱内，秦珂刚离去，重紫歪在榻上昏昏而睡，冥冥中有个声音幽魂般在狭小的空间里飘荡。

"少君。"

"又是你！你到底是谁，为什么害我？"

"我是在帮你。"

"我不认得你！"

"因为你不记得了，不记得他们如何待你，仙门根本容不下你，你留在仙门就是最大的错误。"

"那是你害我！没有你，我不会落到这种地步，云仙子是不是你杀的？"

"没有我，他们照样不会放过你，少君会明白。"

惊醒过来，重紫满头冷汗。

她又听到了那个声音，它竟然叫她"少君"？它是真实存在的，根本不是什么心魔！一定要告诉师父和掌教，让他们查个清楚，云仙子之死很可能与她无关，洗清冤屈，师父就会原谅她了！

狂喜之下，重紫将毯子一掀，跳下榻就飞快朝门口跑，打算出去找外面的弟子传话，哪知刚踏上石级，迎面就撞到一个人怀里。

那人顺势拉住她，"重紫师妹。"

重紫意外，"是你？"

自从上次司马妙元来过，闵云中就下令任何人进仙狱都要禀明掌教，这也是秦珂怕司马妙元再来欺负她的意思。然而司马妙元身为人间公主，自有许多奇珍异宝收买人心，此番带月乔来仙狱，只说是探望重紫，负责看守的两名女弟子平日得过她好处，且又不是什么大事，便让月乔进来了。司马妙元却留在外面，假意与二人攀谈。

月乔原就心怀不轨，迫不及待拉住重紫的手，作出关切之色，"听说师妹出事，我急得很，专程赶着过来看望你，你受伤重不重，疼不疼？"

重紫心知不对，镇定，"多谢月师兄记挂，可眼下我尚有件急事想要面禀掌教，月师兄能否替我通报声？"

月乔笑道："那有何难，只是师妹拿什么报答我呢？"

"师兄此番相助，重紫自会记在心里。"

"光记在心里，就打发我了？"

当初在天山，重紫就见识过此人的无耻，如今见他做这点事也要谈条件，更加厌恶，"等见过掌教禀明正事再说吧。"

月乔还不识趣，"到时师妹翻脸不认怎么办？我要师妹亲口答应再去。"

知道谈不拢，重紫干脆抽回手，准备出去找人报信。

"听说师妹要去昆仑，"月乔拦住她，哄道，"昆仑玉虚掌教是我亲舅舅，到时我在他老人家跟前说两句好话，叫你不吃冰牢的苦。"

重紫冷冷道："师兄自重，否则我要叫人了。"

小脸苍白，依旧不掩丽色，更可疼爱，月乔心猿意马起来，强行将她搂住。

这么闹外面都没人察觉，必是他设了结界。南华教规森严，何况虞度和闵云中并未完全放弃自己，他一个外派弟子何来这般大胆，自然是受了司马妙元教唆！重紫明白过来，顿时大怒，挣扎着将脸偏向一旁，"敢在南华放肆，月师兄胆子未免太大了！"

"不过是个罪徒，尊者早就不管你了，你若肯乖乖听我的，我保你没事。"

"放手！"

仗着祖父西海君溺爱，又受了司马妙元怂恿，月乔只道她是南华罪徒，又听说洛音凡要将她送去昆仑冰牢，想是丢开不管了，闹出来顶多受顿打骂，哪里还有顾虑，低头就去亲那小脸。

那嘴带着热气在脸上乱啃，重紫恶心得要吐，无奈仙术受制，衣衫被扯破。

羞愤至极，体内似乎有东西开始迅速膨胀，挣扎着要出来。

被人陷害，又要遭人羞辱！

杀了这个人！

杀了这个禽兽不如的人！

怒极，恨极，天生煞气被激发，金仙封印再也掩盖不住那浓烈的杀气，重紫停止挣扎，望着他，唇角不知不觉现出一丝冷笑。

见她放弃反抗，月乔更加得意，以为她肯依从了，正要说甜话安慰，忽觉胸口一阵剧痛，如被利刃刺透，他莫名低头，只见胸前伤口血流如注。

几乎不敢相信，月乔愣了半晌，惨叫着丢开重紫，跌坐在地，"你……你是谁？"

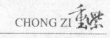

俏脸蒙着一层青黑之气，重紫站在那里，眼睛里闪着幽幽的光。

"你是魔！"月乔面无人色，跌爬着朝门口跑，"有魔！她有煞气！快来人，救我！"

呼叫声里，两道人影冲进门。

原来秦珂怕重紫出事，暗地叫了弟子守在仙狱周围，听说月乔前来探望，想此人品行不端，当初在天山就垂涎重紫，故匆匆赶到仙狱，见外面司马妙元神情不对，更加起疑，忽然听得月乔惨叫，正好闵云中也路过，二人连忙进来看，哪知会见到这副场景，两个人同时呆住。

天生煞气！她竟然天生煞气！怪不得这次的事行玄测不出结果，原来是她！闵云中将这一幕看得清楚，联想到洛音凡这些年的表现，心内全然明了，震惊又气怒。

一个孽障，让他如此费尽心思保护！天生煞气，转世不灭，他还敢放任她活在世上，妄图替她掩饰，连身份责任都不顾了！天魔重现，浩劫再起，那时他就是整个仙界的罪人！

"闵仙尊！闵仙尊救我！"月乔爬到他脚下，扯住他的衣角哀求。

重紫也醒过神，慌得跪下，"仙尊明察，是他心怀不轨，欲行非礼，重紫不得已才这么做的！"

见她衣衫不整，闵云中自然明白怎么回事。他平生最恨这样的仙门败类，立即嫌恶地将月乔踢开。若非念在他是西海君之孙，怕是早就一剑杀了干净。

月乔咎由自取，但这孽障也断断留不得！

闵云中二话不说，拔出浮屠节，毫不犹豫地朝重紫斩下。

"仙尊手下留情！"

"放肆！你也看见了，这孽障是谁！"

"是她，"秦珂转脸看重紫，神色复杂，"但此生她不曾背叛仙门，也立过功，求仙尊……网开一面。"

他二人说话古怪，重紫早已吓得脸色惨白，闵督教向来公正，怎会突然变成这样，不问青红皂白就要杀自己？必是为自己伤人生气吧？于是她连忙叩首，"重紫发誓，所言句句属实，决不敢欺瞒仙尊，是他欲行不轨之事，重紫尚有要事禀报仙尊与掌教。"

"出去再说吧。"熟悉的声音传来。

"正好，我正要问你话！"闵云中冷笑着看那人。

六合殿，重紫规规矩矩跪在中间，虞度设好结界，将其余所有人阻隔在外，唯有首座慕玉、秦珂、司马妙元，还有当值看守仙狱的两名女弟子留在了殿内。

闵云中冷冷道："怪不得你要将她送去昆仑，我还当你糊涂到底了！"

洛音凡看着地上重紫，不语。

今日的局面，他一直尽力想要避免，孰料始终是白费力气，逃不出天意安排。更让他震惊的是她身上的转世煞气竟强盛至此，伤人于无形不说，还能冲破他亲手结的仙印。此番出事，意味着那幕后之人又开始动手了，目标显然是她，既被盯上，如何能再让她留在南华？

"人还活着，护教如何解释？"

"我自会处置，"洛音凡道，"是谁将月乔带去的？"

司马妙元一个哆嗦，忙跪下，"是妙元，月师兄他听说重紫师妹出事，想要看望，所以……妙元便带他去了。"

洛音凡道："私自带外人入仙狱，贿赂仙门弟子，该当何罪？"

闵云中沉着脸道："一并罚去看守毒岛三年。"

三年！司马妙元白了脸，她是备受宠爱的公主，竟然要在那个冷清寂寞的小岛上度过三年！三年后回来，秦珂身边定然已有更多女孩子了，哪里还记得她？

"妙元知错，求尊者开恩！"

"督教所判，岂容你再吵闹？"虞度严厉喝止。如今关键是看他如何处置重紫，倘若一定要保，那就麻烦了，小事还是先依他的好，退一步，后面才有说话的余地。

被掌教呵斥，司马妙元便知留下是没有希望了，无力坐倒在地，望着旁边重紫，目中尽是恨色。

"掌教明察！"重紫叩首，"是月乔他欲行非礼，重紫一时气急，才失手伤他……"

闵云中喝道："身为仙门弟子，竟以煞气伤人，还要狡辩！"

重紫着急，"我确实不知道什么煞气。"

闵云中不理她，"还是护教自己处置吧。"

寒光闪过，冷了殿内所有眼睛，一柄秋水长剑凭空出现，剑柄上宝石闪着美丽的光，时隔多年，终于重新被主人召唤，凛冽杀气瞬间充斥剑身。

洛音凡随手取过剑，朝重紫走去。

逐波？他说过再也不用它的……重紫隐约猜到了什么，惊骇，"师父？"

秦珂脸色青白，迅速将她拉到身后，"这并不是她的错，尊者难道不知公正二字？"

洛音凡不答，仙力凝聚，所有人都知道他要出手，虞度大急，呵斥，"珂儿！还不退下？"

"师兄……"重紫也轻轻拉他。

秦珂阻止她继续说，暗设结界护住二人，缓缓摇头，"南华本就愧对她，怎能再对她下手？送去冰牢就是了。"

"混账！身为掌教弟子，为一个女子这般不识大体，枉你师父多年栽培，"闵云中气得责备，"两世不灭的煞气，去冰牢容她继续修炼吗？还不让开！"

秦珂道："弟子保证，她不会作恶。"

气流结无形仙印，强大的力量粉碎结界，将他击得跌出去。

"师兄！"重紫吓得扑过去抱住他，哭道，"伤人的是我，要罚就罚我，不关秦师兄的事！"她望着出手的那人，恳求，"师父，弟子句句实话，不是有心伤人的，求师父相信我！"

秦珂吞了口中血，冷冷道："不要求他！"

重紫看看他，再看着一步步走过来的那人，似明白了什么。

他们需要的，竟不是真相吗？他们……是想要她死？她明明是冤枉的！月乔那样侮辱她，她只是自卫而已，他们为什么不看事实？她究竟做错了什么？

突然很恨，恨这些人，不问青红皂白就要杀她，还有他，她最尊敬最喜欢的师父，怎么可以这样无情，这样轻易就放弃她？

那个"十恶不赦"的师姐，也是这样死去的？

398

性情本就偏激，明白之后更加气愤不甘，凛冽煞气再次冲出体外，凤目幽深，恨意翻涌，殿内一片刺骨的寒。

"魔性大发了，当真是南华的好弟子。"闵云中冷笑，握紧浮屠节。

虞度虽未说什么，也暗自提了灵力，只待她有所动作，便要将她立斩于此。

此刻她再显露半点儿杀机，必死无疑！秦珂看得清楚，吃力地握紧她的手，"重紫！重紫！"

重紫茫然地看看他，又望向洛音凡。

"孽障，你要做什么？"声音依旧淡漠，如天边飘过的云。

重紫猛然回神，煞气尽敛。

是啊，她想做什么？她竟敢怨恨师门！

"没有，弟子是被冤枉的，那个声音害我！"她惊慌地想要解释清楚，"是它杀了云仙子！它叫我少君，刚才它又来找……"

话未说完，重紫忽然停住，她听到了咔嚓的声音。

小臂软软垂下，骨头已断成了两截。

秦珂闭目。

重紫不可置信地睁大眼睛，望着面前的人。

"师父。"

神色没有任何改变，他两指倒执剑尖，以剑柄击在她身上。

手稳而准，脆响声不绝于耳，四肢骨节应声折断，每断一处，就有一道青黑之气自断处冒出，消散在空气中。

失去支撑，重紫以一个畸形的姿势歪倒在地。

不知疼痛，瞬间，感官全都失灵了。

"为什么？"她喃喃地问他。

没有回答。

为什么？她迷茫地睁大眼睛。

为什么？曾经爱她护她的师父，前不久还抱着她温柔宠溺地唤"重儿"，为什么会突然变成这样？为什么看她受伤都会生气心疼的人，在明知她冤屈的时候，却要亲手伤她？

"为什么？"

至琵琶骨，他落下最后一击。

琵琶骨碎裂，煞气从此再难凝集，只看那四肢断骨刺破皮肤，刺透衣衫，暴露在外，带着血丝，红红白白，惨不忍睹，连闵云中也倒吸了口冷气。

"别怕，忍着，"双眸依稀有光华闪动，秦珂艰难地撑起身，轻轻握住那小手，尽量控制不让声音颤抖，"师兄必会救你，别怕。"

慕玉默默过去，想要扶她起来，却又迟迟不敢伸手去碰。

洛音凡收回逐波，"即刻送往昆仑。"

虞度与闵云中都骇然，不好再说什么。

对一个孩子，这样的手段未免太冷酷残忍了点儿，还不如一剑下去灰飞烟灭。虽保住了魂魄，却生不如死，有何意义？她现在的模样，别说成魔成仙，就算治好也是废人一个，仅仅能摄取灵气勉强维持性命，别的什么也做不了，只能永远在昆仑冰牢度过，这样还不如不救。

虞度苦笑。

这位师弟，总是在你以为他心软的时候，做出意外的事来，不枉无情的名声。怪不得先前自己与闵云中极力说情，他都仍然坚持遣送昆仑，只因清楚她的来历，对于该怎么做，他向来都很理智。

如今她暂时是构不成威胁了，再关进冰牢，的确万无一失。

想到这儿，虞度点头说了声"也罢"，令闵云中亲自率弟子护送重紫去昆仑冰牢，又过去看受伤的爱徒秦珂。

洛音凡不再理会众人，快步出殿。

仓促低头，一口血喷在袖内。

他平静地、有点茫然地看着那血迹转瞬间消失得干净，什么也没留下。

山外，雪衣人面对悬崖而立，浑身上下藏在白斗篷里，看不清面容。

须臾，一道紫色影子掠来。

"果然是你。"

"卓云姬之事没成功，想不到月乔与司马妙元倒帮了忙，重新激发她的煞气。"

"那你为何不照事先说好的动手，带她走？"

"我已根据她的煞气，感应到天魔令与圣君之剑的大略藏处，若此时暴露身份，就功亏一篑了。"

"她都成了废人，拿到这些又有什么用？"

"洛音凡果然没让她死，魔血还在，就无须担心。要入魔，她现在这点煞气还不够。"

"昆仑冰牢住几年，煞气是够了，只不过你救得出来？"

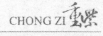

CHONG ZI 重紫

　　昆仑山冰牢历来是仙门关押魔头与重犯的地方，漆黑无际，时而传来鬼笑声，想是那些罪人或魔头发出来的，声音遥远，若非习惯了在死寂中聆听的耳朵，是绝对听不见的，由此可以断定这地方很大，很空旷。

　　他们也都被封在冰里？重紫无聊时会这么想。

　　由于玄冰的作用，她的身体没有任何生长，断骨自然也不会愈合，维持着最新鲜的断裂状态。体内煞气稍有凝集，便自动从破处释放出去，好在被冻得麻木，这些已经没什么感觉了。

　　五道锁仙链分别锁住她的颈和四肢，环内侧有利刺，稍有动作便会被刺破皮肤，带来剧痛。

　　可是重紫仍喜欢时不时动一动。

　　有痛，才不至太空虚。

　　有痛，才知道自己还活着。

　　身体习惯冰冷，眼睛习惯黑暗，很容易将自己误当成幽灵之类。

　　早就想过死，然而纵使她停止摄取灵气，也会有一丝丝灵气自冰里透进来，不断注入身体，维持生命，当真是求死不得。

　　自送进来那天起，就没有人来看过她。

　　究竟哪里做错了？虞度他们都想让她死，而他，甚至不肯让她痛快地死去，而是选择了生不如死的折磨。

　　重紫偶尔回想的时候，会有点儿糊涂。

　　当然，她通常把这类回忆当成做梦。梦里，她有一个师父，是天下最美最好的神仙，他疼她，护她，教她术法，为她受伤而着急，为她任性而生气，在她面前偶尔还会脸红。

她敬他，信他，终于不可避免地爱上了他。

为什么会到这种地方？重紫很少思考这问题，多数时候都在黑暗中沉睡。

不辨朝暮，不知岁月，好像过了几百年的样子，又好像才刚睡了几觉做了几个梦而已。

直到耳畔传来一声清脆的响声。

多年不见光，重紫很不适应，被刺激得眯起眼睛，仍是看不清楚。她不免有点惊讶，这种地方谁会来？应该是……有新的囚徒被送进来了吧？

"住得还习惯不，重紫师妹？"一只手捏住她的下巴，毫不客气地摇了摇，带动环内利刃刺破颈部皮肤，有冰凉的血流下。

由于长时间昏睡，反应似乎也变得迟钝许多，重紫仔细看了来人半日，才认出来，"是你。"

"冰牢三年，师妹别来无恙？"

三年了？重紫没有激动，倦怠地闭了眼睛。

三年都过了，为何不肯让她继续清静下去，偏要将那些记忆硬生生地唤回来，让她再一次面对现实？不相信那个疼爱她的师父会弃她不顾，不相信他和别人一样想要她死，不相信他会对她下手，她宁愿当作他是受了蒙蔽，所以才会冤枉她。

披头散发，四肢断处白骨森森，血与污垢粘连成片，令人作呕。月乔对她如今的模样自然不会再有兴趣，只觉厌恶，朝身后冷笑道："她现在就是个废物，有什么好怕的？"

还有人跟他进来了？重紫有点意外，睁开眼。

"关了三年，竟然还没疯。"月乔轻哼，见她不应，改为抓住她的头发，"不是要杀我吗？我倒想看看，你打算怎样杀我！"

"你想死吗？"重紫开口，抬眸直视他。

凤眼凌厉，中间寒光闪烁，饶是月乔有准备而来，且明知她做不了什么，仍被看得心虚不已，放开她，后退两步。

重紫试着动了动脸部肌肉，很满意自己还能笑，"师兄的胆量却没有说话的口气大。"

侮辱不成反遭奚落，月乔恼怒，"骨头断了，还这么嘴硬！"

耳光重重落下，重紫被打得脸一偏，带动颈部利刃入肉更深，鲜血直流，很快又因玄冰的作用而止住。

有意激怒他，为的不过一死，她就可以解脱了。

重紫吐了口血沫子，挑眉，一字字道："你不杀我，来日我必杀你！"

上次被她打伤，足足养了大半年才好，月乔本是个心胸狭窄之人，一直怀恨在心，所以利用母亲的名义跑来昆仑，偷了舅舅玉虚子的钥匙，骗过守冰牢的弟子，原想折磨她一

番就好，哪知非但没耍成威风，反引她说出这话。

回想她当初煞气满身的可怖情形，月乔又惊又怕，心道送进冰牢的人还有多大气候，自己有祖父西海君与舅舅玉虚子撑腰，便杀了她也不算什么的。

杀心骤起，手不觉按上剑柄。

结束了？重紫正欲闭目，忽然见冰壁后一道耀眼蓝光闪烁，似曾相识，心中顿时一凛，来不及想更多，面前月乔已经倒地昏迷。

一个人自冰壁后走出来。

重紫望着她许久，张了张嘴，却听不到声音。

瞬间，熟悉的人站到了她面前，依旧穿一身花花绿绿的衣裳，平凡的脸没有任何变化，只不过那气质犹如脱胎换骨，变得高傲且威严，险些叫她认不出来了。

"虫子。"

"真珠姐姐？"重紫不敢相信，喃喃地想要确认。

"是我。"她微笑。

身上脸上血污自动消失，清爽舒适，久违的亲切感袭来，重紫鼻子一酸，眼泪不受控制地流下，颤声，"真珠姐姐你怎么来了？我以为……我以为你们都不记得我了。"

"虫子！"燕真珠看着她半晌，叹了口气，"你还不明白？"

相同的蓝光，重紫见过，只是见过之后，便再也记不起来，等到清醒时，她已成为十恶不赦的罪徒。

陷害自己的人竟是她？真珠姐姐？

重紫茫然，"不，不是你！"

"是我。"

"为什么？"

燕真珠不答，转向地上的月乔，冷笑着一脚将他踢了个翻身。

重紫瞟了瞟自己断成几截唯有皮肉相连的手臂，摇头惨笑。

被燕真珠陷害，她固然气愤伤心，可是比起那些明知她无辜而动手的人，也就不算什么了，她天生煞气，所以该死。

"你是来杀我，还是救我？"她只觉疲倦无力，"如果是想救我出去，那不必了。我不知道你的真实身份，也不知道你为何要害我，但我现在已是个废人，没必要再让你费心设计。倘若你对我还存有一丝愧疚之心，就一剑杀了我吧，我便不再恨你。"

燕真珠垂眸，"不入鬼门而转世，有些东西该还你了，你会想知道。"

她抬起手，像往常一般温柔地抚上重紫的额。

尘封的记忆被撕破，前尘旧事如同画卷，一一展开，呈现。

云桥，大海，大鱼，仙山，乞丐小女孩，骄傲的小公子，遥远的白衣神仙，潇洒的少年，抱着她安慰的冷酷魔尊……

"丑丫头，有本事就跟来！"

"有师父在，没人会欺负你了。"

"真的做了卓昊哥哥的娘子，哥哥必定永远待你好，让你欺负，保证再也不看一眼别的妹妹，你……可愿意？"

"小虫儿，你要记住，无论有多委屈受多少苦，总有人会信你喜欢你，就像大叔一样……"

……

瞬间忆起的东西太多，难以将它们联系到一起，重紫有点恍惚，眼见燕真珠剥开月乔皮肉，自他身上取下两片完整的琵琶骨，她不由地喃喃问道："你做什么？"

"当年逆轮圣君与南华天尊战死，右护法梦魇亦受洛音凡一剑，伤重而亡，他老人家临去前将一身魔力传了女儿。"燕真珠边动手边说话，语气有点麻木，好像在说一件不相干的事，"姐姐便是那梦魇之女，化身潜入南华，后来圣宫陷落，姐姐决定留下，是想伺机报仇，无奈实力不足。直到你上了南华，发现你天生煞气，姐姐便想借你的手去解天魔令封印。"

停了停，她轻声道："先前姐姐这么做，的确是为了报仇，但后来……你是个好孩子，资质分明绝佳，他们却不肯让你修习术法，今日你也看到了，纵然陷害你的不是姐姐，他们一样会这么做，明知你冤枉，也要当作借口惩处你，让你留在这样的仙门，姐姐更不甘。

"这小子虽不是东西，却生于仙界世家，有一副好筋骨，"燕真珠收起两片骨头，将月乔剩下的尸骨化为灰烬，"他们很快会察觉，需抓紧时间。"

月乔一死，她的身份必然暴露，她……竟是早已打算这么做？

容不得多考虑，强烈蓝光再现，重紫慢慢地合上眼睛。

朦胧中，她听见燕真珠低低的声音。

"无论如何，你落到今日下场，是姐姐的过错，你恨也罢，伤心也罢，姐姐也不能再求你原谅了，这是最后能为你做的一件事。

"害你至此，姐姐竟不知道该不该后悔，至于成峰……"

她对丈夫是利用还是真心？重紫很想知道，可惜她没有继续往下说。

"昆仑高手众多，你暂时是闯不出去的，姐姐不能替你接好四肢断骨，以免被他们发现。有了琵琶骨，煞气不会外泄，与灵气相辅，疗伤更有奇效。知道我的身份，玉虚子必会亲自率高手送我回南华受审，昆仑空虚，就是个绝佳机会，你只有半个月的时间逃出去，记住，留心头顶。"

……

锁仙链钥匙被盗，冰牢出事，昆仑掌教玉虚子与昆仑君很快率弟子赶到，一番激战下来，终于制住奸细。玉虚子立即进冰牢检查，可怜月乔已化作灰烬，自然无人留意他少了两片琵琶骨，再看重紫依旧血淋淋地锁在冰上，昏昏而睡，身上几条锁仙链并未打开过，想是没来得及。众人这才松了口气，见她四肢断骨在外，着实可怜，也不忍多看，纷纷退出去了。

外甥之死，玉虚子固然悲痛，但他到底是得道真仙，深知这外甥的品行，只能叹息命数天定，怪他咎由自取。反倒是梦魔之女混入南华，非同小可，足以轰动仙门，为防止路上出意外，玉虚子亲自率昆仑君等一干高手押送燕真珠回南华。

沉沉睡了几日，重紫再次醒来，睁眼又是一片黑暗。

记忆苏醒，心终于感觉到痛了，狠狠地抽搐。

被诬陷，屡次受罚，直到最后他亲手斩下那一剑。

六合殿上，众目睽睽之下，穿着破烂的小女孩哭泣着要走，那个年轻的神仙突然出现，说"我收你为徒"。他不知道，这句话对小女孩有多重要，不学术法不要紧，被人看低不要紧，至少还有他，他说相信她，不会介意她的煞气。

只当他是不知，只当他对她失望，少女宁可抱着对他的爱恋含冤死去，然而现在她才发现，原来他什么都明白，什么都知道，只不过和其他人一样，做了同样的选择而已。原来，他与别人并无不同，也认为她该死。

既然如此，为什么又要给她希望？为什么不干脆一剑让她魂飞魄散，还要将她带回南华，再收为徒，倍加爱护，最终又残忍地打断她的骨头，把半死不活的她丢到这冰牢受折磨？

来生的宠爱，就为了再次狠狠地伤害？

他表现出来的那些内疚是真是假？

……

太多不解，太多不甘，她死也要弄明白！

有了新的琵琶骨，煞气得以汇集，冰魄灵力源源不断地被摄入体内，带来奇异的效果。四肢断骨作响，烫热无比，皮肤蠕动着，拉扯着，疼痛难忍，重紫紧紧闭上眼睛，冷汗直冒，浑身颤抖，咬破下唇。

不知过了多久，大约有一两天，疼痛才开始消退。

重紫长长吐出口气，疲倦地睁开眼查看，手臂断骨果然已愈合，恢复了完整的皮肤，腿上也有了力气。

照燕真珠的话，眼下玉虚子他们都不在昆仑，是出去的好机会，可是这五道锁仙链，锁肉体，锁魂魄，就连法力高强的魔王也逃不得，她又如何挣脱得了？

"留心头顶。"燕真珠的话响起。

头顶也是冰岩，潮湿坚硬，并无任何出奇之处。

心知她说这话必有道理，重紫运灵力于双目，仔细搜索许久，终于在一块冰壁上发现许多凹凸不平的痕迹。冰本就是无色透明的，怪不得玉虚子他们都没留意。

重紫微笑。

灵力恢复，施展术法更加容易，一块玄冰忽然破裂，印上头顶冰壁上那些凹痕。仙锁百般变化，钥匙亦须有百种变化，大约一盏茶的工夫过去，那冰终于变成一把坚固的钥匙。

重紫轻轻吹气，将成型的冰钥匙插入右手锁孔。

第一把，不行；第二把，不行；第三把，还是不行；第四把……

终于，黑暗中传来一声轻响，右手锁仙链应声而开。

受到鼓励，重紫信心大增，用同样的办法解开另外四道锁，身体终于重新获得自由。

衣衫早已破旧不堪，袖子只剩一半，空荡荡地挂在肩上，纵然如此，她依然感受到了前所未有的轻快，飘然落地。

还未站稳，身体猛地失去平衡，朝旁边歪倒。

原以为是腿太久不活动失灵的缘故，重紫挣扎着爬起，走了两步仍觉得不对，细细观察之后才发现，原来腿部断骨没有经过任何处理就愈合，弯曲不直，一条长一条短，再看两只手也好不了多少，其中一只手掌还有些向外拐，畸形得可怕。

重紫蒙了，缓缓抬手摸上脸。

极度粗糙的皮肤，几乎就是一层皮包着骨头，可想而知有多丑陋，怪不得月乔会有那样厌恶的神情，她现在变得很可怕吧？

不要紧，反正她不需要别人喜欢。

重紫安慰着自己，尽量弯了下嘴角，将那已经拖垂及地的干枯长发胡乱缠绕在颈上，一跛一拐朝门口走。

梦魇之女潜入南华数十年，仙界犹在震惊，接着就传来了更震撼的消息，昆仑山冰牢竟然逃走了一名南华罪徒！听到的人莫不目瞪口呆。

那个幸运的罪徒，只是名二十来岁的少女，也是历史上从昆仑山冰牢逃出去的第一人。好在昆仑弟子多是受袭昏迷，少伤亡，可知其并无害人之心，然而天生煞气两世不灭，毕竟令人忌讳，绝不能让九幽魔宫先找到她。

众人议论纷纷，语气反带了三分佩服，洛音凡的徒弟到底不同凡响。

三日后，洛音凡传令仙门捉拿孽徒。

可是那个女孩子却突然销声匿迹，仿佛从世上蒸发了。

清溪流过碧山头，溪畔生着数丛翠竹，一座小小茅屋隐藏于竹林间，若不仔细观察，很难发现。

一叶小舟飘来，舟上坐着一名女子，身上穿着极宽大的白袍，怀抱竹条编织的大药篮，篮内盛着许多草药，长发披垂，皮肤苍白粗糙得可怕，留有冻伤的痕迹，唯有那双凤眼，为瘦削的脸增添了几分光彩。

小舟靠岸，女子吃力地站起身，提着篮子下船，看她一跛一跛的走路姿势，竟是个瘸子。

屋里光线昏暗，床上躺着一名十五六岁的少年，见她进来，少年忙坐起身，勉强笑道："姐姐回来了？"

女子放下篮子，去炉边倒了碗药递过去。

少年犹豫着，最终还是接过来喝了，然后悄悄瞟她。

女子看出他的心思，笑了笑，"你别急，过两天伤好就可以走了。"

少年尴尬，"蒙姐姐相救，还不知姐姐仙号，他日……"

"救你是凑巧罢了，不必记在心上，"女子淡淡打断他，"我生性喜欢安静，不习惯有人前来打扰，还望你出去之后不要与外人提起。"

少年忙道："姐姐放心，我不会说与别人的。"

女子点头，转身出门。

翠竹低吟，白石青石鹅卵石泡在清澈的溪水里，分外明净可爱，风过，小溪上游飘下来一瓣瓣粉红色的桃花。

山中度日倒也清闲，坐一坐天就黑了，转眼几天就过了，重紫坐在溪畔，仰脸望天幕。

日影沉，新月升，几点星光寂寥。

星璨却不在身边。

重紫低头，鼓起勇气，缓缓掀开宽大衣袖，露出可怕的左手，那手臂曾经被人敲断成几截，然后重新拼接在一起，弯曲不直，极度的畸形连她自己也看得恶心。

这副模样，像极了丑陋妖魔，谁也不会愿意多看她一眼吧，怨不得别人害怕。

重紫苦笑。

今日回来时，少年果然已不见，只留了字条道谢。其实她对这种事也不怎么在意，原是顺便自山妖口中救下他，他说自己是长生宫弟子。这几天跟她在一起，他过得提心吊胆，既害怕又不好意思说，她又怎会看不出来？

当时冰牢外有带封印的门，根本没有任何逃走的机会，幸好，外面弟子不慎将手放在了小窗上，她只够得一根手指，可那就已经足够。她先用移魂术将二人魂魄暂时互换，趁那弟子尚未反应过来，立即又封了自己肉身神志，然后设计取得钥匙开门，带出肉身，后面自然是围攻追杀，到底是怎样冲出重重关口的，连她自己回想起来也觉得不可思议。

离开昆仑，逃亡一个月，才知燕真珠已被处死，重紫到现在也很迷惘，是恨？是痛快？还是难过？

自己落到这地步，恰是她一手造成。

然而在记忆中，重紫记得最清楚的，仍是那个大大咧咧的姐姐——曾经将哭泣的她搂在怀里安慰，曾经在她受伤时悉心照顾，曾经在她受欺负的时候挺身相助，曾经私下与她聊些仙门八卦然后两人抱在一起笑，最后用性命将她从冰牢里救出来，让她重获自由。

或许还是伤心多点吧，她已经没有力气去恨谁。

地方偏僻，山环水抱，重紫在这里住了将近一年，过着与世隔绝的生活，倒也平静。每当夜里听到风吹竹声，她就像是再次回到那个满山紫竹的地方，那里系着她前世今生最美好的回忆。

很多话想问，可是她没有勇气。

至于秦珂与卓昊，听说自她入冰牢，二人都闭关修行，再未出来过。骄傲的小公子，轻狂的少年，都在拼尽力气想要保护她。

还有送她上南华的阿伯，往常她每年都会下山看望他两次，他还不知道她出事了吧？这三四年没见她，他肯定失望又难过，她真的很想回到他身边，陪他说话，陪他种地，可是现在仙门为了捉拿她，一定盯得很紧，她连报个信都不能。

也罢，她现在这副模样，还是谁也不见的好，免得连累别人伤心。

重紫遥望天际，那里有大片的云朵朝这边飞来。

晴朗夜空，怎会这样？

猛然间想到什么，重紫心一沉，顾不得别的，飞快站起身，施展遁术就跑。

　　"孽障！往哪里逃？还不下跪认罪，束手就擒？"刚刚到山脚就听到喝声，前方半空中站着一群人，有虞度，有闵云中，有昆仑掌教玉虚子，还有长生宫明宫主……

　　目光落定在明宫主身边那少年身上，重紫气愤地看着他。

　　少年心虚地后退一步，"你……是仙门罪徒！"

　　重紫"哈"了声，讽刺，"你该庆幸，你的命是我这个仙门罪徒救下的。"

　　"他报信，乃是为仙门立功，"闵云中道，"擅自逃出昆仑冰牢，若非有他，你还要躲藏多久？"

　　"我为什么要躲？"重紫握紧双拳，视线仍未离开少年，"我并没有做过什么坏事，也从未杀过一个人，更没有忘恩负义，你们口口声声说自己仙门如何光明正大，放着那么多心术不正之徒不管，为何偏偏要来逼我？"

　　众人无言，少年羞愧。

　　闵云中微怒，"煞气伤人，还不肯认错！"

　　"那是月乔心怀不轨，自作自受！"

　　"放肆！"

　　"罢了，"虞度抬手制止闵云中，严厉道，"看在你师父面上，你若肯自己回冰牢，此事我便不再追究，否则教规处置！"

　　"我没错，为何要回那种地方？"重紫咬牙，瞅空转身欲遁走，却被一道无形的力量打了回来，滚到树下。

　　白衣仙人看着她，没有表情。

　　熟悉的容颜，再次相见，竟恍如隔世，重紫立即低了脸，半晌才喃喃道："师父。"

　　"回冰牢。"

连他也不肯放过她？重紫依旧低着头，让长发遮住脸，忍着剧痛，慢慢地扶着树干站起来，尽量站直，双手隐在袖里。

洛音凡暂时将视线自她身上移开，转向虞度，"魔剑与天魔令被盗。"

众人哗然。

怪不得他会来迟，魔剑与天魔令所藏之处何其秘密，出这种事，必然又是因为内部有奸细了，虞度变色，"是谁？"

洛音凡没有回答。

先是梦魔之女混上南华，现在又出盗天魔令和魔剑的奸细，南华简直大丢脸面，想是他不方便当着这么多人明说，闵云中越想越急躁，将浮屠节一扬，"先处置这孽障再说！"

重紫没有躲闪。

事到如今，死有什么可怕？就是死，她也要知道他的内疚是真还是假！

洛音凡未及出手阻止，已有人先一步扑过去，闵云中大惊，饶是收招收得快，那人仍然被击得翻滚在地。

白衣喷上新鲜的血，重紫愣了半晌，终于抬起脸，"成峰大哥？"

风吹起长袖，露出畸形的手臂，在场众人都倒抽一口冷气，有些心软的仙人已纷纷侧过脸不忍再看，早就听说洛音凡处置她的事，传言他对这个徒弟爱护有加，想不到下手竟这么重。

洛音凡也震惊地看着她，看着她的脸、她的手，看着她一跛一跛走过去，脸色煞白。

两生师徒，两生伤害。

这三年来他多数时候都在闭关，也曾想过去看她，可是始终没有勇气面对。瞒过众人，却逆不了天意。不伤她，他不能拿仙门乃至六界作赌注；杀了她，他下不了手。废她琵琶骨，只为抑制煞气，宁可让她苟且偷生，让她委屈地活在冰牢，也不愿再次看她消失。

然而当她以这副模样出现在他眼前时，他只后悔没能一剑杀了她。

前世今世，那都是个灵巧的少女，总是以最新鲜最美丽的模样出现在他面前，以最简单的木簪绾出多变的发髻，每当他远行提前归来，都会发现她只粗粗打了个最简单的丫鬟髻。淡然如他，即使从不在意这些，可也知道，他的徒弟是仙门女弟子里最美的一个。

面前的人会是她？

长发干枯，脸庞干瘪，由于长年冰封，晶莹细致的皮肤如今变得惨白粗糙，还有那双曾经纤美的手……断骨没有经过任何处理，自然愈合，左手成了奇怪的弧形，右手却弯弯曲曲，手掌有些向外拐。

她……会恨他吧？

洛音凡有点慌，看她俯身抱起成峰，想要开口却说不出话来。

"成峰大哥，"重紫面无表情，半晌才低声问，"你想知道什么？"

"我……没能见到她最后一面，"成峰吃力道，"我只想问你，她走的时候有没有说什么？"

重紫默然片刻，道："她觉得对不住你。"

成峰欣然，"自你出事，真珠常说些内疚的话，我早已怀疑，只是一直不肯相信，你的确是被她害了，但如今她为救你而死，我也算勉强救你一命，望你能原谅她。"

重紫点头。

成峰闭目，终于昏迷。

误伤本门弟子，闵云中又痛又气，忙示意左右弟子上去救人，又骂，"这孩子，被那魔女迷了心！"

"魔女又怎样？"重紫放下成峰，冷冷道，"仙门无情，魔却有情，她真心待成峰大哥，我受她诬陷尚且不计较，你又何必这么恨她！"

闵云中气噎。

洛音凡正要开口，忽然平地刮起了阵诡异的熏风。

沙石落，狂风灭，树下出现一道修长黑影，后面紧跟着四大护法与影影绰绰的魔兵，烟雾未散，看不清他们究竟来了多少人。

"九幽！"猜测到来人身份，众人大惊，各自戒备。

这一带已靠近魔界要道，看来是惊动了魔宫，想不到他们声势这么大，连魔尊九幽也亲自来了。

重紫意外，"亡月？"

亡月点头，"是我，我来接你。"

重紫惊讶，"接你？接我去哪里？"

"去魔宫，仙道弃你，当入魔道。"

"我……怎能入魔？"

"一念仙入魔，一念魔成仙，魔与仙本无区别。"

重紫望着他，神情困惑且痴傻。

仙魔无区别？是了，这些神仙又比魔好多少！照样不问青红皂白冤枉她，一心要她死！魔肮脏，难道仙就干净？仙界不容她，还有入魔这条路可以走。

"孽障！"洛音凡听得怒火直往上涌，语气变得严厉，"他是想用言语惑你心志，还不快随为师回去，你当真想要背离师门吗？"

背离师门？重紫回神，转脸看着他，沉默。

"没有人弃你，到师父这边来。"洛音凡放软语气，同时袖中右手暗暗提了灵力，打算强行摄她走。

重紫忽然道："师父既然和他们一样，认为我会危害六界，当初那一剑就可以让我魂飞魄散，又何必救我转世？"

洛音凡心猛地下沉，完美的表情终于现出一丝慌乱。

她在问什么？

"不错，真珠姐姐将记忆还给我，我全都记起来了，"重紫扬起那不怎么好看的脸，凤目直视他，直到现在她才相信，原来他和他们一样，并不在乎对与错，"师父杀我，为什么又要救我？"

不明白！他救下她，给她来世的呵护，是真的内疚吧？可是为什么到最后，他还是选择舍弃她，丢下她一个人？

洛音凡移开视线。

没有回答，因为不能回答。

"你不该问他，"亡月清晰的声音响起，"救你的并不是他，而是万劫，万劫用残余的魂魄替你挡了那一剑，又有天之邪事先在殿内设下机关，将你魂魄藏起，瞒过虞度，然后送你转世。"

大叔，残魂……原来如此！

一直不明白，不明白他怎么能明知她无辜还要下手，不明白他怎么能杀了她又要救她转世，不明白他怎么能一边内疚一边伤害……

原来，都是她错了，他的内疚代表不了什么，他从没后悔过。

她不惜性命去救的人，最终又用性命救了她。

眼泪无声流下，重紫浑然不觉，"救我的是大叔，你内疚，却从没后悔过，所以再要重来，你还是会这么做。"

洛音凡微微闭目。

以为她不记前世，忘记伤害，师徒二人就能永远这么走下去了。今世她受的委屈，他还有机会挽回，等修成镜心术，他会立刻接她出来，变成废人不要紧，他会永远护着她。

然而，该来的终究会来，最担心的事还是发生了。

那一剑，如何能弥补？

"重儿！"低低的声音，略带内疚的叹息。

重紫无力地笑。

是的，他是神仙，是人人敬仰的仙盟首座，一生所作所为都是为了仙界。仙门太平，苍生安宁，是他毕生所守护的东西，舍弃她并没有错，他只是做了最明智的选择。

永远记得，年轻的白衣仙人牵着小小的她，一步步走上紫竹峰。

永远记得，他拉着她的小手说："有师父在，没人会欺负你了。"

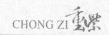

那注定是个苍白的承诺。

她爱他，也爱他所守护的一切，她会拼命去帮助他守护这些东西的，可是他不知道，也不相信。

重紫道："我没错，师父也没错。"

嘴里心头皆苦涩无比，洛音凡几番欲言又止，最终轻声道："你有今日，皆是为师之过，为师对不住你。"说到这里，他盯着她，眼神语气皆变得凝重，"但重儿，入魔亦非你所愿，你当真想看血流成河，六界覆灭？"

"我还有别的选择？"

"跟为师回去。"

"回去受死？"

"为师在一日，便不会让你死。"

"师父的诺言太多，信任却有限，师父的内疚改变不了什么，我入魔是天意注定！"

"不是！"洛音凡断然道，"没有什么注定，入魔成仙，只在你自己。"

"我自己？"重紫摇头，"事情从来由不得我自己，你们这样对我，不正是因为相信天意吗？其实师父是希望我真正成魔，那样，就可以一剑杀我而不用内疚了吧。"

"重儿！"他不能否认，曾经有过那样的念头，可是现在……他宁愿让她骨节寸断，痛苦地活在冰牢，也不愿再看着她死，那不仅仅是因为内疚。两生师徒，她对他来说，不是不重要，不是不在乎的。

亡月道："万劫为救你，魂飞魄散，永不超生，你甘心将性命轻易交出去？"

重紫木然。

"小虫儿，你不会喜欢这样的日子，答应大叔，一定不要入魔。"可是大叔不知道，除了他，这里所有人都希望她入魔。

闵云中，虞度，玉虚子……

"你，还有你，你们，"重紫抬手一个个指过去，"我是天生煞气，那又如何？我从未有过害人之心，更不曾背叛南华。仙界能容月乔那样的衣冠禽兽，能容长生宫忘恩负义之徒，却唯独容不下我。我会不会入魔，那不重要，你们需要的，只是一个杀我的借口，除去我，你们才会安心。"

她转身指着他，声音低了下去，"你，也一样。"

洛音凡摇头，"你……"

"师父真的就没有一点儿后悔？"

后悔？洛音凡不能答。

那一剑斩下，以为结束一切，他的确没有后悔过，纵然知道自己会永远内疚。可是她回来了，当她重新跪在面前叫他"师父"，给予他来生的陪伴，再次成为他寂寞生活中责任以外的唯一牵挂，他感到自己也跟着活了过来，为她干扰天机，掩饰煞气，生平头一次做出徇私之事，诸此种种，他也同样不后悔。

这个问题，连他自己都不清楚吧。

"重儿……"

"我想做重儿，可惜你们都不让，"重紫抬起双臂，"我现在这副模样，师父还会将我当成你的重儿吗？"

洛音凡苍白着脸，半晌才轻声道："为师并不嫌弃。"

"可是我嫌弃，我不甘心！我没错，所以不能接受你们的裁决，"重紫放下长袖，转向亡月，"仙门安危，六界安危，他们要用我的性命去换。"

"魔宫等你很久了，"亡月优雅地抬手，一柄长剑凭空出现，闪着妖异红光，"来吧，紫魔。"

"逆轮之剑！"

"是九幽魔宫盗剑！"

……

不理会喧哗的众人，重紫跛着脚，毫不迟疑地，一步步朝他走过去。

煞气四溢，狂风骤起，吹动白色衣衫，如将死的蝴蝶留在世上的最美的舞蹈。

一瘸一拐的步伐，却没有人觉得难看。每走一步，洁白衣衫自下而上，仿佛被墨汁浸染般，逐渐变成了黑色；每走一步，就能听见咔嚓咔嚓的响声，那是四肢骨节再次折断的声音。

"仙对，还是魔对？"

"仙有仙道，魔亦有魔道。对与错本无两样，魔，就是另一个仙界。"

"怎样入魔？"

"拿起魔剑，你才是它真正的主人，足以承受它所有的力量。"

逆轮之剑入手，强大魔气突然侵入，肉体难以适应，五官扭曲，使得她面容看上去模糊一团，更加可怖。

"忍着，别怕……师兄必会救你。"

对不起，她等不到那一天。

两生怨恨，两生不甘，终于激发煞气疯涨，及地长发被狂风吹得散乱，一丝丝，一缕缕，颜色由枯黄变得漆黑，透出美丽光泽，如流动的张狂的墨瀑。

洛音凡茫然失措，上前一步，抬起手似要抓住什么，"重儿！"

重紫恍若未闻，侧脸。

折断的骨头重新拼接愈合，她终于站直了身体，仗剑而立。

脸部轮廓再次清晰，肌肤莹润如雪，模样与当年并无多大差别，只是下巴尖了些，鼻子更挺了些，眼尾更翘了些，双眉更长了些，斜飞入鬓，有种妖异的气势。

洛音凡看着她，看着那受尽委屈受尽折磨依旧不改本性，执著地陪伴他，依赖他，如今却变得陌生的小徒弟，嘴唇颤抖，一句话也说不出来。

还是来不及阻止，来不及救她。要永远失去她了吧，从她恢复记忆的那一刻，他就知道会失去她了。

这一切到底是谁的错？

是她？除了侍奉他爱恋他，受尽委屈，被他亲手杀死，被打断骨头，被打入冰牢，她还做了什么？

是仙门？对一个天生煞气可能危害六界的孩子，谁能赌得起？若不尽快除去，又有什么办法？

不，他们都没做错什么，是他的错！是他错了！他是她最信任的师父，在所有人都怀疑她会入魔的时候，他选择了放弃，让她一个人去承担，所有人伤害她，他也跟着他们一起伤害她！

重紫抬起妩媚的黑眼睛，神情和语气一样淡漠，"魔宫何处？"

"心中有魔，可见魔宫。"

"我跟你走。"

狂风卷起漩涡，两道黑影先后走向那漩涡深处。

她与天魔令关系微妙，如今天魔令也被盗，果真叫她召唤出虚天之魔，仙界人间又是一场浩劫！玉虚子等人尚且迟疑，虞度与闵云中已不约而同御剑斩去。

重紫微哂，剑尖凌空画一个圆，将闵云中的浮屠节轻易拨开，与此同时，亡月轻抬左掌逼回虞度。

亲眼见识到她现在的能力，洛音凡震惊，目光陡然变得凌厉，"九幽！"

没有保护好她，亲手伤害她，是他的过错，可是他绝不能让她入魔！锁住心神，他断然将牙一咬，逐波出鞘，气流卷成漩涡，赫然又是"寂灭"！

辉煌的剑势仿佛后劲不足，硬生生在半途折断。

极度痛心，岂是心锁能制？洛音凡终于忍不住退后半步，左手捂上胸口，一缕鲜血自唇角溢出，分明是内伤的迹象。

众人大惊，虞度迅速扶住他，"师弟！"

眼睁睁见二人头也不回离去，半空中漩涡消失，洛音凡僵硬地直起身，迅速抬手拭去唇边血迹，避开上来查看伤势的行玄，"近日修行太紧，真元不稳，调息便好。"

事情已成定局，多数人都露出迷茫之色。

虞度叹了口气，"天意如此，她既不肯回头，你也不必过于自责。"

第四卷 何处归程

"要我原谅你吗？除非南华山崩，四海水竭。"

当他终于伸臂朝她走来，

她只是笑，没有喜悦，没有期待，只是站在那里笑。

烟雾蒙蒙中，无数殿宇轩昂，楼台高耸，只不见脚底的路，身后四大护法已经消失，前面人幽灵般乘雾而行，身上黑斗篷却是静止的，看起来他仿佛站在那里没有动，可是重紫要用魔力御风才跟得上。

终于，他停下来。

"这是哪里？"

"魔神殿。"

重紫望望四周，却什么也没看见。

"我怎么看不见？"

"想看，就能看见了。"

话音刚落，眼前景象骤变，重紫发现自己身在一座雄伟大殿内，黑色巨柱撑殿顶，高数十丈，庄严中透着阴森之气。

偌大神殿，不见神龛神像，甚至连个供台牌位也无。

"没有魔神。"语气透着疑惑，余音悠长。

"魔神与天神不同，本体居于虚天冥境，可是在魔界，魔神神智无处不在，只是你我都看不见。"

"带我来这儿做什么？"

"此乃虚天魔界守护之神，魔族皆得他庇佑，立誓效忠魔神，才能入我之门。"亡月似乎笑了声，"欺骗魔神会有代价，你曾逼我立过两次誓，应该很清楚。倘若要重返仙门，现在还来得及。"

重紫沉默片刻，跪下，"重紫愿效忠魔神，有违此誓，必受神罚。"

"重姬，"亡月点头，"从此，你便是九幽魔宫重姬，紫魔。"

黑色斗篷自眼前挥过，重紫依稀看见了一张脸，苍白的脸，至于五官，几乎没有留下任何印象，因为瞬间过后，她便再也记不得他长什么样子了，大约是被那紫水晶戒指发出的强烈光芒模糊了意识。

神殿消失，二人站在了一座高台之上，底下数万魔众拜伏。

"圣君。"

四大护法恭敬立于两旁，当年洛音凡修补天山通道，重紫便见过他们，是以都认得——鬼面人欲魔心是大护法，他的来历倒有点儿神秘，从未听人提过；披黑袈裟的法华灭是二护法，自西天佛祖座下叛逃出来的；三护法是王孙公子打扮的妖凤年，据说本身是狐妖族的王子；四护法便是被逐出天山派的阴水仙。

意外的是，一名白衣人始终负手立于栏杆边，并不作礼，态度傲慢。

雪白连帽斗篷，白巾蒙面，只露出一双优美的眼睛，衬着长睫，泛着梦幻般的光彩。冷冷清清，却透着气势；适中身材，又带了几分儒雅。

妖凤年笑，"恭喜圣君，再得一美将。"

亡月道："重姬，前圣君逆轮之女，今日起便是五护法。"

任凭底下魔众叩拜道贺，重紫只是呆呆地站着，入魔之后，她还是头一次感受到这样的震动。

等到她回神，所有人都已悄无声息退去，连同身边亡月也不见了。

白衣人这才朝她略弯了下腰，算是作礼，"恭喜少君，回归魔族。"

声音果然是个男人的。

重紫看着他半日，道："是天之邪，还是慕师叔？"

白衣人目中有满意之色，语气透着淡淡的赞赏，"少君好眼力！"

"我只是认得你的眼神，"重紫无力地笑，"天之邪，慕玉，到底哪一个才是真的你？"

白衣人道："天之邪乃是千面魔，千张脸都是真，都是假。"

重紫没再说什么，径直走到他面前，伸手去摘他脸上的白巾。

"少君，"天之邪抓住她的手，"纵然圣君在世，也不能让我摘下它。"

"忠心的狗也有不听话的时候吗？"重紫冷笑，改为掐住他的喉咙，"一切都是你安排好的，是你教唆燕真珠用梦魇之术害我，是你设计害得大叔以身殉剑，万劫不复！"

天之邪并无惧色，平静道："那柄剑上所藏之魔力，乃是前圣君留与少君的，当年仙门要净化它，我不得已才为它寻找宿主，最终它选定楚不复。天之邪对圣君忠心耿耿，如今所做的一切也都是为了少君，少君若要怪罪，我无话可说。"

重紫惊疑，"你如何断定我与逆轮有关系？"

"少君乃是圣君之女，否则天魔令和圣君之剑绝不可能有反应。"

"我的血并不能解天魔令封印。"

"那是因为少君煞气不足，时机未到，少君现在还不能算是真正的魔。"

"逆轮并无血亲，人人尽知。"

"谁说的？"天之邪轻易掰开她的手，"当初天之邪受命潜入南华，就是为了里应外合，一举攻破通天门，助圣君成就大业。谁知圣君迷上水姬，那水姬是仙门中人，战死在圣君面前，逼圣君立誓放弃，使得我多年的谋划功亏一篑。"

"水姬？"重紫皱眉。

这个名字有点儿耳熟，印象却不深，分明是听燕真珠他们随口提起的，可见那只是个微不足道的仙门弟子，谁也想不到她会和大名鼎鼎的魔尊逆轮联系到一起，逆轮竟为了她放弃野心？

天之邪道："通天门一战，我们魔宫原是必胜，六界早就该入魔了，可惜圣君妇人之仁，才落得那般下场。幸亏他还记得使命，不忍抛弃臣民，死前曾暗示我有安排，我只猜到他将魔力封入剑内，必是后继有人，然而多年来寻找无果，直到少君上南华拜师，显露天生煞气，我才开始怀疑。"

水姬既死，逆轮不能违背誓言。失去爱妻，放弃野心，他那样的人活着已无意义，却又心怀不甘，所以南华战前作了周密的安排——天心之铁乃是通灵之物，他将一半魔力注入剑内，借剑灵替女儿掩饰命相，躲过行玄等人的卜测，再以禁术封印天魔令，把一统六界的野心留给了女儿。

"圣君离去时，已为少君作了最好的安排，让你先尝遍人间之苦，才能独当一面。"

"可惜我当年流落街头，险些被饿死，"重紫冷冷道，"他虽生了我，却从未养过我一日，教过我一日，护过我一日，他的所有安排都是为他自己，而不是为我，我没有义务接受他的野心。"

天之邪面不改色，"你不认他，但你必须认你自己，既已入魔，仙门不会再放过你。"

"说得好，不愧是左护法，算计得清楚，"重紫哈哈一笑，握拳，"你费尽心机为我做这些，到底有什么好处？"

"成就你！"天之邪毫不迟疑道，"我险些就成就了你父亲，可惜他功败垂成。如今，能再次成就你，使六界入魔，魔治天下，就是我毕生的愿望。"

"你不怕我杀了你？"

"单凭少君现在的能力，要杀我还不够，剑内魔力你并未完全得到。"

"是吗？那我要怎样才能得到？"

"待你修成天魔之日。"天之邪重新负手，转过身去，"逆轮圣君的后人，我很期待。"

天生煞气的女孩，历经两世终于入魔，命运之轮几经辗转，还是照着既定路线在前进。先前人人提心吊胆，如今变作事实，反而有种如释重负的感觉，那一抹内疚也安慰性地消失了，此事又与仙界最出名的一个人有关，众掌门仙尊都不好说什么，各自散去。

重华宫，洛音凡站在大殿门口，神情难辨。

"你有何话说？"闵云中沉不住气，"当初我说不该收那孽障，你执意不听，两世煞气不灭，你还帮忙掩饰，欺瞒我与掌教，如今惹出大祸，糊涂！"

虞度道："事已至此，说什么都是枉然，何况这并非全是师弟的错，师叔与我不也看错了人吗？"

得意爱徒突然成了魔宫奸细，闵云中提起来就气得脸青，半晌道："我说这些，无非是为仙门着想，也没有怪他的意思，怪只怪我有眼无珠，唉！"

"天之邪号称千面魔，法力高强，瞒过我们并不稀奇，师叔也无须自责，"虞度叹道，"其实仔细想来，他这些年也不是全无破绽，他不喜欢用剑，乃是因为他修的心魔之眼，摄魂术。"

闵云中道："不论如何，那孽障已经入魔，就留她不得，眼下最好趁她尚未修成天魔，尽快设计除去，否则将来必成大患，六界危矣！音凡，你也明白这中间的利害，须以大局为重。"

洛音凡终于开口，"此事并非全是她的过错。"

闵云中冷笑，"你的意思，她入魔没错，是我们的错？"

见他又要发作，虞度忙制止道："那孩子说的不无道理，仙门在此事上有责任，但我们这么做也是迫于无奈。她命中注定成魔，谁都冒不起那个险，如今既成事实，只有先想办法对付了。"

"是我造成，我自会处理，"洛音凡背转身，淡淡道，"师兄请回。"

来到魔宫半个月，重紫还是不太习惯这里的生活规律，魔宫与仙界完全不同，就拿行走方式来说，简单到无趣，只需靠意念移动，想去哪里就到哪里，除非对方设置了结界表示不欢迎。

九幽魔宫位于虚天魔界极地，太阴之气盛，黑夜比白昼要长得多。夜里，魔宫反而更加热闹，并非想象中那么死沉沉，有绿莹莹的妖火，也有蓝莹莹的魔光，还有寻常的昏黄灯烛，歌声乐声不断，那是妖凤年与一干魔众饮酒作乐，依稀竟比仙界更像人间。

高台，重紫斜卧榻上，望着底下星星点点一片。

身旁魔剑传来热意。

同是天生煞气，那位从未谋面的有史以来最强大的魔尊，真是父亲？

重紫抚摩剑身，苦笑。

一点儿印象也没有的人，突然成了父亲，为了爱妻放弃野心，却把野心留给了女儿，安排如此周全，该说这位父亲伟大还是自私呢？

转瞬之间，重紫连人带榻移到一座大殿内。

亡月坐在宽大长椅上，膝边倚着个美丽女子，粉衣紫发，正抬手施展幻术，漫天红白花瓣雨，与亡月身上的黑斗篷格外不搭调。

见到重紫，女子笑吟吟地站起来作礼，"梦姬参见五护法。"

重紫直接问："天魔令也在你手上？"

亡月端起一只水晶杯，里面盛着半杯血红色的液体，"在我手上，但我现在不能给你。"

"为什么？"

"你还不够资格拥有它。"

重紫蹙眉。

"只有你的血才能解开封印，放心，时候到了我自会交给你。"亡月挥手示意她下去。

梦姬笑道："圣君行事必有道理，五护法不必担忧，倒是我方才听说……有个南华弟子等在水月城，放信要见护法你呢。"

魔宫外正是傍晚，海边夕阳影里，有个男子负剑而立。

重紫意外，"成峰大哥？"

成峰回身看她，莞尔，"重紫。"

许久没见仙界的人，突如其来的亲切感，似在呼唤她靠近，重紫垂眸，后退两步，"你……找我做什么？"

成峰走到她旁边，在石上坐下，"真珠常说她喜欢看海，所以我过来走走，顺便找你说几句话。"

记得当年他二人成亲，重紫还曾去参加过喜宴的，跟一帮弟子们取笑灌酒，害他险些当场醉倒，年少美好，如今回想，仅余苦涩。

不该奢望，你早已回不去了！重紫尽力提醒着自己，"那都是过去的事了，我与大哥的身份，再往来似乎不太合适了。"

成峰没有说话，只是抬手亮出一支小巧美丽的短杖。

重紫愣住。

星璨见到主人，欢乐地在她身旁转来转去，轻轻蹭她。

当年教诲犹在耳边，只可惜她做不了他心目中的好徒弟，既已万劫不复，她还有什么资格用它？他送它来，又有什么意义？

重紫别过脸不去看，也不去接，"是师父叫你来的？"

成峰默认，"自你走后，尊者他老人家闭关时出了点意外。"

依稀记得他吐血的场景，重紫心一紧，立即移回视线看着他，"师父他……严重吗？"

成峰不答。

是因为她，才让他修炼分神吧？重紫迅速接过星璨就走，可是刚走出两步，她便停住了，转回身，不可置信地看着成峰，面色惨白。

不经意中，金仙封印已迅速嵌入体内，丹田魔力流散，再难会聚。

"是他让你这么做的？"

"是掌教和尊者的意思。"

重紫紧紧盯着他，"是掌教，还是尊者？"

成峰缓缓站起身，迟疑了下，道："是掌教的意思，也有尊者的意思。"

是的，他那样的人，毕生守护六界，徒弟入魔，他这么做原在情理之中，只不过她没有想到，他会这么迫不及待非要置她于死地，难道他亲手伤她还不够？他对她真的连半点儿师徒之情也没有了？就因为她"可能"会带来的那场浩劫？

重紫闭目，低头苦笑，"好，好个伏魔印！"

成峰叹了口气，拔剑指着她，"重紫，看在真珠面上，大哥原也不想这么做，但你天生煞气，历经两世入魔，将来定是苍生之劫，望你原谅大哥。"

"我说不，有用吗？"重紫无力，"我这两世从没杀过一个人，是你们非要认定我会危害六界，非要杀了我才安心，什么六界苍生，我从来没有兴趣，有什么义务一定要牺牲自己去为你们换太平？"

成峰亦有些无奈，半晌道："这一剑会打散你的魂魄，但绝不会痛苦，无论如何，大哥只能为你做到这些。"

跟这些人讲道理没用，连他都要她死了，还有什么说的？重紫点头，"多谢。"

长剑轻挑，势如海浪。

耳畔同时传来波涛拍岸的声音，一阵雪浪飞溅，陡然间竟变作许多温热的血色泡沫，迷蒙了眼睛。

闷响声过，浪花落尽，成峰躺在地上纹丝不动，一缕魂魄早已离体，归去地府。

重紫骇然，爬过去摇他，"成峰大哥！"

"少君都看见了，仙门如今不会再对你留情。"

"你跟着我！"

"少君不该再轻信他们。"

见他俯身，重紫抬手便扇他一耳光，"谁让你杀他的！谁让你杀他！"

天之邪并没理会，照旧抱起她，消失。

阴暗大殿，小巧杖身依旧闪着柔和的银光，温润的感觉，就像那人的怀抱与唇，曾经在绝望中陪伴她，给了她坚强的勇气，那样的亲密，如今对她却危险至极。

所有的温柔呵护、美丽承诺，引诱她不顾一切想要靠近，想要依傍，可等到她真正走近他了，才知道原来那些美好与幸福都是致命的，会伤到自己，可惜已经太迟，她再也离不开。

宽大的黑色衣摆平铺在水晶榻上，好似一朵浮水的妖冶黑莲。

重紫冷冷道："天之邪！"

"在。"

"你杀了成峰大哥。"

"他要害少君，本就该死，我放他一缕魂魄已是手下留情，"天之邪长睫微动，"是少君害怕，害怕杀了他，洛音凡就再也不能原谅你。"

原谅？重紫咬唇。

今日今时，原来，她还在奢望他的原谅吗？

"他命成峰送来此杖，分明是设计要杀你，出手之间可还有半分师徒之情？"天之邪伸手取过星璨，"少君与他两世师徒，还看不明白他，是为糊涂。"

低低魔咒声里，杖身光华大盛。

"不要！"重紫意识到什么，疯了似的扑上去。

天之邪果然没有说谎，堂堂逆轮手下左护法，他的能力绝非现在的她能比，两股强大魔力交锋，重紫被击倒在地，翻滚至墙边。

犹如失去理智，她狰狞着脸再次扑上，"住手！你给我住手！"

……

不知道重复多少次，她终于跪在他面前。

"别，不要伤它。"

"把它给我，求求你不要伤它……"

……

星璨光芒消失，神气渐灭，被他随手丢开，犹如失去灵魂的尸体，自半空掉落，发出当啷一声响。

重紫失魂落魄地将它抢过，触手已是冰凉，再无半分温润之感。

什么恨，什么痛，全都顾不上了，只有绝望，斩断一切的绝望。

"上面被洛音凡施了仙咒，除非你想束手就擒，"天之邪居高临下看着伏在脚边的她，平静的目光暗含了一丝冷酷与鄙夷，"圣君之剑才是少君最好的法器，此杖无锋无刃，根本就是洛音凡用来制约你的废物，少君亲自动手毁它，难逃诅咒，还是由属下来最好。"

沉寂。

"天之邪，你不是我和我父亲的狗吗？"重紫忽然仰脸直视他，缓缓站起身，"忠心的狗会站着跟主人说话？"

天之邪看着她片刻，果然单膝跪下，"天之邪任凭少君处置。"

CHONG ZI 重紫

第一章 天之邪 423

"听话就对了，"重紫倾上身，纤纤手指托起他的下巴，凤眼里满是恶意的笑，"你要记住，主人的事轮不到你插手，今日立了大功，不如就赏你去尝尝魔宫血刑的滋味，怎么样？"

天之邪目中微有震动。

"怕了？"重紫嘲讽，"不是说任我处置吗？"

"天之邪自会去刑殿领罚，是少君不明白。"天之邪站起身，再不多看她一眼，稳步出殿而去，看他那样子，仿佛不是去受刑，而是去散步。

想不到他当真去领罚，重紫有点意外地望着那背影，半晌躺回榻上，对一个屡次陷害她至此的人，她不杀他，他就该谢天谢地感恩戴德，有什么必要同情？

须臾，殿内有人开口，"你要处置天之邪？"

重紫抬眸，"怪不得他有恃无恐，原来是找了说情的。"

阴水仙淡淡道："我只是提醒五护法，你要在魔宫立足，动谁都可以，绝不该动他。"

"若我没记错，你我职位相当，我处置手下人与你何干？"

"如此，告辞。"

阴水仙不再多说，转身消失。

"五护法好大的脾气！"娇笑声里，一名美貌女子出现在门口，紫色裙裾，肌肤如雪，头发却由先前的紫色变成了白色。

来这么久，重紫怎会不认得她是谁，"梦姬？"

"天之邪忍辱负重潜入南华数十年，成功取回天魔令与前圣君之剑，扶助五护法重归我族，立有大功，如今只因杀了个仙门弟子就要受血刑，五护法也太不知爱惜羽翼了。"

重紫看她，"现居何职？"

梦姬愣了下，照实答："无职。"

重紫道："无职却敢取笑于我，我能罚你吗？"

梦姬变色，转脸望着亡月，亡月勾起半边嘴角，抬手示意她退下，然后身形一动，悄无声息出现在榻前。

重紫这才起身，下榻作礼，"参见圣君。"

"罚了他，你很痛快？"

是他害她落到这步田地，可是真正报复了，才发现并没有想象的快意，重紫更加烦躁，冷冷道："只能罚他有什么痛快的，我要更大的权力，你给不给？"

亡月没有意外，"你想要何职？"

重紫道："你的皇后。"

亡月笑得死气沉沉，"你凭什么以为我一定会让你做？"

"你需要我。"

"说得没错，但你身无寸功。"

"立皇后不需要功劳，你答不答应？"

"倘若你要权力是用来对付忠于自己的部下，我不能答应。"

"你是说那条狗？"

"你以为用刑就能折磨他，那就错了，"亡月伸手拉拉斗篷，"肉体受创，他自会修补。对这样的人，毁灭他心里最重要的东西，那才是彻底摧毁他，比如对付阴水仙，你可以折磨她在乎的那个凡人。"

"那他在乎的是什么？"

"抱负和能力，他的抱负是魔治天下，必须通过你来完成，所以才会苦心策划让你入魔，你若在此时重返仙门，就是摧毁他的最好办法。"

重紫"哈哈"两声，"我还能重返仙门？这是摧毁他还是摧毁我？"

亡月道："那就剥夺他的能力，让他知道自己的无能。他修的是心魔之眼，你只需取走他的眼睛就达到目的了。"

重紫目光微动，"你是在教我对付他？"

亡月笑道："你防备我，还是在意他？"

重紫道："我自己养的狗，多少都要在意点，闲了还可以放出去替我咬人，比起他，我更该防备你。"

"你能明白这点，就很好，"亡月点头道，"你恨天之邪，但你现在只有他。"

"是吗？"

"没有他，你不会看清仙门中人的真面目，将你逼到现在的并不是他，滥杀无辜，洛音凡也会做。"

"你的意思，我该谢他？"

"你该恨他，但你不能动他，因为只有他会护你，甚至比洛音凡更维护你。"

重紫沉默片刻，笑起来，"难道你不会护我？"

"你能问出这句话，我很荣幸，"亡月拉起她的手，带她回到榻上，"一个月后的今日，你便是魔宫皇后。"

魔宫刑殿，天之邪双臂张开被缚在刑台上，身上挂满了丑陋的血虫，吸得肚子鼓鼓的，透明的虫身可见血液流动，同时不停释放毒液送进他体内，纵然如此，他也只是微闭了双目，长睫甚至无一丝颤动。

行刑的堂主过来作礼，"五护法。"

梦幻般的眼睛睁开，带了点意外，大约是想不到她会来看。

重紫白着脸，尽量使自己显得镇定，然后抬手令所有人退下，她对这种命令性的动作有点不习惯，在原地站了许久，才勉强开口道："你要我跟一个绑在刑台上，浑身挂满虫

子的人说话吗?"

　　果然,天之邪双手一握,铁链自动脱落,身上血虫刹那间被强大魔力震飞,化作轻烟消失,同时体内黑色毒血顺伤口源源不断被逼出,很快转为鲜红,白色斗篷为血所污,触目惊心。

　　重紫无力点头,示意他跟来,待她用意念回到自己的殿内,天之邪也已站在了面前,身上又是雪白无瑕。

　　重紫面对着他,不说话。

426

　　"少君有何吩咐?"

　　"抱我。"

　　天之邪愕然。

　　见他这样,重紫略觉快意,挑眉逼近他,似笑非笑,"不敢,还是不愿意?"

　　"这,不合规矩。"

　　"我是你的主人,这是命令。"

　　天之邪沉默片刻,果然抱起她。

　　长睫投下妩媚的阴影,清冷的眼神终于有了一丝破绽,重紫勾住他的脖子,用下巴指了指那架华美的水晶榻,"我困了,抱我过去。"

　　天之邪依言抱她去榻上。

　　重紫躺在他怀里,蜷缩起身体,闭上眼睛再也不说话了。

　　天之邪皱眉,正打算放下她,却听她开口道:"我叫你放手了吗?"

　　"少君可以睡在榻上。"

　　"怎么?让你抱着我,不乐意?

　　"天之邪不敢。"

　　"我困了,想睡会儿,你最好不要再动,否则就滚回刑殿去。"

　　身体本就单薄,此刻蜷成小小的一团,那是极度缺乏安全感的姿势,白净小脸半埋在他胸前,呼吸匀净,孩子一般。

　　耍这点小心计就痛快了?当真是小孩子得逞。

　　天之邪转脸,看向榻旁明珠。

　　不知过了多久,怀中人忽然动了下,紧紧抓住他的衣襟,"慕师叔。"

　　天之邪愣了愣,淡淡道:"少君,属下天之邪。"

　　似梦似醒间,她睁开眼看看他,又闭上眼睛,毫不在乎地睡去了。

九幽魔宫即将立一位皇后，据说这位魔后乃是当年魔尊逆轮遗落人间之女，唤作重姬。魔族上下俱兴奋不已，光逆轮这名字就足以让他们充满期待了，它代表着一个鼎盛的魔族时代，如今其女归来，仿佛预示着又一个辉煌时代的来临。

消息自魔宫流出，不消七日就传遍六界。那重姬是谁，仙界所有人都已经猜到了，而她逆轮之女的新身份，更令人震惊和忌惮。

不出所料，洛音凡至要道水月城，斩数百魔兵，制住法华灭，负伤的魔兵带回他的口信，只两个字——"重姬"。

亡月听到消息，笑道："徒弟要嫁人，他这份贺礼不轻。"

重紫怔了半日，垂眸，"他是要杀我。"

"你可以不去，他顶多杀了法华灭。"

"我去。"

亡月既没赞成也没反对，重紫匆匆离开他的大殿，没有立即出魔宫，而是赶往了梦姬处。

身为魔尊的宠姬，梦姬见到这位未来的皇后，笑得已有些勉强，"皇后驾临，有何赐教?"

"你不必紧张，他还是你的，他需要的只是一个皇后，我来找你并不是为这个。"重紫咬了咬唇，尽量镇定，"你知道，我现在真的要动你，很容易。"

新皇后连威胁人都不会，梦姬暗笑，心情却舒畅多了，想如今圣君正笼络她，于是主动道："皇后果然是痛快人，不知有什么地方需要梦姬效力的?"

重紫道："我要借一样东西。"

梦姬亦爽快，"借什么?"

"你的魔丹。"

"我可以说不借吗？"

"不可以。"

水月城一带接近魔宫入口，历来是魔宫在人间把守的要道。

城外山坡，夜深露凉，星光微弱。

法杖横于地，法华灭依旧身披正黑袈裟，一动也不敢动，满脸戾气中隐约透着许多恐惧，一柄如水长剑横在他颈间。

旁边，白色身影背对这边而立，遥远，淡然。

须臾，逐波自动归鞘。

危机解除，法华灭看到来人也很意外，身为魔宫皇后，仙门正在追杀她，照理说她是不该来的。

重紫道："二护法先回去。"

"皇后当心。"法华灭点头，取了法杖遁走。

山坡上，师徒对面而立。

束腰的带紫边的黑袍，一头优美的长发垂地，肌肤如玉，身材纤瘦，小巧脸庞，眉眼依稀还是当初的小徒弟。

派成峰来引她上当，是因为知道这孩子重感情，他相信，无论是前世温顺的她，还是今生偏执的她，都没有任何区别。她会恨他气他，却绝不会背离他，入魔只不过是走投无路被迫的，可是成峰尸体被送回，令他方寸大乱，听到法华灭那声"皇后"，他才终于确定消息不假，她当真要做九幽的皇后！

洛音凡沉默半晌终于开口，语气严厉，"你到底要做什么？"

是啊，她到底想要做什么？重紫垂首。

"成峰是你杀的？"

"是又如何，不是又如何？"

这是什么态度！她竟敢这样对他说话！洛音凡抬手指着她，尽量克制怒气。妄杀仙门弟子，将来就连他也救不了她！

重紫忽然跪下，双手托星璨。

昔日不离身的法器，如今毫无灵气，形同死物，正如天上冰冷的微弱的星光。

气愤转为震惊，洛音凡有片刻的失神。

所赠法器被毁，代表什么？她要将它还给他？她不再认师父了？她到底是恨了他？

"师父要杀我，又何必用它？"重紫低头看着手里的星璨，喃喃道，"死了，它死了。"

他应该清楚那是什么，那是他亲手赐她的法器，是他们师徒之情唯一的见证，可是如今被彻底利用，被彻底毁掉。

洛音凡亦愕然。

杀她？他只是吩咐成峰将她带回而已，难道……

他们竟敢背着他行事，逼成峰对她下杀手！

袖中手微握，洛音凡怒不可遏，同时心头涌上深深的难以抑制的愧疚——总是为她考虑太少，总是让别人有机可乘一次次伤害她，成峰死，他固然痛心，可如果死的是她，他又将如何？

无论如何，他还是伤到了她。

星璨已毁，她会不会也……洛音凡看着面前的小徒弟，忽然感觉有点冷。

夜风吹来，月色满坡，师徒二人相对无言。

重紫缓缓将星璨放至他跟前，站起身就走，"我回去了。"

回去？回去做什么，当真要做九幽的皇后？洛音凡目光一冷，杀气随怒气而起，澎湃扩散，"你……敢！"

打算杀她？重紫没有害怕，回眸看他。

几次握拳，几次松开。

终于——

"重儿！"无力的略带责备的声音，像往常她赌气撒娇时一样，想要骂，想要罚，却下不去手，他总会这么警告她，或许只有这样，才能看出无情的尊者对她的一点儿特别。

一个连骂她都舍不得的人，怎能一次次伤她到底？

重紫慢慢地走回他面前，轻声道："师父。"

一声"师父"，唤起柔情万千，她终究还是承认他这个师父！洛音凡有些惊喜，更多的却是悲哀，再次将那瘦削的小肩膀搂入怀的一刻，心忽然又疼起来。

不怪她，是他辜负了她的信任，是他的错。

可是理智告诉他，他必须再一次犯错。

她已经入魔，无意中恰恰走上了那条既定的命运之路。天生煞气，逆轮之女，她活在世上，六界可能会覆灭，可能会生灵涂炭，几乎所有人都做了同样的选择，因为输不起，负不起。

怎么办？再次伤害，关入冰牢，还是干脆让一切终结？现在就是个机会，她毫无防备地在他怀里，结束起来很容易不是吗？

多矛盾，别人要杀她，他会愤怒会阻止，可到头来他会选择亲手杀她。

不能再伤害她，不能……

洛音凡闭上眼睛，右手轻抚她的背，不知不觉变作掌，缓缓抬起。

没有抬脸看，可是感受到浓烈的杀气，重紫在心里悲凉地笑。

梦中，只有在梦中，人才会露出最真实的一面。他从来都没有后悔过，即使在梦里也

CHONG ZI 重紫

一样。她在他心里，到底敌不过责任与使命，用她换得六界太平，其实换了任何人都会这么做吧，没什么好怨的。只不过他是她的师父，她敬他爱他，所以接受不了来自他的伤害。

如此，不如成全了他。

"师父。"动手吧，至少让她在他怀里死去。

小脸埋在胸前，衣襟上有湿意，手臂柔软，纤弱，却好像用尽了一生的力气，紧紧环住他的腰。

忽然想到那双畸形的手，那双跛足，他心如刀绞。

怎么能再伤她？怎么可以？

杀气转瞬间尽数退去，手无力落下，轻轻落回她背上。

"师父？"她抬起脸，神情有不解。

洛音凡到底修为高深，立时察觉不对，本已熄灭的怒火被重新点燃——这孽障，竟然趁他不备对他用梦魇之术！她是故意来试他！

明知道她没有恶意，却还是无可遏制地恼怒，就像从头到脚被人看穿。

敢探他的心思，她到底还有没有把他当师父！

很好，他的不忍，他的内疚，他的无能，他都知道了，是他没有保护好她，是他伤害了她，是他的错。可他费尽心思护她性命，为她掩饰煞气，不惜冒着成为仙门罪人的风险；他为她苦修镜心术险些走火入魔；他断她念头，只为师徒永生相安无事……这些，她又怎能明白？前世今世，无一刻让他安生，到头来她竟然背离他，要去做九幽的魔后！

为她气，为她喜，为她筹划，为她冒险，到头来反落得她怨恨。

只说她恨他，怎知他也恨她！

风掀动黑袍，腰肢更加柔软动人，精致小脸，凤目犹带泪意，有惊愕，有不解，有期待。

脑海里不觉浮现无数影子，那灯下递茶磨墨的身影，四海水畔等待他的身影……

面前幽幽双眸，与记忆中那双黑白分明的大眼睛奇妙地重叠在了一起，那是个费尽心思引他注意讨他欢心的孩子，甘受屈辱也不肯让他知道爱恋的少女，为了留在他身边，她任性地利用四海水加重伤势。

可是现在，她却想背离他！

不知何时系上心头的一缕情丝，在欲毒的作用下，被恨意所催动，刹那间变作汹涌情潮，冲破数百年灵力压制，令他措手不及。

平生从未做过的尴尬的梦。

月光朦胧，面前的一切却如此清晰，失而复得的小徒弟，离他这么近，这么美，已经不再是孩子，浑身透着令所有男人心动的魅力，这让他失望，让他不安，可又情不自禁想要去保护，想要去怜惜，更想要重重地惩罚！她敢去当九幽的皇后？

这是……要做什么？

意识开始模糊，残存的一丝理智告诉他，不能这么做！他极力压抑冲动，有点恐慌，想要后退，想要推开她，无奈行为早已经不再受控制。人在梦中，理智总是不那么有用的。

丰美双唇微启，似被露水润湿，依稀有光泽闪烁，就好像那一夜天山雪中盛放的梅花。

心悸的美丽，罪恶的诱惑。

他本能地捧起她的脸，吻上去。

短短一瞬，轻得几乎没有分量，冰凉与冰凉的触碰与摩擦，竟生出奇异的火花，两个人同时一颤。

他下意识地抬脸离开，视线依旧锁定柔软的唇瓣，黑眸深处泛起一丝迷惘。

发生了什么？

纤纤手指自唇上抚过，寻不到任何痕迹，重紫怔怔的尚未反应过来，面前的他突然再次低头，将她重重吻住。

两生爱恋，两生期待，这一刻终于圆满。

重紫全身僵硬，不可置信地望着那张近在咫尺的脸，来不及喜悦，来不及流泪，脑中已是一片空白。

鼎鼎大名的重华尊者似变了个人，不再稳坐紫竹峰八风不动，而是专与九幽魔宫作对，短短半年就诛杀魔族上千，出手无情。整件事也有特别之处，大半时间他都在追杀一个人，那个人就是九幽魔宫的梦姬。这不免令众人疑惑，梦姬是魔尊九幽的宠姬不假，可她极少出来作恶，洛音凡向来有原则，要泄愤，也不至于把她从角落里拖来出气吧。

唯一的解释是徒弟叛离师门成九幽皇后，他被气糊涂了，偏生梦姬倒霉，不知怎么正好惹到了他。

梦姬的确倒霉，莫名其妙地得罪了这位大人物，整整半年不敢出魔宫行走，其实她也很好奇那夜发生了什么，却不敢去问新皇后。

正在此时，探子送回消息，赤焰山邪仙金螭为祸，过往客商多被其摄去洞府修元丹，受害者无数。青华宫卓耀得知，果断派出弟子前去诛杀，九幽魔宫亦不愿袖手旁观，亡月派人将重紫叫到朝圣台，重紫明白他的意思，想是有心将那金螭收为己用。

听到他的决定，重紫意外，"我去？"

亡月并不回答，似在等她自己说。

重紫迟疑，"不是还有欲魔心他们吗？"

"我的皇后，所有人都很期待你立功，你的责任就是守护你的子民，为他们开拓领地，夺取更多好处，魔宫不需要无能的皇后。"亡月笑了笑，转身消失。

赤焰山位于荒漠之地，山不高，形似馒头，上头并没有什么火焰，而是长着些矮小灌木，看起来光秃秃的，未免叫人怀疑找错地方。直到傍晚，重紫望着山顶烧得通红的一片晚霞，才真正明白这名字的来历。

邪仙自古不是好惹的人物，好在那金螭修行尚浅，不足惧。照天之邪的意思，魔宫先隔岸观火最妥，毕竟在对方走投无路时帮一把，对方才更感激你，才会对你死心塌地。

魔军在距赤焰山十里处安营，周围设置了牢固的结界。

重紫斜卧云榻，身旁一轮月。

不远处，天之邪立于石上，正在排兵布阵，白斗篷在月光下分外清冷。

他在魔宫地位很特殊，只服从她一人，就连见了亡月也不曾行礼。不愧是那位伟大父亲的得力助手，非欲魔心之辈能比，不到一年时间他便为她招募一批部下，治理得服服帖帖。欲魔心他们在她跟前不敢放肆，恐怕更多也是因为他的原因。

举手投足间的威严气势，谁还会联想到当初那个温润如玉的首座师叔？

潜入南华数十年不被发现，他的法力胜于她是事实，在整个魔宫算是第二人吧，毕竟当初亲眼看亡月接下洛音凡一剑，实力不弱。

想到亡月，重紫皱眉。

亡月，九幽，当真不枉这两个名字，比起当年威严又温柔的楚不复，此人身上无处不透着神秘气息——长相神秘，法力难测，每次靠近都会令她感到不安，却又带着难以抗拒的蛊惑。他对她的态度，也不像是控制，倒像在引导，这是她先前所没有料到的。

重紫心情复杂。

其实很多事都没料到吧，包括自己，曾经发誓要助那人斩妖除魔守护苍生，可是到头来，自己反成了魔；再想当初与秦珂、司马妙元他们赶往洛河除蛟王，与阴水仙大战，谁知今日，自己会在同样的情形下扮演完全相反的角色呢？

天之邪安排完毕，照常过来抱起她。

重紫蜷缩在他怀里，忽然道："你这么费心，可就算将来我修成天魔，灭了仙门，六界入魔，九幽为了他的权力，恐怕也不会放过我们。"

"魔治天下便是我的心愿，之后的事与我无关。"

"你不是效忠我吗？"

闻言，天之邪低了头，用那双梦幻般的眼睛看着她，"让我忠诚到那样的地步，少君现在还不配。"

"是吗？"重紫没有责怪，伏在他怀里睡着了。

夜半时分，天之邪将她唤醒。

凝神听，赤焰山方向果然有打斗之声，动静本来不小，想不到自己竟全没察觉。重紫低头笑了笑，亡月说得对，她只有他，最能信任的也是他。

"少君可以过去了，"天之邪放开她，起身，"仙门动手已有小半个时辰，我看金螭撑不了那么久。"

"我去？"

"不错，皇后就代表了圣君，由你说话最合适。"

二人率魔军赶到时，青华两位长老与众弟子正全力围攻一个金袍妖仙和一个白发女人，漫山小妖魔逃窜。

天之邪道："那便是金螭与其妻白女。"

邪仙本是仙门分支，指那些因修行时误入邪道而成的凶仙，非寻常魔头能比。只不过这金螭才修行两百年，力量有限，此刻不出天之邪所料，已落了下风，招架甚是吃力。

斗到激烈处，忽见半空魔云翻涌，两边都吓了一大跳。

重紫现身立于云中，回想当初洛河一战时阴水仙那番半是安抚半是警告的话，照样沉声说了一遍。

那金螭与白女见势不妙，知道老巢难保，心里又恨仙门，果然求救，"愿追随圣君与皇后左右，听候差遣。"

青华宫长老与众弟子大惊。

"魔宫重姬！"

"紫魔！"

重紫尚未来得及说什么，身旁天之邪手一挥，四周无数魔兵涌上，摆下魔阵，正是他早已布下的埋伏。

厮杀声不断，夹杂惨叫声。

不消多时，仙门弟子已战死数人。

"住手！"重紫终于忍不住了，大喝阻止，"天之邪，快叫他们住手！"

"少君放心，此战我们必胜无疑。"

"我叫你住手！"

"仙与魔之间从来只有征战，洛音凡也不会对你留情，少君能饶过他们几次？"

重紫摇头。

不，师父不是那样，自己已经做错了，不能再继续。

情势危急，她掠过去救下一名青华弟子，不料那弟子亲眼见同门惨死，看到她心里更加怨恨，举剑便刺。

天之邪闪身至她面前，抬掌击碎那弟子天灵盖。

重紫失魂落魄，"不，不要这样！"

"你与洛音凡就像这样，你们之间只有胜败，心软的必会受伤。"

"闭嘴！"

天之邪不理，强行带她回到原地，迅速下令，"撤！"

眼见占了上风，众魔兵都不解他为何要撤，来不及反应，暗淡夜空便有一道夺目蓝光直直坠下，洒落漫天剑影，瞬间，数十魔兵毙命。

"落星杀，是洛音凡！"最近他四处找魔族麻烦，妖魔最怕的就是他，见状都骇然。

重紫望着那身影，心跳骤然快起来。

天之邪不动声色挡在她面前，金螭白女也浑身发毛，不得不硬着头皮上前作势护她，心里暗叫倒霉，原以为今日得她援手，能侥幸逃脱，想不到遇上这尊神。

青华长老与弟子们如见救星，喜得退至他身后。

他冷眼看现场众仙门弟子的尸体，剑引天风，带闪电之威，扫向众魔兵。

"少君，退！"天之邪低喝。

身在其职，不忍杀仙门弟子，可也不忍眼睁睁看自己的部下白白丧命，重紫咬唇，长袖如出岫之云，飞身上去硬挡。

漫天剑影忽然消失，却是他及时收了招。

仙界谁都知道二人原是师徒，青华宫两位长老也怕他为难，见机告辞退走。

自那夜之后，重紫一直躲在魔宫没有现身，因为太多事想不通，太多感情理不清，太美丽，太幸福，让她不敢相信，她甚至怀疑自己当时也在做梦，因此就更害怕去寻找答案。

可是她又需要答案，她太想知道。当二人再次相见，强抑的思念终于海潮般滚滚而来，理智如山倒，她不顾一切地想要弄明白。

重紫拾回勇气，下令，"你们先撤。"

"皇后果然好胆识！"金螭大喜，带白女与手下小妖先退走了。

天之邪目光微动，半晌道："我在前面等你。"

　　静静的，两个人站得很近，又好像隔得很远，中间是流动的风烟。

　　原本纯粹的关系，经过那一夜之后，已悄悄蒙上了一层暧昧的色彩，师徒间此刻剩余最多的，应是尴尬。

　　重紫紧紧盯着他，迫切地想要开口。

　　他却侧了脸，避开她的视线，细小的动作终于显露一丝窘迫。

　　她上前，"师父。"

　　俊脸苍白，洛音凡没有答应。

　　水月城外那一夜，后来究竟发生了什么？倘若他真控制不住欲毒，对她做了什么，那便是禽兽不如，不可饶恕的大错，他又怎么配做她的师父？

　　沉默。

　　"为什么？"为什么会那样对她？她不敢相信，需要他亲口确认。

　　她紧张，殊不知他更慌乱。

　　为什么？自然是欲毒的缘故，但欲毒残留体内，又证明了什么？若真无情无欲，又怎会发生？

　　修行至今已近千年，他从没想过自己还会有这种可耻的感情，当事实证明一切，他措手不及。以师父的名义站在她身边，疼她护她，气她骂她，教导她鼓励她，清楚地看到她的爱恋，一次次理智地拒绝、伤害，告诉自己是她年少糊涂，那现在，他呢？他这样算是什么？

　　他竟对她生出不伦的情感，而她是他的徒弟！

　　错了，全都错了！

　　洛音凡微微闭目，强迫自己冷静。

半年，从最初的崩溃到后来的纠结，习惯性的理智终是占了上风，他不配做她的师父，是他该死！她若怨恨，杀他泄愤也无妨，但现在她的处境太危险，眼前发生的这场杀戮就是最好的证明。单纯善良的她，在这样的环境中生存，就像一张白纸浸入墨缸，容不得她独善其身，她迟早会习惯这些，就算不愿意，也会有人逼她去做，那时就真的万劫不复了，他绝不能任她这么下去。

想到这，洛音凡终于开口，"魔宫不是你该留的地方，随我回去！"

他还会担心她？重紫捏紧了手，"他们不会放过我。"

"为师就算不做这仙盟首座，也不会再让他们伤你。"

"又进冰牢？"

"待为师修成镜心术，替你净化煞气，到时你就能出来了。"

"然后呢？"

然后？洛音凡一愣。

重紫垂首，低声问："我……可以跟师父回紫竹峰吗？"

转生两世，她还是这么执著，将最美好的爱恋给了他。而他对她，或许也真的比师徒之情更多点吧，可是这份感情根本就是荒谬的，是不该产生不能接受的，他能怎么办？

"此事将来再说。"

"不能吗？"

"将来再说，先随为师回冰牢。"

"那天，为什么？"

被她逼得无路可退，洛音凡再难回避，索性横了心，既然这么执著地要一个答案，那好，他给她！

"是为师当时修行不慎，走火入魔，一时糊涂才……"

糊涂？走火入魔受她引诱？重紫煞白了脸，摇头，伸手去拉他，"不是的，不是这样！"

他是喜欢她才那么做，有他在，她不会害任何人，他为什么要这样？

小手刚碰到衣角，洛音凡便飞快拂袖后退，怒道："不是这样，那是怎样？"

不是又如何，难道要让他亲口告诉她，他和她一样糊涂？告诉她，她的师父对她生出不该有的可耻的爱欲？

重紫站定，缓缓垂手。

见她这副模样，洛音凡硬了心肠，面无表情道："先随为师回去。"

"师父想知道什么，与其追杀梦姬，何不问我？"重紫忽然道，"那天晚上真的……如果真的……"话未说完，她便停住。

记忆里，那身影一向高高在上，从容不迫，无人能撼动，能撑起整片天地，她以为他永远都会是那样。

重紫静静地看着面前人，看他竭力控制颤抖的手，看他煞白的脸被痛悔之色淹没，半晌一笑，"骗你的，师父。"

最后那两个字，语气又轻又软又暧昧。

洛音凡惊愕，随即被愚弄的愤怒冲昏头脑，这是什么态度？她是谁？她知不知道她是谁？他纯洁可爱的小徒弟，入魔宫不到一年，竟变得这么不知廉耻，这么……

他想也不想便抬手。

重重的巴掌声响过，重紫被打得脸一偏，跌坐在地上。

说不清是手疼，还是心疼，洛音凡看看手，又看看她，半晌回不过神。

重紫捂着半边脸，眼波流转，"这不就是你想要的答案吗？"

洛音凡伸手欲扶她，闻言又气噎，改为指着她，"你……"

重紫微侧了脸，努力收起那僵硬的难看的笑。

原来她的爱让他这样难堪，在他走火入魔时，是她不顾廉耻，利用梦姬魔丹引他上当，他是恶心极了吧？甚至不肯再让她碰一片衣角。

期望化作泡影，水月城外那夜的狂喜与幸福，终究是镜花水月，一场空罢了。

是你先算计他，害他以师父的身份做出超越道德底线的事，害他堂堂尊者在你面前忍受这样的羞辱，你有什么资格恨？

仙界人人敬仰的尊者，法力无边，地位尊崇，一直都在尽力维护你，能做他的徒弟已经是上天的恩赐，你还想要什么？你的爱算什么？它本就是不该存在的，会带给他耻辱，带给他痛苦，会害得他身败名裂！你自己有罪也罢了，还这么逼他侮辱他，是想让他恨你？最后一点师徒之情，你也不想要了？

脸上似有许多液体，黏黏的，重紫迷茫地伸手擦了擦，费力地从地上爬起来，低声道："我并不知道师父已走火入魔，只是妄想……师父知道，我修为浅薄，心有邪念……我当时……师父对我有没有一分在意……我……师父那天除了……并没有再做什么……"

越说越语无伦次，重紫终于住口，想他现在是连看都不想再多看她一眼吧，于是匆匆转身，"我走了。"

听出她的绝望与羞愧，洛音凡逐渐平复了情绪，对自己失控的行为后悔又无奈。

不，她错了，心有邪念的不仅是她，玷污这份感情已是不该，他控制不住欲毒，对她做出那样的事，是他有罪，怎么可以把一切都怪在她身上？

不能让她回魔宫！

"重……"他正要开口叫她，忽然又停住，皱眉，侧身。

司马妙元自云墙后出来，恭敬作礼，"妙元见过尊者，方才听青华宫长老说这边魔宫作乱，尊者安好？"

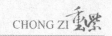

云海茫茫，已经不见人影。

洛音凡沉默片刻，道："回去吧。"

天之邪果然等在前面，见她魂不守舍地归来，总算放了心。任务顺利完成，众人匆匆赶回魔宫见亡月，邪仙金螭愿意臣服，亡月封其为王，仍带旧部，对于其他人，则命大护法欲魔心论功行赏。不折一兵一卒，能自洛音凡剑下全身而退，魔宫上下对这位新皇后更加敬服。

重紫倚在榻上养神，须臾感觉榻前有人，不用睁眼也知道是谁来了。

"少君对洛音凡有情？"

重紫没有否认，当一个人完全绝望的时候，还怕什么？她是不顾伦常没错，要笑话，要全天下都笑话个够她也不在乎。

"他不可能喜欢你。"

重紫睁眼，冷冷地看着他。

天之邪并不在意，"他早已参透悟透，方得金仙之位，这样的人心有大爱，是不可能生出凡人之情的，少君是在妄想。"

这个人，总是那么轻易就能抓住别人的弱点，然后将对方彻底击败。重紫怒上心头，跳起来就重重一巴掌过去，"没有你设计，他们不会对我这样，我也不会入魔，更不会落到这步田地！"

天之邪不闪不避地受了，语气依旧平静，"这无关你入不入魔，他是仙界尊者，仙盟首座，地位至高无上，倘若与自己的徒弟闹出丑事，只会令他名声扫地，还有何面目留在仙界？少君执意强求于他，就不怕他恨你？"

重紫灰白着脸，动了动嘴唇，什么也说不出来。

天之邪道："仙魔本就势不两立，少君无须在乎。无论那夜的事有没有发生，只要放些风声出去，虽说没人相信，但对他必会造成影响，这对我们大有好处。"

重紫立即摇头，"不，不要。"

她的爱，他没有义务一定要回应，事情发展成这样也是她没有料到的，她并不知道他那时已走火入魔。在他心里，他曾经爱护有加的徒弟竟不择手段引诱于他，想要做出足以毁了他的事，如今他们的师徒之情恐怕也剩不了多少了，她不要他更恨她。

重紫沉默着，重新躺回榻上，正要合眼，忽然外面传金螭王夫人白女求见，天之邪也不管她同不同意，让传白女进来。

原来金螭初来魔宫，虽说封了王，却知道自己修为尚浅，四大护法个个不是善茬，必须求得大人物庇护才好办事，而自己认得的只有皇后重紫，又曾亲眼见她掩护部下先退，心知这样的主人值得追随，所以令妻子白女前来示好，那白女进殿便跪下，献上一株长生草。

重紫看了眼，"这是……"

白女笑道："这是我们赤焰山的镇山之宝，凡人食之，可延寿两百年，实为难得，皇后贵为万魔之母，理当享用它。"

重紫兴致缺缺，"我要它何用？"

没料到是后会问这个问题，白女微惊，急中生智道："皇后魔体天成，自然不需要它延寿，只是这长生草非但有益修为，驻颜更有奇效，可使肌肤生色生香，甚为难得。"客观地说，皇后长得很美，不过圣君更倚重的应该是她逆轮之女的身份，看殿上情形，圣君很迁就她，这就足够她当自己夫妻的保护伞了，然而，女人谁不在意容貌？听说皇后虽得圣君倚重，却远不及梦姬受宠。

不待重紫表示，旁边天之邪开口道："这长生草也算难得一见的宝贝，金螭王与夫人有心，少君该收下才是。"

重紫随意抬手，"那就替我收下吧。"

原来皇后对这位部下言听计从，知道就好办了，白女马上松了口气，赔笑告退，同时悄悄打量那部下，半晌忽然想起方才有人提过的一个名字，险些惊出身冷汗，连忙恭敬地对他作了个礼，然后才退出去。

重紫再次合眼，"过来。"

天之邪明白她的意思，正要上前，外面又传来一个女人的声音，"阴水仙求见皇后。"

"她来做什么？"重紫奇怪。

天之邪道："自然是有事相求，我看她对你尚有几分好意，正该收服过来，她要什么，你送与她就是。"

重紫目光微动，"我知道了，你先退下吧。"

天之邪刚消失，阴水仙就走进殿，单膝跪下，直言，"听说金螭王献了株长生草与皇后，阴水仙特来求皇后转赐。"

重紫早已猜到她是为长生草而来，并无意外，"消息传得这么快，阴护法是为自己求，还是为别人求？"

阴水仙不答，"无论为谁求，都是皇后的恩典，阴水仙从此自当铭记。"

重紫连人带榻移至她跟前，"阴护法这些年为那个凡人延续寿命，耗损了不知多少修为，值得吗？"

阴水仙面色不改，"阴水仙做事，从不后悔。"

重紫道："可惜他始终只是个替身，替身再好，也不是那个人，他根本不认得你，没有关于你的任何记忆……"

阴水仙冷冷地打断她，"他一样可以陪着我。"

"既有人能代替他，阴护法又何必留着这剑穗？"重紫指着她腰间，"你若肯毁了它，

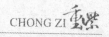

我就把长生草赐予你。"

阴水仙看了片刻，果真握住那剑穗，手缓缓收紧，手上有青筋暴出，甚至因为太过用力手不停发抖，似乎要将那剑穗捏成粉末。

剑穗仍然完好。

重紫道："可见替身就是替身，天下人很多，长得像雪陵的更有不少，老死又何妨？你可以再找个，用不着浪费一株长生草。"

"皇后不肯赐，就罢了。"阴水仙松开手。

天底下可真有这么傻的人，重紫笑了声，"区区长生草而已，我怎会不舍得？几时阴护法立了大功，我说不定就将它赐给你了。"

"也好。"阴水仙再不看她，起身离去。

"轻慢部下，是少君之不智。"天之邪现身榻前，皱眉。

"我叫你退下，你却隐身瞒我，胆子越来越大了。"重紫躺回去，挑眉看着他，"你助我，不过是想成全你的野心和抱负，与我有什么关系？我为什么非要照你的话做？"

"你必须学会笼络他们。"

"是吗？"

"否则就算你修成天魔，九幽也随时可以除去你。"

"他想要权力，我让他就是了。"

"臣服让步，生死完全被人掌握，是为下策，"天之邪轻蔑，抬手点灯，"六界入魔，你的功劳远胜于他，他顾及影响，未必立即杀你，可也绝不会放过你。此人深不可测，凭你是斗不过的，必须表示臣服，但同时也要令他有所忌惮，不敢轻易动你，能坚持多久，你就能活多久。"

重紫斜眸看他，有点意外，"你不是只想六界入魔吗？那时我是死是活与你何干？"

天之邪不答，过去抱起她，淡淡道："睡吧。"

重紫抚摸他的心口，半开玩笑，"你后悔吗？"

天之邪看着她半晌，长睫扇了下，"不。"

重紫"哦"了声，缩在他怀里睡去。

第二日，亡月出魔宫见前来朝拜的妖龙王，重紫身为皇后，如今名声远扬，自然也要跟着他一道去。无非是受些礼物，听些奉承话，回来时，亡月带着她停在水月城外山坡上。

熟悉的地方，曾经甜蜜的回忆，如今变得那样不堪，提醒着她给他带去了多么大的耻辱，他现在有多么厌恶她。

旁边亡月浑身散发着阴冷的气息，带着奇怪的压迫感，不像天之邪那样安心，尤其是那双隐藏在斗篷帽下的眼睛，令重紫更加紧张。她总觉得，那双眼睛正透过斗篷帽，将她看得清清楚楚。

他带她来这儿，是无意，还是故意的？重紫不禁打个冷战，尽量让自己显得镇定。

"我的皇后，你在害怕？"

"没有。"

"你和洛音凡上次就是在这里见面的？"

重紫不语。

亡月转移了话题，"此番立功，我还没赏赐你，你想要什么？"

重紫想起天之邪的话，谨慎答道："替圣君分忧，乃是分内之事，不敢领赏。"

"皇后待我如此忠诚，我也送皇后一件礼物。"亡月说完抬手，面前地上立即出现一人，被反剪双手，面色惨白，形容狼狈。

司马妙元？重紫愣住。

司马妙元也看见她，心虚，"重紫，你想做什么？"

重紫意外，"你怎么把她抓来了？"

亡月道："是她教唆月乔害你，你不想复仇？"

现在报这个仇有必要吗？那么多人想杀自己，难道也都是她教唆的？重紫苦笑，低头看司马妙元。

司马妙元倒也沉得住气，冷哼，"要杀便杀！"

重紫淡淡道："我有很多办法可以折磨你，为何要杀？"

亡月沉声笑，声音充满蛊惑，"仙门本已决定放过你，若非她唆使月乔去仙狱，妄图侮辱你，你的煞气就不会泄露，更不会被打入冰牢。你会留在南华，跟着洛音凡修行。你有今日全是因为她，你当真不恨？"

明知道这事司马妙元只是个引子，可经他这么一说，重紫竟不由自主地生出许多怒意，没错，所有的事，被逼入魔，与师父决裂……好像全都是她引起的！

亡月道："你从无害人之心，还救过她的命，却被仙门所不容，而她身为仙门弟子，却心怀嫉妒，恩将仇报，这公平吗？"

公平？当然不公平！天生煞气就是错？被人陷害就是错？

她从未害过谁，可到头来人人都想她死，被打入冰牢受尽折磨，害她的人反而活得好好的，这不公平！

煞气弥漫，重紫冷冷盯着司马妙元，凤目里是毫不掩饰的杀机。

面前人突然变得陌生，司马妙元开始惊恐，"胡说！他胡说！"

亡月道："这种人不配做仙门弟子，杀了她没有错。"

杀了她？重紫略清醒了点。

不对，她不能随便杀人，她说过要守护师父，守护苍生，怎能杀人？

亡月道："她到现在全无悔改之心，是知道你下不了手。对付这样的人当用魔的手段，你应该让她明白，你不再是当初的仙门弟子。"

也是，反正她已经入魔，师父也不要她了，有什么好顾忌的？

重紫果然抬掌，手心有光。

司马妙元浑身颤抖，绝望地往后缩。

是的，这不是那个规规矩矩耍小心计的重紫，现在的她满身杀气，这是紫魔！不会放过她！

442

"重紫，你……你敢动我，尊者他老人家不会放过你！"

师父？重紫完全清醒了。

恐惧的阴影迅速浮上来，笼罩心头，让她从头到脚凉透。

她惊怕万分，踉跄后退。

这是做什么？居然被亡月几句话就引发魔性，想要杀人！

知道师父厌恶她，可还是不想看到他失望的样子，真的杀人，就再也挽回不了。

亡月没有继续说什么，略抬了下手，紫水晶戒指幽幽闪烁，司马妙元立即昏倒，失去意识。

重紫轻喘，"你想操纵我？"

"魔不需要太多感情，"亡月难得带了训斥的口吻，"你要的地位，我已经给了，但你若还舍不得仙门，现在就可以回去。"

再回去面对他？重紫低头，"我……对不起。"

亡月伸出右手将她揽至面前，斗篷半敞，隐约可见里面黑纹腰带上也嵌着数粒紫水晶，神秘贵气。

他用戴着戒指的那只左手抬起她的下巴。

重紫全身僵硬，"你做什么？"

她的反应令亡月笑起来，"我需要一位堪当重任的皇后，魔族的皇后。"

暂时需要，等目的达成再除去的皇后，重紫暗暗苦笑，"你放心，我在这个位置一日，就决不会背叛魔宫。"

"是吗？"亡月笑道。

话音刚落，四周气氛陡然变得阴冷，重紫察觉不对连忙转脸，看清来人之后更是吓得呆了。

脸色铁青，浑身散发着浓浓的怒意，还有杀机。

他怎么来了？他在生气！重紫有点慌乱，根本忘记亡月的手还在腰间，"师……师父。"

刚喊出声，恐怖的仙力已然袭到。

原来前日赤焰山分别，洛音凡始终放心不下，还是赶来魔宫附近，打算再劝她，谁知一来便看到这样一幕场景：司马妙元倒在地上，他心爱的小徒弟正顺从地被九幽揽着腰，姿态亲昵。顿时气得他浑身哆嗦，一时竟接受不了。

　　对于她的新身份，他从未真正在意过，更不会相信。然而眼前二人这亲密的情形，将他的自信击得粉碎，险些让他失去理智。

　　刻意的冷漠瞬间崩塌，怒火蔓延。

　　什么叫"决不背叛魔宫"？这就是他教出来的徒弟？她果真做了名副其实的九幽皇后，就因为被他拒绝？

　　不可能，必是九幽趁机蛊惑她，什么皇后？最简单的笼络手段也不知，几句好话就被骗了，这个混账东西！

　　逐波在手，出剑便是杀招。

　　亡月带重紫急速后退，尚未落脚，下一招又袭到，看来这回是无论如何也避不开了。

　　亡月笑道："他要杀我，皇后会帮谁？"

　　他是不想看到她的，还是先避开他再说吧，重紫不敢看那眼睛，咬牙，抬掌与亡月同时拍出。

　　此刻她只顾着想要逃避，却哪里料到今时不同往日。她的魔力其实早已不在当年万劫之下，由于身边天之邪太厉害，被反衬得弱了而已，这一掌像往常那样用了七成力，已经了不得，加上亡月本身不弱，两人联手对抗仙力，只听得巨响声震耳，魔气仙气激荡，向四周扩散，草木尽折。

　　洛音凡后退几步。

　　平白得来的魔力，重紫根本不清楚会厉害到何种程度，见状吓得发呆，看看双手，又看他，失措——她居然跟他动手？她怎么能对付他？那是师父！她始终那么爱他，尽管这份爱被他厌弃，可是他仍然找来了，尽力以师父的身份劝她回头，没有放手不管，她这样做会伤到他。

　　黑眸锁住她，有震惊，有怀疑，到最后终于燃起熊熊怒火。

　　她敢动手？她竟然帮九幽对付他？

　　欲毒如坚韧的藤蔓紧紧勒上心头，胸口奇痛，洛音凡喉头一咸，身形摇晃了下。察觉失态，他立即收心敛神，重新站稳。

　　看他好像受了伤，重紫惊恐，连忙赶上前去扶，"师父！"

　　洛音凡抬手挥开她，冷冷道："不要再叫我师父！"

　　重紫愣了下，迅速缩回手，后退。

　　看着那惨白的小脸，洛音凡立即明白自己失言了，做什么，他又想做什么？交手之际，已经发现地上司马妙元安然无事，这令他更加后悔，他的徒弟，怎么会随便杀人！身

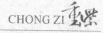

在魔宫还能不伤性命，她做得很够了，他到底在气什么？为何非要说这些话？

"这里没有师父，只有丈夫。"半空现漩涡，亡月拉起她就走。

"重儿！"

重紫僵了下，回头。

洛音凡顾不得什么，软了语气，"不要这样，随为师回去，为师绝不会让人伤你。"

回去吗？重紫垂眸。

看吧，尽管厌恶你做的事，但他还是认了你这个徒弟，护你性命，你还有什么不满足的？非要害得他声名扫地？维护入魔的徒弟，如何向仙门交代？难道果真要让他放弃仙盟首座的位置？你是心有妄念之人，罔顾伦常，本就有罪，既然已入魔，那就让你一个人来承受吧，又何必连累他？

重紫再飞快地望他一眼，咬唇，与亡月一同消失在漩涡之中。

南华六合殿内，洛音凡令所有弟子退下，缓缓说了决定，虞度三人都震惊不已，几乎怀疑听错。

"音凡，你这是……"

"她有今日，皆因我而起，是我之过，本已无颜再任仙盟首座。"

当他内疚，闵云中安慰，"天生煞气，注定入魔，那是她的命，我辈安能逆天而行，此事与你无关，你不必过于苛责自己。"

行玄亦点头，"师叔所言甚是，她入魔乃是天意，仙门并没有谁怪你，你这是何必？"

洛音凡没有回答，暗暗苦笑。

什么天意，一切都是他的错。身为师父，如果他早一步抛弃对她天生煞气的忌惮，真正信她，站出来维护她，她断不会有今日，此一大错；其二，明知她有执念，却自负看透一切，无视欲毒，以致弄成现在师不师徒不徒的关系，叫他如何说出口？可无论如何，他断不能丢她在魔宫不管。

那样的孩子，本就不该成魔。既是逆轮之女，天之邪必定为她续了魔血，只有她能解除天魔令封印，召唤虚天万魔，如今却迟迟无动静，想是天魔之身未成，煞气不足的缘故。九幽此人心机深沉，不排除利用她的可能，有梦姬得宠，却给她皇后的地位，分明是在笼络她，一旦达到目的，她的下场就很难说了。

九幽皇后，想到这词，洛音凡不自主握紧袖中手，克制隐隐怒气。

这个不知深浅的孽障，她还真以为九幽待她有多好，又怎知事情凶险！她居然背离他这个师父，去信九幽！

决不能让她继续留在魔宫！纵然不能接受她的爱，但是他可以阻止她，救她回头，这点信心他是有的，因为她要的原本就不多。只是他虽不在意别人眼光，但这样的感情毕竟

还是错了，传开有损南华声誉不说，让师兄他们知道他是为此而走，更麻烦。

"我意已决，"他背转身，"今后紫竹峰空闲，可命弟子居住。"

听这话的意思，他竟是不打算留在南华了，虞度三人面面相觑。

虞度沉吟，"师弟执意要走，我也不好拦你，但师父临去时传你仙盟首座之位，就是将仙门托付于你，你这一走，谁来料理？"

短短数十年，从封印神凤，斩三尸王，修补真君炉，到如今成功封堵天山海底通道，放眼仙界，论功绩、术法和威信，又有谁能接替他的位置？

洛音凡道："我已有安排，仙盟首座之位，由师兄暂代。"

闵云中气得拍桌子站起来，"你这是什么话！不过一个孽障，值得你这般自弃！仙盟首座，说不当就不当，你师父的遗训是什么，你都忘了？"

虞度使眼色制止闵云中，这位师弟向来认定什么就是什么，搬出师父对他未必有用。

想了想，他试探道："师弟莫不是有别的打算？"

"闭关。"

"去何处闭关？"

洛音凡似不愿回答。

虞度道："师弟此时引退，怕不是时候。魔宫壮大，仙门正值多事之秋，那孩子已入魔，待她修成天魔那日，必是苍生大劫，你这一走，要我们如何应付？仙界数你法力最高，况且你又做过她的师父，留下来我们也多了几分胜算，怎能丢开就走？"这位师弟平生什么都看得淡，唯一可能留住他的，就是责任了。

洛音凡果然沉默，半晌道："她不会成天魔。"

三人更疑惑。

洛音凡不再多说，出门离去。

闵云中摇头坐下，烦躁，"这是什么道理？说走就走，连个理由都没有，容得他胡来！简直是……"

"师叔！"虞度抬手制止他继续说，眼睛看着门口，"妙元？"

司马妙元走进门朝三人作礼，解释道："妙元方才路过殿外，听到……"停住。

见她言辞闪烁，虞度心内一动，柔声问："尊者的事，莫非你知道内情？"

原来司马妙元看守毒岛三年满，回到南华，师父慕玉竟变成大名鼎鼎的魔宫护法，将她吓得不轻。不过慕玉平日待重紫好，司马妙元与慕云师徒二人本就感情不深，他这一去，司马妙元自然要重新拜师，见洛音凡座下无人，更有心献好，那日遇青华宫弟子，忙忙地赶过去，谁知正巧撞见他与重紫那场景，来不及听清，就被洛音凡封住了神志，心里未免起疑。后来被亡月掳去，以为难逃重紫报复，谁知醒来竟见到洛音凡，如今听到他要辞去仙盟首座，再将几件事情前后一联系，似有蹊跷，于是将经过细细说了遍。

虞度皱眉，闵云中脸色差到极点。

司马妙元悄悄看三人神色，道："当时尊者封了妙元神志，不过妙元妄自揣测，尊者要走，大约……与此事有关吧？他老人家向来护着重紫，会不会……"

虞度含笑点头，"师徒情深，也难怪尊者灰心，既然连你也不知道他们说了什么，此事最好不要传扬出去，以免惹人议论。尊者平生不喜多话之人，做弟子的该谨慎才是。"

司马妙元暗惊，忙道："掌教教训得是，妙元不敢多言。"

虞度安慰两句，示意她下去，见他们神色古怪，司马妙元也暗暗纳罕，退下。

等她出门，闵云中哼道："说什么不当仙盟首座，我看他是借此要挟我们，想护那孽障！"

行玄道："师徒一场，他心软不奇怪。"

虞度抬手设置结界，然后才摇头道："师弟平生行事，何须要挟他人？我看此事不简单，他恐怕是要带那孩子一起走。"

闵云中立即道："不可能！他明知那孽障……目无尊长，罔顾伦常，顾及师徒情分不想伤她也罢了，他断不至于这么糊涂！"

虞度道："兴许他是想带那孩子离开魔宫，去找个清静之所修炼镜心术。不过照他的性子，连生死都看得轻，如今竟肯为那孩子做到这地步，要说内疚也太过。"

闵云中与行玄都听得愣住。

"他真要护到底，谁能奈何？顶多叫人说护短罢了。"虞度道，"师弟平生行事无不以仙界为重，眼下却突然要为那孩子隐退，我只奇怪，何事让他内疚至此？"

闵云中回神，"你这话什么意思？"

虞度斟酌了下，含蓄道："师弟最近很少回来，妙元证实，他们的确见过面，那孩子有不伦之心，莫不是出了什么……"

闵云中脸一沉，"胡说！音凡岂是那不知分寸之人？"

"师叔何必动气，我也是担心而已。"虞度苦笑，"师弟是明白人，自然不会做出什么，可这些日子他无故追杀梦姬，已有几分蹊跷，梦姬所长乃梦魇之术，与他有何相干？要走总该有理由，若无内情，何至难以启齿？"

闵云中无言反驳，想南华可能出这等丑事，一张老脸顿时铁青，半晌才道："果真如此，他也是被算计！"

"我也是这意思，毕竟师徒一场，那孩子做什么，他未必会防备，此事错不在他，闹出来也不至怎样，"虞度想了想，道，"怕只怕他将那孩子看得太重，尚不自知，师叔细想，就是为师父，他又几时做过这么多？"

闵云中咬牙叹气，"我早说那孽障会连累他！"

行玄想了想道："眼下最要紧的，是打消他离开的念头。至于这种事，师兄不过揣测罢了，未必就是真……"

虞度寻思片刻，忽然道："是真是假，我有个法子。"

魔宫的夜来得格外快，重紫躺在天之邪怀里醒来时天已经黑了，依稀可听见远处靡靡乐声，应是魔众在饮酒取乐。天之邪见她醒来，立即放开她，起身出去处理事务。

空旷大殿只剩下一个人，重紫望着殿顶发呆。

榻前不知何时多出道黑影，悄无声息地站在那儿，好似一缕幽灵。

重紫一惊，坐起身，"圣君怎么过来了？"

"皇后的寝殿，我不能来吗？"

看不清他如何出手，下巴似被两根冰凉的手指捏了下，重紫竟没反应过来，再看时，他依旧裹着斗篷立于榻前，似乎并没有动过，只是那半边唇角已经勾起来了。

好快的身手，此人着实深不可测！重紫又惊又恼，"圣君这是做什么？"

亡月显然忽略了她的问题，"在为今日出手的事后悔，还是怪我冷落我的皇后？"

重紫尽量平静，"夜深了，圣君若无事吩咐，就请回殿。"

亡月笑道："你认为你有能力请我走吗？"

重紫心惊，不由自主往后缩。

"你不相信，也不清楚自己现在的能力，"亡月抬起优雅的尖下巴，尽显贵族气质，"我的皇后，你让我失望。"

话音刚落，眼前人影忽然消失，鬼魂般出现在她身后。

"我给了你想要的地位和权力，你拿什么回报我？"

他并没动一根手指，可是重紫能感觉到，那冰冷的鼻息吹在脸上，这是个极危险的距离。她立即移到另一个角落，离他远远的，厉声道："当初你故意让人给我指错路，教我晚到南华，遇上师父，这些你都算计好了。你知道师父会舍弃我，知道他们会逼我，然后你当救星引我入魔，让我恨他们，好利用我解天魔令封印，你处处都在设计，我还要感激你？"

被她揭穿，亡月没有恼怒，反而颔首，"如今只有我能庇护你。"

将来也会除去我，重紫没有说出来。

亡月又笑了，"你怕我将来害你性命？"

这人好像会读心术，重紫意外，"那时你难道还愿意留着我？"

"我向魔神发誓。"

"你每次发誓都容易得很。"

"因为你是我的皇后，你迟早会把自己献给我，"亡月无声至她身旁，再次伸手抚摸她的脸，很慢地说，"没有人敢欺骗魔神，你可以放心。"

手冷冰冰的，紫水晶戒指更像只魅惑的眼睛，重紫下意识往后躲，幸亏他很快就缩回去了。

"阴水仙来求过长生草？"

"她为那凡人求，我没答应，圣君是为这事来问罪?"

"你会给。"

"当然会给，我不过提醒她，为一个替身不值得屡次坏大事。"

"你又怎知那是替身?"

重紫闻言大为震惊，失声道："你的意思……雪陵已经散了仙魄，难道还能转世不成?"

亡月道："你以为，阴水仙为何会入魔，又为何肯忠诚于我?"

重紫不可置信，"你有那样的能力?"

"我没有那样的能力，却知道那样的办法，"亡月想了想道，"雪陵是仙界天山教有史以来第一个得意人物，当年已修得不坏之身，算是半个金仙，虽说散了仙魄，可仍有一缕残魂被肉体缚住，阴水仙将它盗了回来。"

"雪陵肉体不见，天山派难道就没人察觉?"惊疑。

"阴水仙恋上师父已是人人尽知，蓝掌教只觉颜面无光，见雪陵肉身被盗走，便以为她要做什么不雅之事，自然不好声张。"

重紫不说话了。

虽然复活，却不记前世，阴水仙怎会趁这种时候对他做什么? 那些高尚的仙门中人，总是将别人想得那么不堪。

"雪陵肉身原是不坏的，可惜在修复魂魄时受损，因而成了凡胎肉体。阴水仙以自己的修为炼成灵珠为他延寿，损耗极大，所以才找你求长生草。"

人还是那个人，可惜已将她忘得干净，费尽心力阻止他转世，只是不想让他再忘记吧?

重紫默然。

亡月道："皇后言出必行，让她立功再赏赐并没有错，所以下个月东海百眼魔窟开，有劳你亲自去一趟，你若愿意，当然也可以带上她。"

瑶池水浸泡，天海沙磨洗，加以金仙之力护持，强摄天地日月灵气，小小短杖终于褪去晦暗，重现淡淡光泽。虽然弱得可怜，肉眼看与先前几乎没多大区别，可是握在手里，能感受到那一丝生气如同新出世的婴儿。

长发披垂，额上隐隐有汗，洛音凡立于四海水畔，看着手中星璨，目光不知不觉变得柔和。

有欣慰，也有苦涩。

杖灵被毁，他费尽心力，到头来也只能修补成这样，正如师徒二人，无论如何，都已经回不到当初了。

可是至少还能补救，还有希望，她……会喜欢吧?

星璨隐没在广袖底，平静的四海水上现出画面，一名弟子御剑站在紫竹峰前，恭敬地作礼。

洛音凡没觉得意外。

等了这几天，总算来了，师兄向来细致，所以自己才放心将仙盟首座之位传他，此番突然决定离开，他若真无半点怀疑的意思，反而不正常。

让那弟子退下，洛音凡走进殿，将星璨装入一只小盒内，放到架顶。

入夜，虞度一个人坐在桌旁，房间里的灯座设了粒明珠，桌上有只酒壶，两只夜光杯，还有几碟仙果。

数百年的交情，二人本就和别的师兄弟不同，见他来，虞度也不起身，微笑着抬手示意他坐。

洛音凡看着酒壶，"师兄还不清楚我吗？"

"你决定的事，师兄纵不赞同，也自知是勉强不了的，"虞度笑着点破，"修成镜心术之前，你是不能安心留在仙界了，明日我要动身前往昆仑，下个月才回来，恐怕不能与你饯行，是以趁今夜有空，先请你。"

"师兄费心。"

"仙界的事，务必料理好再走。"

"我明白。"洛音凡略点了下头，用意念移动两只夜光杯至跟前，那壶也移过来，自行往杯中斟满酒。

"所有事务，我会在信中交代清楚。"他随手将其中一杯酒推至虞度面前，淡淡道，"你我师兄弟无须见外，有这份心，多饮无益，一杯就够了。"

虞度莞尔，没有见怪，毫不迟疑举杯饮尽，"同在师父门下修行，当初十几个师弟，到头来只剩了你与行玄。你向来令人放心，所以我做师兄的极少关照，那孩子的事……是我们过分了些，你带她走可以，不过将来煞气除尽，定要记得回来。"

洛音凡看着空杯，不语。

师兄弟之间原本亲厚，如此生疑，反显得小人之心，但此事实在出不得差错，他是一定要带她走的。

他伸手取过另一杯酒，"师兄能这么想就好。"

虞度点头。

洛音凡没有再说，饮干，搁下酒杯，出门离去。

据亡月说，百眼魔窟开，天地魔气入世，于魔族修行极为有益，这是魔族数百年才有的头等大事。关于其中细节，重紫并不十分清楚，只是依令而行，时候一到便亲率三千魔兵直奔东海。

东海距魔宫不远，御风而行，只消半日就能抵达。此番任务重大，看样子魔宫早在很久之前就开始做准备了，除天之邪外，亡月还另派了魔僧法华灭与阴水仙跟随前往。

海鸟声声凄厉，阴云密布，空气湿湿的，带着海水的咸味，令人生出一种沉闷窒息的感觉。

重紫望天，"怕是要下雨了。"

天之邪道："这是魔窟即将打开的前兆，魔气入世，于我族类有益，且有天地所孕魔兽现世。"

重紫惊讶，"魔兽?"

天之邪轻描淡写道："少君无须担忧，只需动用本族圣物魔神之眼便能降它，让它供你驱策。"

怪不得临走时亡月会把魔神之眼交给自己，原来是要用它降伏魔兽，重紫明白过来，"仙门会不会插手?"

"这是本族大事，自然本族最先感知，但魔窟一开，仙门必会察觉，青华宫距此地颇近，少君须尽快解决，否则等他们赶到，事情就难说了，"天之邪望望天色，转身下令，"百眼窟即将开启，布阵!"

三千魔兵守在外层，严阵以待，法华灭与阴水仙站在前方，与天之邪、重紫形成合围之势。

黑压压的云层越来越厚，暗得几乎看不清四周景物，忽然间，海上狂风大作，雷鸣电闪。

天海之间现蓝色魔光，海面好像破了个大洞，魔气汹涌而出，笔直冲上天。

惊天动地的巨响，一只魔物自海里蹦出来。

重紫定睛看去，但见那魔物形状极其丑陋，身上遍生黑色鳞片，有十几条触手，长长短短，口角流涎，最为奇特的是它那一身鳞片底下，居然长满了大大小小的眼睛!

触手在海上一拍，搅动海浪翻滚，整个东海似乎都在晃动。

"百眼魔已现身，"天之邪喝道，"少君快请魔神之眼!"

重紫回神，见周围魔兵都已东倒西歪，这才知道它本事不小，自己所以不惧，完全是因为有强大魔力支撑，想这天生魔兽，出来必会危害人间，降伏它也是件好事，于是她不再迟疑，自怀内取出亡月那枚紫水晶戒指，高举过头顶。

魔力注入戒指，紫水晶更加晶莹，迸出数道冷幽幽的光。

狂躁的百眼魔见到紫光，逐渐安静，终于不情不愿地爬到重紫面前，趴在海面上不动了。

重紫见状松了口气，重新收起戒指，正要说话，忽觉天边有冷光闪现，瞬间至面前。

强烈的熟悉感，又带着一丝陌生。

"少君!"天之邪的声音。

腥臭液体溅上脸面，挡住视线，重紫急忙念咒除了秽物，定睛去看，不由被眼前的景象惊得倒抽一口冷气——那百眼魔本是先天魔兽，有极厚的鳞片，刀剑不入，若非魔神之眼在手，定难降伏，谁知此刻它竟已被人一剑硬劈成两半，肚破肠出，横尸海面。

是他!

全不理会天之邪的喝声，重紫望着那人发呆。

目光终于移到她身上，没有任何多余的表情。

遍身霜雪之色，他执剑立于海面，双眉微锁，仿佛在看一件不喜欢的东西，"紫魔？"

淡漠的声音，足以摧毁她最后的希望与力气。

他叫她什么？重紫不可置信地望着他。

紫魔，这称呼早已不新鲜，仙界、人间、魔界，几乎所有人都这么称呼她，却没想到有一日会从他口里叫出来。

可怕的疏离，令她无法相信，面前这人就是曾经疼她护她的师父！是她恬不知耻用梦姬的魔丹算计他，是她错了，她也知道事后他有多厌恶。

厌恶也罢，生气也罢，那是她应得的惩罚，可是他怎么能用这样的方式来对她？叫她怎么承受得起？

重紫仓促转身想要逃离，接着便觉背后寒意侵骨，饶是闪避得快，肩头仍被剑气划破，鲜血急涌。

这是毫不留情的一剑。

感觉不到疼痛，重紫惊愕回身，只看到一双淡然的略含悲悯的眼睛。

"他已不认得你，"天之邪带她退开，沉声，"他忘记了。"

忘记？重紫如梦初醒。

望望四周，她顿觉满腹凄凉悲怆，忍不住惨笑，全身煞气暴涨，强劲的力道将身旁毫无防备的天之邪震出数丈之外。

曾经天真地以为，只要她不作恶不伤人，他们之间就不会有任何冲突，她照样可以远远地看他，悄悄珍藏好最后一丝师徒之情，可是，眼前的事实粉碎了她的妄想。

原来她的爱令他难以承受，已经到了必须要用这种方式来面对的地步？又或者因为那是注定的命运，他像往常一样选择了责任，放弃了她，害怕内疚所以要忘记？

他的一句话，成就两生师徒，到最后，他又用遗忘这么轻易地斩断一切，为何他从来都不肯想想她？他是解脱了，丢下她一个人怎么承担？

都想她死，都要她死，她活在世上就是错误！

好，她成全他！

逐波如飞溅的白浪，带着寒光刺来，仙印毫不容情罩下，重紫木然而立，眼底是一片空洞。

剑未至，人已失去生气。

"少君！"

"阴水仙！"

声音很远，又很近，法华灭与天之邪及时赶来护在她面前，合力挡住下一剑。

黑影坠海，似一片飘落的黑羽，鲜血染红大片海水，仿佛要流尽。

"阴护法？"重紫喃喃的，怔了片刻，终于俯冲下去将她抱起，"阴护法！阴前辈！"手上身上尽是伤口，一剑威力竟能至此。

重紫立即用咒替她止住血。

阴水仙面无血色，推开她的手，"我并非为了救你。"

"我知道，你想要长生草，"重紫强行握住那手，将魔力源源送入她体内，语无伦次，"我把它给你就是了！天之邪收着呢，回去便给你，你别着急……"

是为长生草吗？她微露自嘲之色，疲倦地摇头，"不必了，忘记就忘记吧，强行留他陪了我这些年，也该让他轮回去了。"

不为长生草，更不为救人，只是太累太辛苦，想要求一个结局，因为它应该结束了。

对面洛音凡也意外，想她终究是故人门下，遂收剑道："阴水仙，雪陵苦心栽培你多年，想不到你竟为心魔堕落至此，一念之错，事到如今还不肯悔过吗？"

"错？我从不觉得喜欢他有什么错，我不怕别人笑话！"阴水仙瑟瑟颤抖着，咬牙，挣扎着坐直，似要用尽全身力气叫出来，"我想陪着他，你们不许，我就走远些，让你们都笑话我，他照样当他的仙尊，照样守护他的天山。可是他为仙门死了，我只不过想要去看他最后一眼，你们还不许！"

洛音凡沉默半晌，道："你执念太重，他不会见你。"

"他会见我！"阴水仙面上重新有了光彩，衬着那一丝苍白，美丽如盛极的雪中梅，"被逐出师门又怎样？他来看过我，救过我！我知道！他都死了，一定会让我见他！"

洛音凡叹息，不再说什么。

阴水仙垂眸，喃喃道："我知道他只是念在师徒情分，我就是想看看他，你们不明白，根本不明白……"

重紫泪痕满面，握紧她的手。

阴水仙看看她，美目中终于泛起水光，现出一丝从不曾外露的再也不能用倔强掩饰的脆弱。

同样的感情，同样可悲的命运，所以她们彼此理解。

脸上，娇艳的水仙花印记逐渐淡去。

魔神誓言应验，她终于可以做回他的水仙了。

"他每月十五会在西亭山等我，你……代我去见他一回，就说……就说我远游去了。"她缓缓松开手，费力地自怀里摸出一条三色剑穗，低声叹气，"你都看见了，为救他而入魔，此生我从未后悔过，但是……你……还是忘记吧。"

剑穗化为粉末，随风而散，就像少女辛苦编织的梦，梦醒了，便了无痕迹，空空的什么也没留下。

她宁可像当初那样被逐出师门，让他永不见她，知道他还记挂她，担心她。如今时刻陪着他，看着他，又能怎样？他早已将她忘得干净。

"现在好了，终于，终于是我忘记他，没有人可以用他要挟我了……"她无力垂手，身体往后仰，声音渐弱，"忘了好，再也不记得，太好了，不用记得……"

不后悔，可是也不想继续。

为了救他，心甘情愿入魔，忍受天下人耻笑唾骂；为了守护他，一次次逼迫自己坚强，在危险的魔宫挣扎生存，一步步走下去，满手血腥，满身罪孽，她早就不再是他的水仙。没有人知道，她在他面前拼命掩饰这一切丑恶，有多害怕，有多绝望，他的遗忘，将她最后的坚强摧毁。

于是，选择了结束。

……

多少魔力输送过去，依旧石沉大海，再也得不到一丝回应。

"阴水仙！"重紫忽然怒道，"你给你听着，你若死在这里，我回去便杀了他！让他魂飞魄散，让他给你陪葬！"

"别，别动他！"她陡然睁开眼，抓紧她的手，"不要告诉他！"

还是在意吧，刻骨铭心的爱恋，如何能忘记，又怎么忘得了？

……

云帆高挂，前路茫茫，一艘白色大船在云海之上航行，白衫子，白丝带系发，十二岁的女孩跪坐在船头出神。

白衣仙人俯身拉她，声音和目光一样温柔，"水仙，前面就是天山，准备下船了。"

女孩不肯起身，满脸向往，"要是这船不停多好啊。"

"水仙要去哪里？"

"我要去天边，去天尽头！"

"那多远。"白衣仙人淡淡地笑。

"师父不想去吗？"

"师父不能去。"

女孩失望地"哦"了声，继而抬脸一笑，"师父不去，那水仙也不去了。"

……

天山白雪点点如柳絮，僻静角落，一树梅花开得正艳，少女孤独地跪在青石板路上，痴痴刻着字。

肩头发间沾着晶莹的雪，小脸却比梅花更清丽。

"水仙！"远处有人叫。

少女慌慌张张站起身，三两下用雪盖住石板上的秘密，匆匆御剑离去。

……

东海之行，遇上的虽只有洛音凡一个人，结果却很不乐观，折损魔兵数百，天之邪与法华灭合力相护，重紫终于全身而退。她以最快的速度御风回到魔宫，什么也不顾，惨白着脸闯进亡月的寝殿，毫不迟疑跪在他脚下。

"救她，我知道你可以救她！"

梦姬知趣地退下。

亡月早已得信，"阴水仙之死，是你的过错。"

"是我的错，我错了，求你救她！"肩头鲜血长流，重紫不管不顾，紧紧扯住那斗篷下摆，仰脸乞求道，"她的残魂在这儿，求你。"

"皇后开口，岂敢不从？"亡月站起身，有些为难，"但天地间万物万事皆有规则，没有无条件的赐予。"

"什么条件我都答应。"

"要取你一半魔力。"

重紫毫不迟疑，"好！"

魔力流失的滋味，就像皮肉被一片片削去、灵魂被一丝丝抽离的感觉，难以忍受，可是经历过那么多更可怕更绝望的事之后，重紫发现，皮肉之苦已经是最好受的了。

当初阴水仙为救雪陵，又承受了什么样的代价？

亡月的确没有说谎，废除她魔力之后，就进魔神殿去修补阴水仙的魂魄。

重创之下浑身剧痛，重紫再也支撑不住，昏迷过去。

醒来又是深夜，人已经回到了自己的大殿，躺在熟悉的洁白的怀抱里。

疼痛感消失，遍身清凉。

天之邪淡淡道："少君睡了三日。"

"是你!"重紫自他怀里起身,狠狠一巴掌扇去,"全都是你的错!没有你,我就没有今天,阴前辈也不会死!你想要六界入魔,关我什么事?设计害我,让你们逼我!你这条狗!"

天之邪捉住她的手,"洛音凡忘记,是他自己的选择,我早已警告过少君。"

"滚!"

"忘记,是逃避你,也未尝不是逃避他自己,你是唯一可能修成天魔的人,必须死。"

"我不信!他还想救我,不会杀我!"

"他不想杀你,但又必须杀你,只要忘记,下手就更容易了。"

"你胡说!"

"倘若他当时一剑杀了你,绝不会内疚。"

重紫没再理她,转身去魔神殿。

魔神殿内依旧连个神像也没有,阴森庄严,空荡荡的不见人影,重紫心下一惊,连忙又赶到亡月的寝殿,仍没找到他。

莫非他是去了梦姬处?重紫正在迟疑该不该去梦姬那儿时,身后就传来死气沉沉的声音,"皇后在这里等我,莫非想要侍寝?"

"阴水仙的魂魄呢?"

"才修补好,送入鬼门转世去了。"

重紫看着他不说话。

亡月道:"我向魔神发誓。"

重紫垂首,"谢谢你。"

"不用谢我,你已经付出了一半魔力的代价。"眨眼之间,亡月出现在她身旁,拉起她的手送到唇边,"今晚皇后要留下来吗?"

那手苍白而冰冷,重紫却如同被烫着了般,飞快挣脱,窘迫至极,"我……有事,圣君还是叫梦姬伺候吧。"说完遁走。

回到自己的大殿,天之邪不在,估计出去办事了,殿内冷冷清清,重紫疲倦地往榻上一坐,在黑暗中出神。

不能爱,偏偏爱了。

终于能爱,他忘了她。

这样的纠缠,就像饮不完的杯中烈酒,明明很辣很苦,却又贪恋于沉醉时的美梦,舍不得放下,如今阴水仙选择用死来终结,是解脱,还是悲哀?

重紫摸摸胸口,居然找不到心痛的感觉。

身旁魔剑变得炽热,隐藏得最深的那些情绪被逐步引燃。

不,她不信!

她的爱,他可以不屑一顾,他嫌弃,她可以躲,从没想过缠着不放,何况他平生最不屑逃避，难道真像天之邪所说，他必须要她死？忘记，就可以不用内疚，就可以安心了吗？

为了六界安宁，多伟大的理由！他已经放弃了她，不惜消除记忆，那她又有什么理由再留恋？她有新的身份，新的使命，从此无须再顾忌任何人！他的使命是守护六界，她就偏要六界入魔！

明明爱着，却可以彼此憎恨。

一念之间魔意生，煞气弥漫，殿外百丈成冰原。

冰上，黑白两道人影并肩而立。

"你到底是谁？"

"我自然是我。"

天之邪长睫微动，"就算圣君逆轮在世，也没有修复魂魄的能力。"

亡月沉沉地笑，"魔要达到目的，从不缺少办法。"

"以你的能力，完全不需要她。"

"你错了，你有你的抱负，我有我的使命，我必须靠她来成就我自己。"

天之邪淡淡道："果真如此，又怎会废她一半魔力？"

"这样会换来更强的她，"亡月身形一晃，眨眼间人已在三丈之外，下一刻又远了三丈，直到完全消失，唯有声音仍清晰无比，"你是在担心你的抱负，还是在担心她？"

天之邪看着面前的冰原，没说什么。

煞气澎湃，带动体内魔力自行运转，要冲破最后一层障碍，身旁魔剑发出刺耳的得意的笑声，似在鼓励助威。

仙又如何，魔又如何，都是世上合理的存在。

天生煞气，逃不过命定的结局，有什么好留恋的，何必苦苦坚持？

眼帘低垂，身体无声离榻，升至半空，长发飘浮而起，张开，她整个人都被蓝紫色魔光包围，惨淡，诡异。

"你当真想要血流成河，六界覆灭？"

不想，她从来没那么想过，是他们不肯放过她！是他们逼她的！

"小虫儿，你不会喜欢这样的日子，答应大叔，一定不要成魔。"大叔？大叔不惜性命想要救她，阻止她，挽救她的命运，她欠他太多，当真要步他后尘，违背本心，万劫不复？

魔意消减，重紫落回榻上，怔怔地坐着。

"天魔现世，你的煞气还不够，"不待她吩咐，天之邪走过来主动抱起她，"睡吧。"

重紫缩起身体，半晌道："他向魔神发誓，说阴水仙的魂魄已经修补好，送入鬼门转世了。"

天之邪道："他既这么说，就不会骗你。"

连他也这么说，重紫这才放了心，叹气，"不知怎么回事，我最近总是有些疑神疑鬼的，他说什么我都不安心。"

天之邪道："少君本就不该多信他。"

"你觉得这样有意义？"

"天之邪所做的一切，也是为了少君，少君若能摧毁六界碑，魔治天下，必将成为魔族史上第一皇后。"

"能成就这样的皇后，你也是第一功臣。"

"天之邪有名无名，不重要。"

"同样，这些对我也不重要，如果我逼你放弃你的抱负，让你去修仙，你难道会感激我？"重紫看着他淡淡道，"我恨你。"

天之邪道："少君会明白。"

恨不恨，他这样的人根本不会在意，重紫有些自嘲，挑眉，手缓缓滑入他胸前衣襟。

天之邪立即捉住那手，"少君！"

"你也受了伤，"重紫低笑，另一只手将魔力源源度去，"当时洛音凡是尽全力要杀我，法华灭到底更顾惜他自己，好随时逃跑，哪肯尽全力，有七成仙力全被你挡下了，你这三日都在替我疗伤，瞒得过他们，却瞒不过我。"

天之邪抬眸看殿门，没有说什么。

"你可以看成是我在笼络你，"重紫认真道，"我在意的原不是你，只是一条忠心的狗，它暂时还能保护我。"

农历十五，西亭山薄暮尽，圆月初升，年轻的凡人负手立于崖边。

衣带被风吹动，飘然欲仙，他就那么静静地站着，姿势没有任何变化，不知道在想什么，容颜分明一点儿不老，可是看上去，总感觉有着与年龄不相称的成熟气质，漆黑的眼睛里，是阅尽世态的淡然。

听到动静，他立即侧身，眉梢多了几丝温柔。

重紫微微一笑，"是雪陵公子？"

雪陵意外，"你……"

重紫道："她托我来见你。"

温柔逐渐退去，雪陵沉默许久，问："她出事了？"

重紫点头，"你以后可以不必来了。"

没有激动，没有伤心，甚至没有多问缘故，他只是重新转过脸去，看崖外飘升的岚气。

终究还是违背阴水仙的意思，把真相告诉了他，重紫反而有种残忍的快感，他会不会难过？无情的人都是不会心痛的吧？他已经忘记了。

阴水仙，你若看到现在的他，会不会为做过的一切感到不值？

重紫忍不住道："你不问是谁杀了她？"

"她并不是什么仙门弟子，你们是妖魔，"雪陵忽然开口，"水仙她是不是做了许多恶事？我失忆之前，必定是认得她的。"

不愧是仙人复生，重紫沉默。

雪陵遥望对面山头的圆月，许久才问："她……在哪里？"

"魔是没有坟墓的，"重紫抬眸道，"她的魂魄已经转世，你想要见她吗？"

雪陵摇头。

重紫心里冷笑，"我并不知道她托生在哪里，你想见也见不到的。"

雪陵侧脸看着她片刻，淡淡一笑，"我要修仙。"

重紫愣住了。

"自从认得她的第一天起，我便知道她与我必定有渊源，她不惜耗损修为替我续命，原本我不该拖累她，打算入轮回转世的，只是……一直放心不下。"雪陵轻声道，"她其实是个好孩子，善心未泯，可惜走错了路，身为妖魔，必定瞒着我做了许多事，如此下场，是她应得的。"

所以他尽量跟在她身边，想要约束她，然而最终还是无力回天，她罪孽深重早已洗不清，她自以为瞒住了他，却不知道他心中其实清清楚楚。

眸中似有星光，很快就被鬓边吹散的黑发遮住。

"水仙曾说过，仙所以比魔通透，是因为修成仙体，就能看清前世，我若成仙，应该会记起往事，也能找到她。"

"真的记起往事，只怕你会后悔的。"

雪陵意外，"你知道？"

"我并不知道你们的事，"重紫将一株草递到他手上，"这是长生草，能为你延寿两百年，有足够的时间修仙，你就不会忘记她了。"

"谢谢你帮我。"

"我没有帮你，这草本就是她为你求的，你知不知道天山派？"

"听说过。"

"天山掌教如果见到你，必会收你为徒。"天山教近年不复兴盛，门下少有出色人物，曾经的得意弟子归来，蓝老掌教没有不收的道理。

雪陵亦不多问，接过草走了两步，忽然又回身看着她微微一笑，"你能得她信任，必定也是个善良的孩子，不该再做这些事。"

重紫笑了，太像，怪不得会成为朋友，都爱用这种悲天悯人的语气说话，时刻把守护苍生的责任揽在肩头，"其实你如果肯入魔，我更乐意相助。"

雪陵叹息，离去。

重紫目送那背影消失在月下，笑容里泛起一丝恶意。

这么做，不只为阴水仙，也为她自己，她想知道，他真的想起来，会不会有一点儿后悔，还是像当初那般嫌弃？

本身仙缘尚在，一切很快就会有答案吧。

白云苍狗，追寻前世，是一件多傻的事。

回到魔宫，远远看见有人站在殿外，斑驳的鬼脸一如既往的诡异可怖，他不说话，表情就更加难以辨认。

重紫停住，"大护法。"

欲魔心难得恭敬作礼，"属下参见皇后。"

重紫看着他，"大护法特地来见我，想必是有话要问。"

欲魔心沉默片刻，低声道："据说当时皇后在，她……有没有说什么？"

重紫道："大护法还是不知道的好。"

话这么说，答案已经很清楚，欲魔心握紧拳，"多谢皇后。"

"她为救我而死，你不恨我？"

"没有人逼她这么做。"

见他要走，重紫莞尔，"为情所困，甘愿陪她入魔，大护法待阴前辈当真情深义重，有谁想得到，堂堂欲魔心护法，竟是天山雪陵仙尊座下三弟子冷万里呢！"

欲魔心愕然，回身看着她许久，惨笑，"倒是我小看了皇后，这么多年，她都没察觉半点儿，想不到第一个认出我的竟是你。"

"听说当年你也算天山年轻一辈弟子里的有名人物，阴水仙入魔，你便设计，使人以为你被魔族所杀，其实自毁容貌，跟随她堕落入了魔，你的死既是他们亲眼所见，也就无人怀疑了。"重紫摇头，"难怪你那么喜欢阴水仙，也从不嫉妒伤害雪陵，因为那也是你师父，你同样尊敬他，只是你守护你师妹这么多年，她却至死都看不见，你可有不甘心？"

欲魔心道："人已不在，甘心又如何，不甘心又如何？"

阴水仙在仙界原是与卓云姬齐名的美人，爱慕追求者无数，而她偏偏喜欢上师父雪陵，引诱失败，阴水仙被逐出师门，受尽万人唾骂。曾经的追求者都耻于提及，唯有他冷万里，始终默默陪在她身边，不惜背叛仙门，不惜自毁容貌。

其实他是既害怕被她认出，又期待她能认出吧。

可是直到死，她也不知道他是谁。

"或许……她已经认出你，只是不想承认，你救她，安知她不想维护你？至少她记得你的好。"

"如此，又何至于到死都没有一句话？"

"因为她知道，她一死，你便没有理由再继续，也算得到解脱，"重紫沉默半晌，道，"她的魂魄被圣君修复，入鬼门投胎转世了，你……"

"要我学她守两世吗？"欲魔心大笑离去。

重紫望着那背影，无言。

"他不会再回来，"亡月凭空现身，"我替你救人，你反倒把我的部下说跑了。"

"我并没叫他叛离魔宫，圣君可以留下他。"

"去意已决，留不住，唯有追杀。"

重紫立即抬眼看他。

"皇后有意见？"

"随你。"

重紫疲惫地挥手，走进殿打算休息。

亡月早已站在了榻前，"需要人抱你睡吗，皇后？"

"你派人监视我？"

"魔宫之内，我无处不知，不需要监视。"

重紫厉声，"天之邪呢？"

"出去了。"

"去哪里了？"

"大约在调理那些部下，替你培植势力，"眨眼间，亡月幽灵般平移到她面前，"你很紧张他？"

"你说的，我只剩他了，"重紫后退两步，冷笑，"看看我养的狗，主人不在，竟然擅自乱跑，就不怕被人抓去煮来吃了。"

亡月道："他本来是不肯走的，我说今晚有我陪皇后，他就没理由留下了。"

重紫干脆道："我要他回来。"

"他不在。"亡月为难。

"我去找！"

"天之邪随时听候少君差遣。"殿外响起熟悉的声音。

亡月道："你的狗跑得真快。"

重紫脸色好转，半晌道："这次东海的事，我……很抱歉。"

"你用不着抱歉，百眼魔死，正是我要的结果，你已经完成任务了。"亡月死沉沉地笑了声，消失。

天之邪披着洁白斗篷走进来，熟练地抱起她。

他身上始终带着股魔宫少有的清新味道，熟悉的，久违的，夜夜渗入梦中，系着她的过去，让她留恋，尤其是和古墓幽灵般的亡月打交道之后，就会更加渴望。

重紫蜷在他怀里，想起一事，"这几天我只顾忙阴水仙的事，底下该赏的该罚的……"

"我已替少君处理好了。"

"你的忠心令我感动。"重紫斜眸道，"为了实现你的抱负，什么都替我安排好了，这么大的人情，看来我必须要回报你。"

天之邪没有表示。

重紫换了个更舒服的姿势，"亡月，就是九幽这个人，我真的看不透他，原以为他只是要利用我，等将来目的达成，必会设计除去我，可他发誓说不会，虽然我从不相信他的誓言，但他是以魔神的名义在发誓，你知道，魔界没有人敢欺骗魔神。"

停了停，见天之邪没有反应，她继续道："奇怪的是，我竟然觉得他没说谎，他好像真的不打算动我，他才是魔宫之主，这样扶助我对他有什么好处？难道他也跟你一样，为了那个六界入魔的抱负，甘心把地位让给我？"

"像我这样的人并不多，"天之邪淡淡道，"无论他的话是真是假，都不该太轻信，防备是必需的。"

重紫抬眸示意他讲。

天之邪沉默半晌，道："他来历可疑，而且很了解我，我却始终看不出他的底细。"

"原来还有你看不透的人吗？"重紫笑。

沉沉酣梦中，滔天巨浪席卷而至，一夜之间，东海水倒流，淹没人间大地，沿海所有房舍农田尽被冲毁，城池内外一片汪洋，死者不计其数，百姓凄苦。

海水仍在持续上涨，驻守各城的仙门弟子连夜送信告急，同时纷纷出动援救灾民。

重紫闻讯变色，匆匆找到亡月，"是你打开了东海天河之闸！"

亡月似早已料到她的反应，"天河五闸，乃是由神、魔、妖、仙、鬼五兽看护，每五百年会有新的五兽前去接替，百眼魔正是前去接替的魔兽，它死了，五兽不齐，天河门闭不上，魔之闸亦失去看护者，很容易就能破坏。"

"这么说，它根本不会祸害人间，而是去守闸的，你名义上让我去降它，实际是要杀它！"

"不错，洛音凡只是碰巧遇见，没有他那一剑，天之邪照样也会杀了百眼魔。"

重紫冷笑道："你们早就计划好了，都在利用我，将我蒙在鼓里？"

亡月点头，"我想你不会乐意这么做。"

"你残害生灵！"

"对非族类的杀戮，自古不息，人类也会残杀其他生灵。"

重紫懒得与他多说，转身出了魔宫，直奔东海。

　　御风而行，脚下是浑浊的水，放眼大地已成泽国。一路上不时有东西漂浮而过，许多尸体浸泡水中，或挂在树梢上，人畜皆有，形状可怖，惨不忍睹。重紫顺便救起数十个幸存者，送到安全之处，至东海，只见那海水犹在不断往上涨，除了几座略高的山头，竟无立足之地。

　　天接地，地连天，水在天地间循环，天河之闸原在海底。

　　五闸只开其一，就造成这样的后果。他亲手杀死百眼魔时，万万没想到，阴差阳错，会害得这么多人丧命吧。活在世上，人总会有内疚的时候，也有逃避不了的事，难道又要再忘记一次？

　　重紫苦笑，忽觉身后有人，于是头也不回道："好得很，我的狗都学会骗主人了。"

　　"此事仙门自会处理，少君插手，莫非还想要助他守护人间？"

　　"我并没有助谁，你们这是残害生灵！"

　　天之邪并没生气，淡淡道："少君太心软，这弱点是会致命的，你这样永远不可能修成天魔。"

　　重紫看脚底海面，"你该后悔选中我。"

　　天之邪扣住她的手臂，"封堵天河之闸没那么容易，仙门很快就会来人的，少君不宜久留。"

　　"你别忘了，我曾是人，你也披过人皮。"重紫掀开他的手，纵身跃下海里。

　　正如天之邪所言，人间发生这么大的事，仙门当然不会坐视不管，修复天河之闸原本不难，但要寻齐修补的材料需要时间，目前海水仍在上涨，多拖延一刻，百姓就不知又要承受怎样的苦难，而今要堵上它，有这能力的人并不多。

　　重紫分水入海底，沿海底暗流寻找，终于探到那天河门所在，接替守护天河闸的魔兽

迟迟未到。天河门大开着，刚靠近，便觉一股强大的水流夹气流迎面扑来，险些将她冲走。

魔眼开，只见洪水如咆哮猛兽，自闸内汹涌而出，那闸已是半毁，毫无疑问是亡月派人破坏的。

头一次真心想要使用这身魔力，重紫探手，魔剑凭空出现。

剑身迸出暗红色光芒，兴奋地颤动，跃跃欲试。

海底响起连串的闷雷，魔气受召唤，迅速自四周汇集，在咒声中结成巨大封印，随剑尖所指，向那闸口堵过去。

为救阴水仙，重紫折损了一半魔力，但因此激发煞气，修炼得益，魔力又提升不少。封印逆流而上，强烈的撞击令她头晕眼花，几乎站立不稳，眼看即将支撑不住，她索性咬牙，使出全身力气双手将剑往前一推。

魔剑带着封印，落在闸口处，硬将那闸给堵上了。

周围激荡的海水逐渐平静，天河水不再外涌，冲击的力量反而小了很多，重紫渐渐不再那么吃力了，遂停下来喘息，感觉有点讽刺——那位伟大的父亲一直野心勃勃，想毁灭六界，谁知他的剑与魔力有一天会被自己用来救人呢。

此番自身损耗极大，但撑几个时辰不是问题，如今就只等仙门寻来材料修补，再将水引回天河即可。

"是你。"熟悉的声音又传来，透着三分意外。

不想他这么快就赶到了，重紫这回早有防备，飞快闪身退开，仍觉剑气逼人。

逐波归鞘，洛音凡扫视闸口，"你在堵闸？"

重紫不答。

还是那样，什么都瞒不过他，正因为把所有事都看得过分清楚，才能那么理智吧。

洛音凡也没想到魔后会来帮忙，将视线移回她身上，"是你引我杀了百眼魔，然后破坏天河闸。"

"随你怎么想，"重紫无力，"我要走了，你自己封印它。"

当时亲手斩杀百眼魔，洛音凡就觉得不对，只不过阴水仙之死令他震动，未免愧对好友雪陵，待想明白后，已是迟了。一剑助魔宫轻易毁闸，造成这等严重后果，自责之下，他立即动身赶来东海堵闸，孰料会遇见重紫。

难得她知错能改，但这么多无辜生灵因此丧生，纵然有补救之心，又如何抵得了滔天罪过？洛音凡微微叹息，威严语气里隐隐有训斥之意，"既后悔，又何必作恶，作恶之前，何曾想过这千万性命？"

还想教训她？重紫猛地抬脸，连他也把她说得十恶不赦，她究竟作了什么恶？是天生煞气，还是屡次被他们冤枉，被打入冰牢？他既然已将她连同往事一同抛弃，又有什么资格教训她?

极度愤怒的眼睛，带着他不能理解的感情，洛音凡被看得一愣。

嘴唇微微颤抖，重紫忽然回身将魔剑一抽，闸口再现，天河水汹涌而出。

堕落入魔，言行总有些偏激的，洛音凡皱了下眉，立即结印重新堵住缺口，"留下魔剑。"

"剑内魔力大半都在我身上了，留下它根本没用，除非杀了我。"重紫咬唇，分水而去。

魔界唯一可能修成天魔的人物，又犯下这等罪孽，自然不能容她留在世上，洛音凡当即凝聚仙力，打算御剑追杀，忽有一道人影闪至面前，无意间反拦住了他。

闻灵之双手捧着几件物事呈上，"掌教与青华卓宫主他们都已到了，命我将这些送下来，助尊者修补水闸。"

"闸口已堵上，修补之事不急，"洛音凡断然道，"紫魔方才来过，既然上面有几位掌门守着，她必会向北而逃，你且随我断她去路。"

闻灵之抬眸，"尊者想杀她?"

"铸成大祸，她还能来补救，可知善念尚存，"洛音凡摇头，一丝迟疑不忍之色自眸中划过，但很快变作决绝，"但她天生煞气，若修成天魔，必定又是一场浩劫，须以苍生为重。"

闻灵之迟疑，"我的意思是，尊者……真不记得她了?"

洛音凡刚要走，闻言又站住。

记得什么? 方才那双眼睛，那样的目光，的确似曾相识，近日回想往事，有的场景总感觉模糊，想是前些时候走火入魔的缘故。

受过虞度嘱咐，闻灵之也不敢多说，提醒道："尊者还是先修补水闸吧。"

耽搁这几句话工夫，想紫魔已经去远，追赶也来不及，洛音凡点头，不再说什么了。

魔宫大殿，天之邪将浑身是血的重紫抱到榻上，没有说话，也没有责备的意思，只喂她吃下几粒丸药，又施展魔族治愈术替她疗伤。

伤口的血渐渐止住，但依旧疼痛难忍。

"你不用多耗费魔力了，休养几日就好的，又不会死人。"重紫勉强笑道，"那么多掌门在岸上守着，我都以为这回要葬身东海了，也难为你事先安排周全，还能救出我的命。"

"你的人也折损大半，"天之邪淡淡道，"睡吧。"

重紫道："后悔选我了?"

天之邪不答。

重紫抬脸望着那双梦幻般的眼睛，声音忽然失去力气，变得虚弱，"天之邪，我不喜

欢这里。"

天之邪与她对视，"你只能在这里。"

"谁说的？"重紫激动，顾不得伤痛，直起身，"我可以走，离开这儿，六界之大，何愁没有去处？"

天之邪看着她。

重紫缓缓伸臂揽住他的脖子，将脸埋在他颈间，低声道："我不认识我那个父亲，更不是他，我做不出那些事，他们逼我，你别再逼我。带我走，慕师叔，只要你肯带我走，当初算计我利用我，我都不计较了，求你别再逼我。"

许久的沉默。

他忽然开口，"出了魔宫就失去庇护，你不怕？"

重紫猛地抬脸，双眸光彩照人，"不怕，我们现在就走！"

许久没再用仙门驾云之术，两个人乘着一片小小白云，在长空里无声飘行，重紫倚在他怀里，心底宁静，如湛蓝的天空。

"慕师叔。"

"属下天之邪。"

"我们逃走，九幽肯定已经知道了，"重紫有点不安，"他会不会追来，我们还是走快点吧。"

"你和我出魔宫的时候，他就知道了，快点慢点没有区别。"

"难道他会放过我们？"

"不会。"

意料中的答案，重紫没怎么担心，这个人知道的永远比自己多，好像只要有他在身边，就什么都不用担心似的。既然他早就想到亡月这层，想必已有对付的法子了吧？

"你若不想走，可以留下。"

"少君既然要走，我留在魔宫已无意义。"

重紫低声道："对不起，我无能，不能帮你实现那个抱负。"

"是我无能，"天之邪用那梦幻般的眼睛看着她，长睫在风中颤动，"成为魔王所需的东西你都有了，唯独缺少野心。我无能为力，不能把你变作你父亲一样的魔尊。"

重紫轻轻咳嗽。

天之邪拉住她的手，将魔力度去，"你受伤太重，近日不得再轻易动用法力，否则必遭反噬。"

重紫抿嘴笑，"我们这是去哪里？"

"少君想去哪里，便去哪里。"

"我喜欢看雪，我们去北方，找座雪山住下好不好？"

"好。"

云朵轻盈，飘过高山，飘过大河，进入茫茫云海，前方海面站着个人，白衣冷冷如霜如雪。

重紫呆住。

没有言语，甚至没有任何预兆地，他抬起右手，掌心金光闪烁。

闪避不及，天之邪立即将重紫拉至身后，结界去挡，重紫也迅速回过神，到底不肯跟他动手，只能提全身法力助天之邪布结界。

以二敌一，勉强接下这招，双方各退开两丈。

自东海出来就遇上虞度他们围攻，幸亏天之邪事先布局救下她，经历一场血战，重紫伤势本就沉重，此番强提魔力，全身伤口再次迸裂，鲜血汩汩流出，带动内伤一齐发作，险些跌落云端。

"少君不宜动用法力。"天之邪用治愈魔光替她止住血。

"东海逃脱，此番还能走吗？"声音依旧云淡风轻，他坦然将视线落到重紫身上，"念你善念尚存，废除魔力，入昆仑冰牢，可饶你性命。"

废除魔力，打入冰牢？重紫咬牙，"倘若我不愿意，又将如何？"

逐波破空而至，洛音凡探手接过，再不多言，招招绝杀。这边重紫重伤在身，天之邪要护她，招架甚为吃力，十招之后，二人竟无退路。

明知打下去危险，原该合力对敌，击败他逃走，可是她怎么能伤他？

眼见不敌，天之邪忽然侧脸看重紫，"只有先回魔宫暂避。"

最善谋略的天之邪，当然有脱身之计！

那双眼睛带着梦幻般的魔力，惊喜之下，重紫看得恍惚，"回去，你会陪着我？"

"好，"天之邪不知挥出了什么，急速后退，"快走。"

重紫紧紧跟上。

二人出来时走得并不快，御风逃回去自然不用多长时间，魔宫内依旧昏昏一片，来去魔众见了她照常行礼，仿佛什么事也没发生过。

走进殿内，重紫无力地坐到水晶榻上，天之邪却远远站在门边，并不跟过来。

"现在怎么办？"

"少君暂时不能离开魔宫。"

"那我们过些日子再走？"

天之邪没有回答，"少君对洛音凡还是有情。"

重紫垂首。

"洛音凡已忘记你了，少君今后再心软，没人能救你。"

"我知道了。"

"记住，三日内一定不要再动用魔力。"

重紫没有回答，忽然抬起脸看他。

天之邪依旧立于门中央，只不过殿门外透进的光线，映照洁白斗篷，使他身形看上去更加模糊，也更加耀眼。

无论是南华首座弟子，还是魔宫大名鼎鼎的左护法，一样的稳重、自信、胸有成竹，能替她谋划安排，打理好前后所有的事。

"要留意九幽，此人不简单。"

重紫看着他许久，点头，"我知道。"

"就算知道，只怕你也斗不过他的。"天之邪叹了口气，"罢了，你记得我这句话，做事不要再那么莽撞就是。"

重紫笑道："我不会莽撞了，你放心。"

天之邪颔首，"少君先歇息吧，我要出去办点事，迟些回来陪你。"

出乎意料，重紫没有像往常那样强迫他留下来抱自己，甚至也不问他去办什么事，只是依言往水晶榻上躺下，闭上眼睛，闭得紧紧的，仿佛一辈子也不愿再睁开。

许久，他忽然低声道："对不起。"

重紫没有回答。

殿内自此便再也没了动静，更没有生气。

极力驱除脑海里的一切杂念，什么也不想，耳朵听不见，眼睛看不见，重紫僵硬地躺着，始终保持着一个姿势，连手指也不敢动半分。

睁眼，就是一场梦醒。

心头酸得很，痛得很，好像一点点破裂了，有液体从裂缝里淌出，涌上眼睛，要流出来，却被她极力挡在里面，一点点流回去了。

我答应，不会莽撞了。

我在等，等你回来带我走。

……

一转身？

一个时辰？

不知过了多久。

……

终于，有什么东西落到身上。

那是件衣裳，带着熟悉的清新味道。

重紫立即睁开眼，"天之邪！"

"天之邪已经不在了，"一道修长黑影如鬼魅般立于榻前，却是亡月，"洛音凡杀了他。"

"不对，不对，他刚刚还在的！"重紫连连摇头，"他看我睡着了，还为我盖了衣裳，怎么可能死了？"

她翻身掀开白斗篷，朝殿外大叫："天之邪！你进来！快滚进来！天之邪！"

"他修的心魔之眼，摄魂术，"亡月伸手，那件白斗篷自动飞到他手上，"方才你所见到的都是幻象，你自己应该很清楚。"

"你胡说！你骗我！"重紫大怒，"他还对我说话了！"

亡月不再与她争论，将那件白斗篷丢到她身上。

重紫捧着斗篷呆呆地看了许久，忽然抬眸笑道："你救他，你可以修复他的魂魄，对不对？我把剩的这一半魔力全给你……"

"魂魄无存，这是他违背魔神誓言的下场。"亡月叹了口气，语气没有任何波澜，"他曾发誓永远忠于魔宫，为魔族寻找一位强大的魔尊，辅助他成为六界之主，可事到临头，他却要带你逃走。"

不在了？重紫摇头，喃喃道："有誓言，那他为什么要答应带我走？他没那么笨。"

亡月道："你以为？"

他毁灭了她，也成就了她。

是爱？是恨？

没有他设计，大叔不会是那样的下场，她也会跟着师父在紫竹峰平平静静生活到永远。

他对她说，对不起。

一个对不起，能代表什么？是为做过的事道歉，还是为抛下她一个人而内疚？

"死？"重紫突然变色，将那白斗篷丢到地上，咬牙切齿地骂道，"死了？他居然死了？这么快就死了？这条狗！"

几近疯狂地，她狠狠踢了两脚，抬手间，那斗篷腾空飞起，被撕扯成无数碎片，如洁白馨香的雪花纷纷飘落。

"害我落到这步田地，我还没找你算账，你就想死？"

"天之邪，你不是我养的狗吗，我叫你做什么你就得做什么，我没让你死，你敢死！"

"你以为死了就一了百了？你给我滚回来！"

"我在你们心里，都算什么东西？你害我蒙冤而死，害我被打断骨头关进冰牢，害我被师父抛弃，害我住进这种鬼地方，你以为死了，我就会原谅你？你听着，永远不会！永远都不会！你一直在利用我，把我当工具，一心想着你的六界入魔，你只不过是想成全你自己！成全你自己的抱负！你根本就是故意的！你以为用死就能赎罪，就能逼我？休想！你休想！"

重紫恶狠狠地盯着满地白色碎片，报复性地爆发出一阵大笑。

"魂飞魄散也要我走这条路，忠心的走狗，你就是只彻底的狗！我告诉你，不可能！你是在做梦！

"死了好！我高兴还来不及！

"滚！永远都不要回来！"

……

恨不恨？答案是肯定的，她不仅恨他，而且恨极了他，更甚于燕真珠，恨他设计让她失去一切，失去大叔，失去师父。

可是，她同样在意他，因为他是如今最在意她的人。

他活着，她可以毫无顾忌地骂他，嘲笑他，折腾他，羞辱他，然后再心安理得地躺在他怀里，睡个安稳的觉，做个美好的梦。

现在他却为她死了。

爱她的人为她而死，害她的人也为她而死，她竟连能恨的人也没有了！

有谁体会过这样的绝望？不是爱而不得，恨不能报，而是爱无可爱，恨无可恨。

破口大骂，视线却越来越模糊，好像被什么东西挡住，不经意抬手去擦，已是满脸眼泪。

"天之邪，你这条狗！"

"这么轻易就死，太便宜了你！你给我滚回来！滚回来！"

……

骂声夹杂着笑声，在空旷的大殿里回荡，凄厉刺耳，如鬼哭。

亡月一直安安静静地站在旁边看，直待她骂得累了，骂得声音嘶哑，才重新开口，"他不惜用死来成就你，你还要执著什么？"

"不会，他不会那么做！"重紫陡然明白过来，抓住他的斗篷前襟，沙哑着嗓子，声音里满是怨毒，"是你！是你引我师父来的！你不肯放过我们，就借我师父的手杀他！"

亡月亦不反抗，"这是他背叛魔神的惩罚，他应该早就料到，洛音凡会等在外面。"

重紫松了手，踉跄后退。

他早就料到，早就料到！那么，他到底是侥幸地想带她走，还是真的不惜用自己的死来挽留她，成就她？

答案似乎永远没有人知道了。

重紫惨笑，"很好，都来算计我吧！随你们怎么玩弄，我为何要难过，我为何要生气，我不在乎！天之邪，你就这么想成就我？我偏不如你的愿！"

亡月道："恨吗？这也是对你背叛魔神的惩罚。"

"是你害了他！"

"你可以杀我。"

什么顾忌，什么理智，都敌不过眼下蚀骨的恨。重紫红着眼，用尽全身力气，毫不迟疑地一掌过去，重重击在他胸口。

闷响声里，亡月纹丝不动。

勉强动用魔力，伤口迸裂，突如其来的剧痛终于迫使她疯狂的头脑冷静下来，重紫惊骇地看着他，半晌，慢慢露出一个冷笑，"你的法力不弱于我，你根本不需要我。"

"自从救下阴水仙，你的修为大大折损，因为你擅自耗费法力，我自然能超过你。"亡月微抬下巴，"但你还是错了，纵然你已经不如我，我还是愿意留着你帮你，只因我需要你。"

"你需要的不是我，你是想借我的血唤醒天魔令，召唤虚天之魔。"

"未经鬼门而转世，天之邪为你续了魔血。"

重紫木然伸手，"天魔令呢？拿来我替你叫。"

"你现在还不行，时候到了，我自会给你，"亡月抱起她，"现在轮到我抱你了，我的皇后，如果恨，我们可以毁灭六界。"

"你给我滚！"

司马妙元自得了虞度警告，再不敢将那日赤焰山所见泄露半句，多次在洛音凡跟前献好，希望能拜在他座下，谁知洛音凡仍视若无睹，加上秦珂始终闭关未出，她不免更加失望，心里暗暗气闷，黄昏时又到紫竹峰下转悠。

"司马妙元？"有人叫住她。

司马妙元看清来人，不情不愿地作礼叫了声，"首座师叔。"

既然慕玉是天之邪化身，南华首座弟子的位置自然就空了，掌教爱徒秦珂又闭关，如今南华首座之职便由闻灵之担任。

闻灵之漫不经心道："尊者最近似乎和往常不太一样。"

"他老人家忘记了很多事，听说是走火入魔所致，"司马妙元眼波微动，口里笑道，"掌教嘱咐过我们不许多话，我劝师叔还是少提为妙。"

走火入魔，怎会别人都认得，唯独只忘记那一人？闻灵之看着她，"掌教为何不许提她，究竟怎么回事？"

"师叔这话奇怪，我如何知道？"司马妙元一半是故作惊讶，一半却是真不明白，"大约是怕尊者还护着那孽障，将来天魔现世，遗祸六界吧。"

"你以为他老人家忘记了，你就有好处？"闻灵之冷冷道，"月乔探冰牢是谁怂恿的，你当天底下就你一人会算计，掌教与督教都是傻子吗？好自为之，司马妙元，莫怪我没提醒你。"

当年被贬毒岛，凡事唯有燕真珠尽心尽力帮忙，才误信了她，教唆月乔去冰牢侮辱重紫，最终酿成大祸。司马妙元心里原就藏着鬼，眼下被揭穿，顿时又惊又怕，可转念一想，此事没有追究，必是掌教他们还肯护着自己，这才略略定了心，亦冷笑道："师叔身为督教弟子，也要血口喷人吗？秦师兄入关前曾托付师叔，若有大事就唤他出来，如今重紫入魔，师叔却迟迟不肯与他传递消息，岂非也有私心？"

"是吗？掌教知道，想必会重罚我。"闻灵之面不改色，转身走了。

目送她离去，司马妙元气得满面通红，片刻之后才跺了下脚，心道，你无非是想等他们杀了重紫再唤秦师兄出来，那时只需提上两句。叫秦师兄知道你是故意隐瞒，难道他还会有好脸色对你？

像司马妙元这样的人，早已习惯性地以自己的想法去推测别人，想到这些，她又转为得意，御剑离开。

竹梢顶，一道白影无声降下。

望着二人离去的方向，洛音凡脸色极差。

天之邪临死时问他为何忘记，他已是奇怪，谁知今日无意中又听到这番对话，难道他真的忘记了什么重要的事？走火入魔，究竟是不是意外？他到底忘记了什么？

瞬间，一双黑白分明的大眼睛自心底滑过，想要抓住，可它又迅速溜走，了无痕迹。

忽然想起了那双妖媚的凤目。

不一样的眼睛，却有着相同的眼神，绝望的伤，太深，太深，刻骨铭心，只要见过一眼，就再也忘不掉，那感觉竟像是……

洛音凡皱眉，终于有了一丝不悦之色。

忘记了什么，应该跟紫魔有关吧，怪不得她会有那样的神情，想是之前认得他。若非天之邪的提醒，闻灵之的异常，他还不知道弟子们都在背后议论，师兄他们必定是清楚内情的，竟然吩咐瞒着他！

逆轮魔血，紫魔始终是六界祸患，断不能手软，好在她本性不坏，果真有交情，只要她肯主动入冰牢赎罪，他尽力保全她性命就是了。

有了安排，洛音凡便开始留意重紫的消息，谁知重紫却真的销声匿迹了，不仅足足三年没再踏出魔宫半步，甚至连那座大殿门也没出过。魔宫里的人都很奇怪，反而是魔尊九幽时常进出皇后的寝殿，惹得梦姬颇有微词。

毁坏一件东西比守护它容易得多，这期间九幽魔宫又在人间制造数起祸乱，死伤无数。仙门忙于应付，直到第四年的七月，一个偶然的机会，洛音凡路过水月城，正逢魔族作乱，顺便出手助留守的仙门弟子击退魔兵，这才从那些降兵口里打听到线索。

城外山坡，洛音凡御剑落下，扫视四周。

一草一木与别的山坡并无两样，可是看在眼里，怎么都有种熟悉感。

洛音凡暗暗吃惊，很快又释然，六界之大，岁月无边，何处停留过，仙门中人哪里都记得，或者曾经来过这里也未可知。

据说，紫魔常来此地？

察觉到魔气，洛音凡转身隐去。

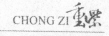

如云长发，无任何装饰，随意披散着；一袭深紫色滚边的束腰黑袍简单到极点。不像御风，她整个人根本就是一阵风，轻飘飘的，顷刻间已停在大石旁。

洛音凡目光微动。

是出剑斩杀，还是问个明白再说？

就这片刻工夫，她缓缓蹲下身，坐在了地上，后背紧贴大石，双手抱膝，就像个寻常的忧愁少女。

天没有黑，没有星月，只有薄薄的行云。

可她就那么半抬着纯净的脸，望着天空出神。

近年倒不曾听说她出来作恶，或许她的确有善的一面吧，洛音凡见状不免迟疑。他平生行事是有原则的，纵然是魔，除非伤人性命，否则多少都会留情，给他们一个改过的机会。

命运安排，这样一个女孩子很可能会毁灭六界，但这也是没有办法的事。

于是他果断召唤出逐波，"紫魔。"

所幸他自恃身份，没有偷袭，重紫大惊之下匆忙招架，勉力接了一剑，也不与他说话，御风就走。

洛音凡更觉震动，这一剑虽只用了五成力，可是能接下来就已经不简单了，这三年她不出魔宫，定然是在潜心修行，进境不差，等她真的修成天魔，这场浩劫任谁也阻止不了！

洛音凡当机立断，提仙力，曲指念咒，逐波剑化作蛟龙腾空而起，盘旋着，将她去路截住。

重紫望着那漫天光影中的人，站定。

凤眼依旧很美，只是空洞无生气。

洛音凡心一动，语气不自觉柔和了几分，"念你近年不曾作恶，若肯随我入昆仑冰牢赎罪，免你一死。"

何等熟悉的声音！何等熟悉的话！重紫悄悄在袖内握拳，她恨他这样的语气，却又无时无刻不想听到，有些东西就算你想要不在意，想要忽略，也忽略不了。

重紫侧过脸，略显倔强，"要我放弃地位和自由，去那种永远不见天日的地方，永远被锁仙链困着？我现在是魔宫皇后，你又有什么把握认为我会答应？"

劝她不回，洛音凡再不多言，逐波重现，放出无数剑气如利刃。

重紫仓促躲避。

他是她的师父，于她有教养之恩，两生师徒，纵然他抛弃她，嫌恶她，要杀她，她却始终在意他，爱他，怎能动手跟他打？

她的避让，洛音凡岂会看不出来，更加吃惊。

横行六界的尊者，何人能敌，重紫心有顾忌，败势就来得更快，终于退无可退，被迫用魔剑去挡，五脏六腑几乎都被仙力震得移位了。

他以剑指她，"随我去昆仑。"

最后的机会？重紫惨然道："师父当真要这样逼我，不如一剑杀了我！"

……

突如其来的沉寂，风细细，身旁长草动，一片醒目的萧瑟。

长剑力道顿失，洛音凡怔怔地看着她。

没有什么消息比这一刻听到的更令他震惊，她叫他什么？师父？他身边几时有过这样一个人，全无半点儿印象！

美艳的脸，紫边的黑袍，乍看的确有点熟悉，尤其是那双眼睛。

奇怪的是，他越看得仔细，越想要记起，反而越想不起来。

自走火入魔之后，记忆里就一直存在着许多断断续续的事，总感觉缺了点东西，使它们再也串不到一起。他依稀只知道和一个模糊的影子有关，可是始终想不起有关她的半点儿信息，好在成仙之人，这些往事对他来说如同过眼烟云，不必那么执著，因此他并没勉强。

难道那影子竟是她？他记得所有人，唯独把她忘了！

倘若是真，那她就是他唯一的徒弟！

洛音凡开始拿不准。

被他这么看着，重紫也默然，不知道该说什么，他那么厌恶她，恨不能用忘记来结束一切，她又何必去提起？

正在后悔，忽听得一声轻唤，"重儿？"

重紫全身一震，抬眸看他。

鬼使神差地唤出一个陌生的名字，很是亲昵，洛音凡反应过来，略觉尴尬，又见她这副神情，当即明了——这真是他的徒弟！他的徒弟居然是九幽的皇后——重姬，紫魔！怪不得师兄他们要竭力隐瞒，仙门上上下下都知道，只有他一个人被蒙在鼓里。

其实原因很简单，自重紫入魔，南华便自动抛弃了她的过往，加上顾及他的面子，仙界人人避讳这名字，他不问，别人更不会当着他的面主动提起，所以虞度他们才能瞒到现在。

剑尖垂下，洛音凡险些气得吐血。

虽然早就察觉二人关系匪浅，可也万万想不到会是这样的结果，他几时收了这样一个孽障，竟敢背叛师门入魔！

怪不得她会有那样的眼神，怪不得她步步退让不敢跟他动手。既然她还认他这个师父，有悔过之心，就该乖乖跪下认错，跟他回去请罪才是，事到如今，她还敢违抗师命！

洛音凡气苦，待要斥责，看着那痴痴的略带迷惘的脸，不知为何居然半句也骂不出来，最终只在心里叹息——罢了，是他的徒弟，他就负有不可推卸的责任，天生煞气，继续留在魔宫后果严重，还是先制伏她带回去再说。

他收起剑，严厉道："还认得为师，就随为师回南华领罪。"

重紫不知所措，"我不去冰牢……"

洛音凡听得心一软，冰牢是怎样的地方，她害怕并不奇怪，当真只是个做错事的孩子，"犯错就要承担后果，留在魔宫能躲得几时？这些本不是你想要的，不该再继续，过来，为师带你回去。"

重紫总算找回些理智，摇头，"他们不会放过我。"

"只要你有悔过之心，肯入冰牢赎罪，为师会尽力保全你的性命，待将来修成镜心术，清除煞气，就会放你出来。"毕竟不知道她入魔的缘故，这番话洛音凡说得也没底气。

重紫眨眨眼睛，忽然轻声问："将来我能再回紫竹峰跟着师父吗？"

他的徒弟，当然是跟着他了，这还用问。洛音凡不动声色地点头，"真心改过，自然可以。"

他真的记起来了？记得她是谁，记得这个地方，他真的不再厌恶她，同意让她回紫竹峰，她又可以陪伴他了？

已经什么都没有，才更想要相信，想要拥有，想要最后抓住一点儿什么。

重紫努力告诉自己清醒，告诉自己不要回头，可是心却不听使唤，想要再相信他，不自觉朝他走过去。

洛音凡更加惊讶，心中疑团也越来越大。

先前只当她天生煞气伤人，所以叛出师门，如今看来竟不是那么回事。她这样听他的话，哪里像背叛师门的样子，多半是受九幽教唆引诱，一时糊涂才堕落入魔，而后怕自己怪罪，不敢回去。身在魔宫，却本性善良，所以她才会去帮忙堵天河水闸。

他是怎么当的师父，这样的孩子也任她入魔！洛音凡看着那小脸，一丝内疚泛起，但很快又被理智驱散。

做错事就要付出代价，倘若果真犯了十恶不赦的大罪，怕是饶她不得，如今的她太危险，稍有不慎便危害六界，怨不得他算计了。

他的徒弟，他怎么处置都没错。

一步一步，离他越来越近，重紫终于站在他面前，眼睛里满是喜悦与不安，想要叫他，却迟迟叫不出口。

就在这瞬间，有东西钻入体内，极细的，带着透心的凉意。

魂魄仿佛被什么东西缚住了，浑身不自在，体内魔力本能地抵抗，可是越抗拒，那东西就勒得越紧，几乎要把她的魂魄割裂。

剧烈的疼痛，鲜血自嘴角流下。

重紫有点迷茫，伸手摸了摸，低头看看沾着血的手指，确认之后抬脸望着他，喃喃道："师父？"

面前的人恢复威严，声音里有着她熟悉又不熟悉的淡漠，"这是南华的锁魂丝，它能缚住你的魂魄，从此你若动用魔力伤人，必先伤自己，伤别人多少，就要伤自己多少。"

锁魂丝！重紫踉跄后退，脸白如纸，他在骗她！他竟然这样骗她！他竟然在这里骗他！

"既不信，为何不直接杀了我？"

不得已使手段令她受伤，洛音凡略觉愧疚，但很快就冷静了，"堕落入魔，背叛师门，就不再是重华弟子，你当我处置不得你吗？"

不再是重华弟子，终于被逐出师门了。重紫不说话。

洛音凡本是随口斥责，见她这样，语气又和缓了点，"念在师徒一场，你近年也未曾作恶，姑且饶你一命，先随我回去……"

话未说完，他忽然停住，目中是掩饰不住的震惊。

煞气急剧膨胀，如滔天巨浪。

魔力遍体流动，向外冲撞，妄图挣断锁魂丝，谁知那锁魂丝非但不断，反而越勒越紧，殷红的血，自她眼睛、鼻子、嘴角流下，白皙娇嫩的皮肤表面亦渗出血丝，慢慢地晕开，她整个人竟变作了血人！

几近疯狂的挣扎，那样的决绝，不惜撕裂魂魄，也不愿妥协。

"你……"洛音凡终于有了一丝失措。

好像有什么错了，可又不知道究竟错在哪里，他的所作所为完全是为了大局着想，怕她修成天魔祸害人间，所以才用锁魂丝禁锢她的魔力，略施惩戒，同时加以限制，想不到她竟偏执至此！

滴血凤眼，里面满满的都是令人见之生寒的足以毁天灭地的恨意。

不知为何，心痛无以复加。

没有师父愿意亲眼看徒弟死在面前吧，纵然他什么都不记得，或许，这份师徒之情比想象中要深。

体内有什么东西被唤醒，蠢蠢欲动，好像是……

洛音凡更加震惊。

他何时中了欲毒！

一切来得太快，太出乎意料，根本没有时间去权衡，眼看她肉体已近残破，魂魄也正被锁魂丝分割，他毫不迟疑地作法将她制住，不再让她挣扎，大约是因为那种直觉，那种

让他极为不安的直觉——若不阻止，必会后悔。

血淋淋的躯体倒在面前，黑的衣裳，红的肌肤，几乎认不出这是个人。

魂魄将碎，这副肉身恐怕再也不能支撑，如何是好？洛音凡头一次感到六神无主，正在寻思，一道强烈的紫光忽然自眼前闪过，接着地上的重紫就消失不见了。

"九幽！"洛音凡只后悔一时大意，御剑追上去。

冰冷的魔神殿，中央地面闪烁着点点光斑，诡异的气息在巨柱间萦绕。重紫几近破碎的魂魄逐渐聚拢，复合，飘浮在半空，经过七日七夜，终于成为一个完整的形体。

亡月缓缓放下高举的双臂，"我的皇后，你是我修复得最完美的作品。"

"你又救了我一次，"美丽的脸无端多出几分妖异，仿佛是一种征兆，重紫淡淡地朝他点了下头，"谢谢你。"

"你的肉体已经不能继续支撑魂魄。"

"还有办法。"

亡月长长应了声，侧脸，旁边那柄暗红色魔剑似得到召唤，主动飞至地上残破的肉身旁，"这是你父亲遗留的剑，天心之铁所铸，乃是六界难寻的灵物，以身殉剑，可助你一臂之力。"

"代价。"

"忠诚于魔神，忠诚于魔族。"

重紫答了声"好"，闭上眼睛。

须臾，殿内忽然响起一声娇笑，娇媚到极点，也冷到极点，令人毛骨悚然，不敢确定是从哪里发出来的。

有一丝尘灰自头顶掉下。

很快，石块石屑纷纷坠落。

整个魔宫剧烈地摇晃，强盛的魔力如滚滚洪流，自魔神殿冲出去。殿外，离得近的魔众来不及闪避，修为浅的瞬间灰飞烟灭，修为高深些的也都翻滚在地惨叫，没有人知道究竟发生了什么事，都惊惶不已，奔走躲避，痛呼声四起。

亡月对这一切无动于衷，只是站在旁边微笑，"你才是它真正的宿主。"

飘浮着的幻影般的魂魄，缓缓下沉，重新进入那残破的肉体，旁边逆轮之剑旋转着，似极兴奋，剑身光芒大盛，映亮了魔神殿的每一个角落。

夺目红光，仿佛流动飞溅的血。

光的影子里，人与剑合二为一。

被无形的力量拉动，身体平平自地上浮起，僵硬地翻转，前倾，双臂平展体侧，变作直立的姿势。

巨响声里，魔神殿陡然崩塌！

黑石翻滚，巨柱倾倒，那漫天尘灰中，隐约现出一个优美、高傲、孤独的身影。

极端之魔，终于现世。

漆黑长发无风而舞，一丝丝，一缕缕，逐渐变作暗红色，带着自然的弧度，弯曲起伏，妖艳生动。黑袍化作轻盈黑纱，衣摆连同两条飘带在身后长长拖开，隐约透出绛色光泽，华美腰饰，华美链镯，其上点缀着各色水晶宝石，璀璨耀眼。

周身散发的强烈的蓝紫色魔光，映亮了魔宫每一个角落。

肌肤晶莹，如冰雕雪铸，长睫微垂，暗红色双眸非但不觉凌厉，反而有点惺惺欲睡的样子，深邃不见底，冷漠，厌弃，却又美得惊心动魄。

黑纱红发，两种诡异的色彩搭配，恰似一朵红黑双色莲，妖艳，邪恶，形成足以毁灭一切的极端之美。

遍身华丽，遍身高贵，遍身残破。

头顶风云变幻，数万魔众不约而同低头，下跪膜拜。

她飘然落地，平抬双臂。

碎石自动聚拢，复合成一座完整的魔神殿。

晴空雷鸣，怒海咆哮，平地狂风卷起，魔气所至，草木尽凋，漫山禽兽竞相奔走躲避，大片的血红色浓云迅速汇集，弥漫山河，遮蔽日光，盖住人间半边天，投下红得刺目的阴影，奇异瑰丽的景象中透出不尽的苍凉肃杀之意。

突如其来的暴雨，夹杂着凄厉闪电，令人胆战心惊，百姓纷纷躲在屋子里不敢出门。

南华天机峰，行玄站在山头，面色凝重，许久不说话。

身后闵云中终于沉不住气了，"到底怎么回事?"

行玄苦笑，"天魔出世。"

答案原本也在意料之中，人间突然出现这般异象，分明是来自魔界的大变故，多此一问，只是大家都不太愿意面对事实罢了。

虞度沉默。

行玄长叹道："想不到来得这么快。"

闵云中倒没有多少颓丧之色，竖眉道："既成事实，叹也无用，须尽快安排对策。"

几个人正说着，忽有一名弟子跑来，"启禀掌教，外面蜀山、茅山、长生宫、昆仑的掌门仙尊都来了，要见掌教与尊者，现下正在偏殿内用茶。"

"这么大的动静，他们自然也猜到了，"闵云中挥手让那弟子下去，转脸见旁边洛音凡似在发怔，不由皱眉提醒，"音凡?"

洛音凡回神，淡淡一点头，不说什么就走。

闵云中惊疑，"他这是……"

"莫非他想起来了?"行玄有点不安。

"想起来又怎么?"闵云中沉了脸道,"若真无邪念,又岂会忘记!他自己做事失了分寸,我们才会用这样的办法。想不到他当真这么糊涂,连身份也不顾,竟对那孽障生出……此事传出去,看他还有何面目立足仙门,掌教这么做,原是在救他,他还敢责怪不成?"

照师弟的性子,被他发现后果很难说。虞度苦笑,制止闵云中,"罢了,眼下最要紧的不是这个,几位掌门都等在殿上,还是尽快过去商议大事吧。"

闵云中果然不再言语,三人匆匆往主峰而去。

480

这边玉晨峰下,闻灵之立于长剑之上,手里捏着一缕三色剑穗,迟疑。

眼下叫他出来恐怕也于事无补,到底该怎么办?

她兀自发呆,一名女弟子匆匆御剑过来,见了她喜道:"原来首座师叔在这儿,快些回殿上吧。"

闻灵之迅速收起剑穗,道:"听说几位掌门都来了?"

女弟子道:"正是呢,魔界出了大状况,现下尊者他们都在殿内商议。我怕万一掌教与尊者有什么吩咐,师叔却不在,岂不误事,所以过来寻你。"

"还是你有心,"闻灵之含笑点头,想了想又道,"我正有件事想要托你去办。"

女弟子忙道:"师叔尽管吩咐。"

"你且代我去一趟青华宫,"闻灵之示意她附耳过来,轻声吩咐了几句,又递了件东西与她,"不得让卓少夫人察觉,这件事定要办妥。"

第八章
【凤凰泪】

大殿空旷，魔乐飘扬，重紫独自斜卧于榻上，曲肘撑着头，半条玉臂露在外面，衬着绛黑轻纱，雪白如藕，暗红长发如光滑美丽的缎子，垂落榻上，再随轻纱飘带流泻至地面。

不再是人，永远是一柄剑，受伤不过是想睡。

世人算什么，神仙又算什么？

她轻轻叹了口气，玉指轻弹，一片红色花瓣飞出，无声旋转，落地。

一片，两片，三片……

红色，蓝色，白色……

她似乎有意要借此消遣取乐，可是不多时便觉腻了，正打算翻身，忽然又停止了动作。

"梦姬求见皇后！"

兴师问罪来了？重紫饶有兴味，看那女子满脸不忿地走进来作礼。

"何事禀报？"

"敢问皇后，可还记得当初跟我说过的话？"

"什么话？"

"皇后这是明知故问。"梦姬冷笑。

"我说过，他是你的，但前提是他喜欢你，"重紫慢吞吞道，"如今他才是魔宫圣君，想来这里就来这里，难道我敢撵他不成？"

梦姬气得上前两步，粉拳紧捏，"皇后莫要太过分！"

"他是我丈夫，堂堂魔界之主，自然喜欢谁就找谁，"重紫微笑着，声音却淡如水，"将他让给你这么久，我并不曾计较什么，如今他对你没了兴趣，你反怨起我来，莫非糊涂了，想要犯上不成？"

那笑容美艳到极点，也冰冷到极点，梦姬居然看得打了个寒战，再也不敢多说半句。

重紫闭目，懒得理会，抬手示意她退下。

"皇后威风。"榻前传来亡月的声音。

"让你的宠姬受了惊吓，怎么，心疼了？"重紫钻到他怀里，随手去掀他的斗篷帽，声音柔软，像光滑的缎子，"只有坏人才不许别人看眼睛。"

亡月轻易地便制住她，"我是好人，也不许别人看眼睛。"

下巴轮廓完美到极点，由此断定这张脸不会太丑，只是苍白了些，连嘴唇也少血色，就像长年在地下不见阳光的那种。薄薄的唇暗含威严，当他勾起半边嘴角的时候，又多了三分邪气和三分傲慢，加上浑身散发着阴森森冷冰冰的气息，令人倍觉压迫。

那双隐藏在斗篷帽下的眼睛，似乎正透过阴影，盯着她，看着外面的一切。

重紫看着握住自己的那只苍白的手，问："你到底是谁？"

"你的丈夫。"亡月抱着她坐到榻上。

重紫抬眸，"有你这样的丈夫？"

"有你这样的妻子？"

"圣君若是寂寞，可以去找你的宠姬，或者让我给你选几个美貌宠妃，就像人间皇帝那样。"

亡月用黑斗篷裹住她，挑起她一缕光滑的长发，"何不把你自己献给我？"

"我身上住着一柄剑，你若不介意，也可以亲热。"

"我恐怕没有那样的兴致。"

重紫望着他，"我现在打不打得过你？"

亡月道："难说，你可以试着杀我。"

重紫笑了笑，"我只有你，怎么舍得杀你？"

"你若想杀我，毁灭的会是你自己，"亡月将一块巴掌大的暗红色令牌交到她手上，"你现在随时可以解除封印，虚天万魔将效命于你，试着召唤它们吧。"

重紫不太感兴趣，接过令牌搁至一旁，"才刚开始，我不想这么快就结束。"

出乎意料地，亡月没有反对，"天之邪不在了，我再给你安排个人。"

"谁？"

"你认识的。"

不容她拒绝，一道人影现身榻前，却是穿着黑袈裟的法华灭。

亡月道："你今后跟在皇后座下，听候差遣。"

重紫如今是天魔之身，魔族人人敬畏，法华灭亦不例外，加上重紫曾救过他一命，闻言立即双手合十，"贫僧愿为皇后效命，万死不辞。"

重紫仔细看了他半晌，"你本来就是和尚？"

法华灭答道："贫僧来自西天佛祖座下，因与佛争执，故叛出佛门，投效圣君。"

"这样，"重紫点头示意他退下，然后转向亡月，"你怎么给我派个和尚，不派妖凤年？"

"人间皇帝都只给皇后派太监，你应该庆幸我给你派的是个和尚。"

重紫笑起来。

亡月继续道："有个人还在等皇后去处置，我保证皇后见了他不会再笑。"

刑殿魔光照耀如白昼，刑台昏迷一人，剑眉紧皱，双唇青白，华美衣衫上血迹斑斑，双臂平举，被牢牢锁在刑架上，其中一只手已变成青黑色，昔日风流倜傥的模样半分不见，旁边地上落着柄白色折扇，已被踩踏得不成样子。

重紫看了半晌，转脸问："谁做的？"

众魔谁也不敢出声。

亡月道："是他主动来受刑，想要见你。"

重紫干脆道："解药。"

马上有人过去喂了解药，不消片刻，刑台上的人逐渐苏醒，见到她露出满眼满脸的惊愕，嘴唇动了动，却什么也没说出来。

面前是一个华美的女子，美得令他感觉陌生，唯有那张脸，依稀还能看到当初的痕迹。

"远离别的男人，我的皇后。"亡月笑了声，转身隐去。

重紫示意殿内所有人退下，然后才缓步走到刑架前，看着他微笑，"卓少宫主要见我，如今见到，又不认得了吗？"

卓昊盯着她，轻声道："我一直在闭关，并不知道你的事，此番是得了信才提早出来的。"

重紫点头，"天魔出世，仙界自然察觉了。"

"你是天魔。"

"不错，我就是仙门人人都欲杀之而后快的天魔，你也可以试着杀我。"

"九幽是你丈夫？"

"谁是我丈夫，与卓少宫主有关系？"重紫抬手，刑架上的锁链自行脱落，"这里不是卓少宫主该来的地方，念在你曾放过我一命，此番我也饶你回去，但这种事不要再有下次。"

卓昊迅速扣住她的手，"跟我走。"

重紫微抬长睫，淡淡道："卓少宫主在说笑？"

"我此番来，就是要带你走！"卓昊强行将她拉入怀，语气里是满满的心疼，"我知道

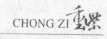

是他们逼你，你没错，但你根本不喜欢做魔，这样折腾有什么意义！"

重紫道："我不喜欢做魔，难道还能做仙不成？你这是在教训我，还是可怜我？"

"别胡闹！"卓昊既疼又气，语气软下来，"听话，跟我走，我们走得远远的，管他什么仙和魔，这些混账事与我们何干？"

重紫沉默片刻，抬眉，自他怀里挣出，"卓少宫主的意思，我不太明白，你已经有了妻子，我也有丈夫，莫非你是想要与我私奔？"

卓昊脸色惨白，无言以对。

"当年就是你那位夫人闵素秋故意放出风声，引我去救大叔，然后嫁祸闻灵之。"重紫后退两步，微笑，"要我跟你走可以，她此刻就在外面等你，你出去替我杀了她。"

"重紫！"

"都说卓少宫主与夫人不和，所以总在外面拈花惹草，但你这样做，难道就没有故意与夫人赌气的意思？"

"不是那样！"

一切都因恨她而起，恨她太绝情，恨她伤了他，又突然从世上消失。当善解人意的闵素秋接近，他毫不迟疑地接受了，至少爱他的人很多，不缺少她一个，那是种报复性的想法。他的妻子比她温柔，比她听话，比她在意他，却唯独没想到闵素秋竟然是害她的人。

"我知道，夫妻一场，你不忍下手。"重紫叹了口气，侧脸道，"但仙门现在已是非杀我不可，我不想再被关进冰牢，只有留在这里才能安全。"

卓昊咬牙道："你不愿跟我也罢，这几年我找到了化解你煞气的办法，你只要等……"

"等多久？"重紫打断他，"一百年，还是一千年？"

卓昊语塞。

重紫冷冷道："你以为我能活到那天？曾经有人想要带我走，结果刚出魔宫就没命了，知道他是谁吗？他是大名鼎鼎的天之邪，法力不弱于令尊，他尚且如此下场，你又有什么把握保护我周全？"

卓昊怒道："我不能护你，但只要我在，就绝不会让他们动你。"

"这句话令人感动，可惜我想活着，并不想跟谁死在一起，我已经死过两次了。"重紫说着，忽然又轻笑，"你知道我在冰牢里是什么样子？"

话音刚落，她抬起双臂。

如藕雪臂，此刻呈现极度可怕的畸形，再看那张脸，瘦削得不成人样，苍白粗糙的肌肤，枯干的头发……

卓昊惊骇，后退两步。

"你看，这副模样连我自己都厌恶，你还会喜欢？"重紫恢复容貌，不再看他，转身就走，"卓宫主与少夫人都等在外面，念在往日情分，这次你擅闯魔宫，我不与你计较，但愿莫再有下次。"

"跟我走，"他拉住她，眼中依稀有光华闪烁，"我不管你变成什么样，只要离开这儿，我会想办法治好你。"

"迟了，我不想再活得那么卑贱。"重紫轻提魔力，震开他的手，"神仙生活逍遥自在，千年万年，卓少宫主又何必白白浪费光阴，去修什么化解煞气的法子？"

"小娘子。"他在身后轻声唤。

重紫身形顿了一下，仍是头也不回走出门去了。

当年欺负她的骄傲少年，被她捉弄的轻狂少年，舍命维护她的痴心少年，历经两世，依旧半点儿没变；可是她变了，她早就不再是他喜欢的那个"小娘子"，面前的路只有一条，既然迟早都要面临抉择，那么，就让她来结束。

殿内，亡月早已等在水晶榻上。

重紫沉默片刻，走到他面前，"他曾经对我手下留情，我这次饶他一命，算是还了个人情。"

亡月伸出一只手。

重紫顺势躺到他怀里。

血云遮天，不辨昼夜，暴雨连下七日，枯竹开花，恶鸟长牙，人间处处异象横生，百姓惶恐不安。几位帝王更亲自沐浴更衣，至仙门外求见问卜，洛音凡令各派掌门暂时封锁这消息，只说是魔宫所为，为的是安定人心，以免生出祸乱。

天魔现世，魔气盛极，月亮也与往日不同，周围显现出妖异的光晕。

水月城外，洛音凡独立山坡上，心情复杂。

月亮，山坡，景物太熟悉，浸透了伤心，仿佛也沾染了她的气息。直觉告诉他，她还会到这里来，而他，就是在这里用锁魂丝伤害她的，那惊心动魄的一幕，他至今仍不能忘。

亲眼目睹她的偏执，天魔突然现世，必定和她有关。

事情没那么简单！他的徒弟背叛仙门堕落入魔，看样子整个仙界都知道，别人避讳也罢，师兄应该最清楚他是什么样的人，不过颜面之事而已，何况他的徒弟入魔，正该由他亲自动手清理门户，又何必瞒着他？他们究竟想要隐瞒什么秘密？她又是如何入魔的？他记得所有人，为何偏偏忘了自己的徒弟？更重要的是，他如何会中欲毒？这件事似乎连师兄他们也不知情，可是照他的修为，欲毒根本不可能构成伤害的，应该很快就会清除才对，而事实证明不是这样。

记忆中许多东西忽浮忽沉，眼看就要明了，偏又抓不住。

洛音凡后悔到了极点。

当时他是下意识用了自认为最妥当的处理方式，却忘记了一件事——那本是他的徒弟，她还那般信任着他这个师父，他不该骗她。这次他只抱了一线希望，希望见到的，还是那个傻傻的相信他愿意跟他回去的徒弟。

然而，倘若预料中的一切变成了事实，他会怎么做？

洛音凡正发愣，忽听晴空中传来一声娇笑，转身，只见那曼妙华美的影子乘风而至，飘飘然停在半空中，暗红色长发挽起高髻，尊贵，优雅，黑纱飘带长长拖在身后，魔光笼罩，更有宝石闪烁，耀眼夺目，胜过如练月华。

"洛音凡，你怎么也在这儿？"她轻轻挥袖，含羞带怯地笑，可是看在眼里，只会令人打心底升起冷意。

洛音凡心直往下沉。

不是这样，她不该变成这个样子，更不该直呼他的名字，她应该乖巧恭敬地站在他面前，轻声叫他"师父"，满怀期待地要跟他回紫竹峰。

尽管没有相处的记忆，但师徒关系是事实，洛音凡只觉痛心，"为师并不是要杀你，你这样究竟是为了什么？"

"你忘了，我已经不是你的徒弟。"她迅速闪到他身旁，"你到这儿来，莫不是记起什么了？"

颈间有热意，洛音凡倒吸一口凉气，后退两步。

这举动太放肆，已近暧昧无礼，她竟敢如此，他几时教出这样一个不知廉耻的徒弟来！

"不知悔改！"语气不觉带上两分怒意，这种孽障，今日他非亲手处置不可！

逐波骤现，剑如飞雪。

"要杀我？"重紫不闪不避，手拈天魔令微笑，"你敢再动，我立刻就唤虚天群魔出来，那时你的苍生可又要受苦了，你知道后果。"

这样的要挟，对别人未必有用，对他一定有效。

洛音凡果然收了剑势。

天魔，乃是极端之魔，性情偏执，的确什么都做得出来。今非昔比，要在一时半刻间制伏她，已经没那么容易了，虚天群魔不是没有办法对付，但果真被她召唤出世，难免又是一场浩劫，此刻既然还有说话的余地，就不该再惹恼她。

"你到底想怎样？"

"我要灭了仙道，让六界入魔。"

"善恶永存，仙道与魔道都不会从这世上消失，正如神界迟早会重现，"洛音凡声音不大，却很清晰，"这世上，善永远强于恶，正永远大过邪，魔道永远不可能取代仙道。"

"我父亲逆轮，当年险些成功。"

"他没成功是因为水姬，他能为水姬放弃野心，心中有情的魔，已是仙。"他断然道，"仙魔本一体，修的不过是善恶而已，有朝一日果真魔治天下，魔道中亦会生仙道，魔即是仙。"

重紫道："我等着证实那天。"

洛音凡看着她摇头，语气平静而略带悲悯，"重儿，仙道魔道都不算什么，六界成仙，六界入魔，天道循环，生灭不息。仙门之所以尽力阻止，是不愿平添一场杀戮，你心有执念，应趁早回头。"

"不愿杀戮，杀我就不是杀戮吗？"重紫冷冷道，"回头？你们难道还能放过我不成？我为什么要回头，那是仙门欠我的！就算我死，我也要你和你的仙门苍生与我陪葬！"

"重儿！"

"我是九幽皇后，重儿，这是你叫的？"重紫停了停，忽又像蛇一般溜到他身旁，轻声道，"洛音凡，你别忘了，若非你骗我，用锁魂丝毁我肉身，我也不会因祸得福修成天魔。人间浩劫，六界浩劫，到时死多少人伤多少人，可全都是你的罪过。"

洛音凡沉默。

他选择忘记，那她就偏要缠着他，偏要他内疚！乏味的日子里，难得寻到一件事消遣。

重紫飞身逐月光而去，恍若奔月嫦娥。

"念在你我师徒一场，我给你三年时间，三年后我必攻南华。你还是下去跟他们好好谋划，想一想该如何应付如何杀我吧。你们欠我的，我定会数倍奉还，你不是守护仙门苍生吗？我就让你亲眼看六界覆灭，苍生入魔！"

魔宫外厮杀声不绝于耳，远远的，白衣青年执剑而立，周围横七竖八倒了一圈魔兵。

红黑身影悠悠落地，她翩翩转身，圆润柔美的笑声自红唇中吐出来，"你们还真有默契，要来全都一起来。秦仙长，几年不见一向可好？"

记忆中，那个有着大眼睛的可怜的女孩子，那个在雪地上奔跑捉雪狐的美丽少女，好像才一眨眼，就变成了名副其实的妖冶女魔，有些事当真是天意，无论怎么努力也挽救不了。

蓝剑归鞘，隐没，秦珂走到她面前，伸手要拉她，"为何不等我？"

"我想等你，"重紫立即后退避开，语气冷淡，"我在冰牢等了三年，却没有一个人来看过我，月乔欺负我，要杀我，那时你在哪里？"

秦珂沉默。

"你一直在闭关修行，若非燕真珠，我现在还在冰牢里傻等吧？"重紫随意弹指，将他定在原地，"你不用内疚，我现在发现入魔没什么不好，地位权力我都得到了，想做什么就做什么，没有人能杀我，更没有人敢打断我的骨头，把我扔进冰牢。"

秦珂道："你当真喜欢留在魔宫？"

"不喜欢魔宫，难道喜欢冰牢？又冷又黑，还有带钉子的锁，动一动就会刺进肉里，会流血。"重紫满脸掩饰不住的厌恶，收回术法，"整整三年，那时我都快疯了，分不清白天夜里，分不清是做梦还是真的，现在一想到自己断了骨头不人不鬼的模样，我就恶心！"

她直视他的眼睛，双目闪闪生辉，"你说过，倘若连我自己都不想保护自己，又怎能指望他人来帮我。如今我有能力保护自己了，难道不好吗？你想让我回去过冰牢那种日子？"

秦珂沉默片刻，道："不怪你。"

"你也是来感动我的？"重紫笑了，"大可不必，这办法卓少宫主已经用过了，是他叫你出关的吧？"

对于她的嘲讽，秦珂似没听见，"天生煞气不怪你，是不是魔也没有关系，给我时间，卓师兄已向佛祖问得消除煞气的办法，你可以留在魔宫，但不能作恶伤人。"

重紫道："你这些年闭关，是在修这个？"

秦珂默认。

"这么说，是我错怪你了，"重紫没有意外，"其实就算你解释，我也不会感动。实话告诉你，我现在肉体残破，以身殉剑才能支撑魂魄不散，你们找到法子又如何，要消除煞气，除非将我连同魔剑一起净化。"

秦珂紧紧抿着嘴，神色僵硬。

"我很感激你为我做的一切，可惜他们没有给我时间。"重紫长睫微扬，"洛音凡亲手杀我两次，才成就今日的我。我的血可以解除天魔令封印，随时召唤虚天万魔，现在应该是他们怕我求我才对。你是仙门弟子，只有一个选择，助仙门除去我，否则六界必将入魔。"

"一定要这样？"

"不错。"

秦珂看着她半晌，御剑离去。

重紫转身，"他曾经是我师兄。"

"你的师兄妹很多，要不要我把他们都抓来，让你放过一次还清人情？"

"他为我受过伤。"

紫水晶闪了下，亡月叹息，不知怎么听上去都有点假。

南华六合殿里，虞度与闵云中正坐着商议事情，忽见有人进来，忙停住，同时面露喜色。

虞度笑着让他坐，"天魔现世，师弟近日却不在紫竹峰，我与师叔正担心。"

洛音凡道："纵然虚天万魔真被唤出来，魔宫要攻上南华也未必容易。我担心的并不是她，而是魔尊九幽，此人来历有些神秘，深不可测，恐怕法力并不弱于我。"

虞度与闵云中听得一愣，神色凝重起来。

闵云中想了想，摇头，"天魔是极端之魔，九幽连天魔都尚未修成，能有多厉害，你是不是多虑了？"

虞度颔首，"师叔说的有理，我也是这意思。"

道理上是这样，洛音凡点头，没再继续这话题，"有件事我想要请教师兄。"

虞度忙道："你说。"

洛音凡道："最近我忘记了许多事，不知是何缘故？"

虞度愣住。

"你这是什么意思？"闵云中不悦了，镇定道，"早就说过，是你当日修行过于急进，不慎走火入魔，难道我与你师兄还会骗你不成？"

对于他们瞒着自己的事，洛音凡原就有几分不悦，闻言声音也冷了，"我方才从西蓬山药仙处回来，他老人家曾是云仙子的授艺之师，走火入魔之例更治了无数，谁知用尽办法也不能恢复我的记忆，所以有些奇怪。"

闵云中无言以对。

虞度摇头，"罢了，我也知道瞒不过你，迟早都会察觉的，此事是我的错，但我与师叔只是为了你好，你……"

洛音凡打断他，"何毒，解药何处？"

事到如今，当真要把解药给他？虞度犹在迟疑，旁边闵云中怒道："既然他固执，你告诉他又何妨！告诉他为何会忘记那孽障，叫他看看自己做了什么事，看看是谁的错！"

洛音凡淡淡道："是对是错，无须靠遗忘来掩饰。"

虞度示意二人不必争执，取出一瓶药放到几上，"这是凤凰泪的解药，用不用，师弟自己权衡着办吧。"

洛音凡怔住。

凤凰泪，忘情水，他中的难道是……

闵云中冷笑，"不是想知道吗？为何你师兄要瞒你，所有人你都记得，却单单忘了她，这凤凰泪，就是你要的答案！"

洛音凡紧抿薄唇，脸色渐渐发白发青。

忘情水，忘的是情，倘若无情，又怎会忘记？

喝了它忘记的人很多，仙界不是佛门，有情并没有什么错，可眼前发生的事却是大错特错，他自己做梦都没有想到，这一生竟然会犯下这等荒唐的错，留下这样的笑柄！

药仙不查，是因为没有人会朝这方面想，重华尊者，无情的名声六界尽知。

见他这副模样，虞度暗暗叹息，这位师弟向来自负，极少失败过，早已悟得通透，从不曾将这些七情六欲放在眼里，哪料到最终竟逃不过一个情字，这也罢了，偏偏这份情又错得彻底，此番所受打击不小，也难怪他不能接受。

闵云中道："倘若不是我们想出这法子，还不知你会做出什么样的荒唐事！"

"忘了也好，原是那孽障借师徒之情引诱于你，解药还是暂且放我这儿吧。"虞度边说着，边伸手去拿解药。

洛音凡先一步取过药瓶，再不看两人，起身便走，冷冷丢下一句，"我的事，我自会处理。"

虞度与闵云中目送他出殿，都有点拿不定主意。

闵云中道："让他知道又怎么了，明明是他自己做错事，还要怪我们不成？"

"我担心的不是这个，"虞度皱眉，"当初他正打算带那孽障走，如今恢复记忆，只怕又要纠缠……"

闵云中眼一瞪，"先前是他不明白，顾念师徒之情，如今知了，我看他有什么脸面再胡闹！"

自六合殿出来，洛音凡机械地御剑回紫竹峰，一步步走进重华宫大门，走到四海水畔，才终于站定。

挥袖，四海水上烟雾散去，如镜水面显露出来。

长发散垂，一张脸惨白，僵硬无表情，是他？

数百年的阅历，他又怎会看不出这师徒关系的异常，只不过那时他可以告诉自己，是她的错，是她不知廉耻，是她缠上他，故意想要激怒他，可是现在面对事实，他恨不能一剑杀了自己！

原来这就是欲毒残留的原因，原来错的竟不是她，而是他，他怎能对她产生那样的感情？那是他的徒弟！

不是悔恨，不是羞耻，这些都不足以摧毁他洛音凡，错就是错，罔顾伦常的罪名他认了，可是现在，悔恨与羞耻都及不上心头的恐惧。

手中有药，却不敢解。

失落的记忆，令他如此恐惧！

终于明白那双空洞的眼睛代表了什么，她对他的信任来源于此。她为何而入魔？他又对她做了什么？一次又一次毫不留情地对她下杀手，利用她的感情，用锁魂丝伤害她，害得她肉体残破，险些魂魄无存。

让她一个人去承担，这才是他最大的错。

遗失的记忆里，会有些什么？

洛音凡看着水中的自己，手指紧紧捏住药瓶，没有更多动作。

海之涯，茫茫云山接大荒，千里无人烟，中有一山极其陡峻，高耸擎天，举头望不见顶，山名不周，传说中的神山，也是人间直通天界的唯一一条路径，可惜从来都没有谁爬到顶过，多少凡夫俗子妄想登天，最终望而却步。

"不周山，祝融果，万年能产一枚，食之可固魂魄，你如今肉身残破，魂魄靠魔剑支撑，终究不稳，这是你最大的缺陷，若能得祝融果，对你有不尽的好处。"

想到亡月的话，重紫仰脸观望，她本身对什么祝融果并无太大兴趣，只不过有件事情做，总不至于那么无聊。

须臾，重紫足尖轻点，化作清风往上飞掠。

表面看，这不周山除了高，以及比寻常山峰陡些，别的也平凡无奇，有荒坡，有乱石，有树林……然而亲自上去，才能真正见识到登天之难。这俨然是座灾难之山，来自天地间的灾难几乎都在这里了，瘴气、毒木、火海、风雪……幸亏此番前来登山的亦非凡人，凭借一身魔力掩护，平安无事。

大约行了一个时辰，前方山壁忽然不见，一块巨大的明镜映入眼帘，反射天光，极其壮观。

原来此地山壁倾斜，壁间覆盖着厚厚的冰层，冰面光滑难以立足，望上去就像是面大镜子，这冰也非同寻常，应先天苦寒而生，纵然重紫天魔之身，亦觉寒气慑人。

重紫沿冰面逆滑上坡。

千丈冰壁，前方有一抹淡淡的蓝影在移动。

那是一柄长剑，剑上站着个人，只因他穿着身白衣裳，与冰的颜色太接近，是以重紫没有立即看到。

发现身后动静，那人回头看。

重紫意外，随即微笑，"来取祝融果?"

秦珂点头。

"不巧了，我对它志在必得，"重紫抬臂，两条长长飘带如蛇，朝他卷过去，"你可以不用上去了。"

秦珂没有闪避，"当心食魂鸟。"

"魔行事，无须仙来记挂。"重紫毫不留情地将他击落，翻滚下冰壁。

这不周山很奇怪，就像宝塔般，每次以为登到顶了，上面总会再生出一座山来，层层堆叠不知道究竟有多少层，每上一层，就有更多更险的阻碍，通天之路当之无愧。

前方出现黑沉沉的水面，宽约百丈，对面是陡峭山峰。

第五层，如果亡月没说错，祝融果正是生在这一层。重紫暗忖，同时自袖中取出根白羽毛朝水面丢下，但见那羽毛飘悠悠，沾水就迅速沉了底。

果然是百丈弱水，连风也托不起，御风术不能施展。

重紫不慌不忙，自袖中取出只玉兔，找到血管并二指一划，立即有鲜血流出，滴落水面，大约十来滴之后，她便作法止住血，把玉兔随手丢开。

玉兔翻滚着，爬起来就跑。

重紫退到旁边，静观其变。

不消片刻，沉沉水面上开始起了波纹，底下好像有东西在游动，紧接着一声响，水里冒出个东西。

那是只人手，颜色黑漆漆的，和水一样。

重紫毫不迟疑地作法将那东西摄了起来。

小水怪形似婴儿，五官与人并无两样，只不过全身皮肤是黑的，脚趾间有蹼，乌溜溜的眼睛里满是惊恐之色，看起来很可爱。

发现上当，小东西哇哇哭起来。

重紫含笑将它搂入怀里，安然坐着等待。

很快，水里又冒出两个怪来，一男一女，满脸焦急之色。

重紫什么也不说，自腰间解下根丝带，迎风晃了晃，丝带立即无限延长，她抬手将丝带一头丢给两怪，指了指对面。

两怪互视片刻，那男怪立刻取了丝带朝对面游过去，不消多时又返回，连连点头示意。

重紫这才站起身，用力拉丝带试了试结实程度，感觉还算满意，于是将丝带这头也固定在大石上，带着啼哭的小怪踏上去。

两怪紧紧跟随，不停发出奇怪的声音安慰小怪。

行至半途，脚底猛地一沉。

重紫立即料到发生了什么事，分明是对面的丝绳被解开了。御风术失灵，难免要落水，看来只有尽快退回。

应变瞬间，凤眼凌厉，升起浓烈杀机。

"想要害我，这就是下场！"重紫冷笑后退，同时纤手掐小怪颈，将其拎起在半空，丢向远处。

爱儿重重摔下，已无生还可能，两怪凄厉大叫，朝她扑过去。

重紫轻蔑，化气为剑，顿时黑血四溅，两怪尸体沉入水底。

最后的惨叫声里，无数怪自水里冒出来。

"报仇的？"重紫眼见丝带将沉，也不着急，正待作法，忽然身旁蓝光闪过，紧接着一只手伸来搂住她的腰，将她带离丝绳。

上古神剑八荒，架在百丈水上，如蓝色长桥。

白衣上有斑斑血迹，想是方才在冰壁上被打落时受的伤，那只手臂极为有力，牢牢圈住她，带着她快速朝前移动。

重紫没有反抗。

啼哭声刺耳，先前丢开的小怪正拎在他另一只手里。

八荒剑气凌厉，水里众怪挨近剑身，立即皮破血流，纷纷惨叫着逃离。

不消片刻，二人抵达对岸，秦珂放开了她。

重紫道："你以为我怕他们？"

秦珂将小怪送回水中，没有回答。

"不愧是仙门弟子，"重紫浅笑，"这是它们不自量力的下场。"

"它和你一样。"

"因为它没有足够的力量，否则迟早也会变。这才是真正的我。"

"助我拿到祝融果。"

"算是还你人情？"

秦珂依旧不答，拉起她就走，那只手太温暖，重紫迅速抽回。

秦珂看着她道："这里没有人，你……可以当作是从前。"

"仙与魔能相安无事吗？"重紫摇头，淡淡道，"你都看见了，谁心软，谁就是受伤的那个，不会有好下场。"

秦珂沉默片刻，点头，"走吧。"

前面是万丈悬崖，半崖上长着株参天大树，树冠是金黄色，与周围别的树木大不相同，金波荡漾，其上一点绿光闪烁。两人站在八荒剑上，至半空中仔细辨认，发现那是枚绿色果子，很小，形似鸽卵，晶莹如碧玉。

重紫道："想必这就是祝融果了。"

秦珂道:"祝融果熟,一旦有人前来采摘,食魂鸟就会现身。"

重紫来之前已听亡月说过,凡天地灵物大多都有异兽妖禽守护,守这祝融果树的正是食魂鸟,传说此鸟极其凶恶,专门啄食盗果之人魂魄,很少有人能安然逃离。祝融果最大的好处就是固魂魄,寻常人魂魄有肉身支撑,纵然受损,修复起来也不难,所以通常没人会冒这个险,以免弄不好反落得魂魄无存的下场。

"南华有谁出了事,让你来冒险?"重紫随口问了句,同时轻挥长袖,隔空去摄那果子。

小小祝融果刚离枝,就听得一声凄厉的叫,刺得人头皮发麻,紧接着一个黑影迎面扑来,速度之快,甚至来不及看清。所幸秦珂早有准备,八荒神剑带着二人折了个"之"字形,朝地面俯冲而下,方躲过袭击。

"好快!"重紫吃惊,不敢再大意,要设结界去挡。

"没用的。"秦珂迅速阻止。

那食魂鸟就像幽灵般,只见其影不见其形,速度快得惊人,眨眼间就到了重紫身后,幸亏重紫机敏,闪身避升。

八荒剑瞬间变长变宽,朝弱水另一边延伸,再次横架成桥。

秦珂低喝:"把它给我!"

重紫正被那食魂鸟缠得难以脱身,几次遇险,闻言下意识闪到他跟前,将果子递给他。那食魂鸟见状,立即改变攻击目标,再不缠她,直扑秦珂。

暂时得以脱身,重紫想也不想就化气为剑去斩,谁知那鸟极灵巧,根本无济于事。

来不及说话,秦珂挥手示意她先走,忽然听得耳畔有人轻轻笑了声,紧接着手腕一麻,祝融果已被抢走。

重紫踏上蓝桥,箭一般朝对岸滑去。

见她要跑,食魂鸟发怒,尖叫着凌空扑下。

身后杀气腾腾,重紫心道不好,然而这弱水之上不能御风,难以闪避,情势危急,她只得咬紧牙,提全身魔力设置结界。

砰!食魂鸟被结界弹开。

体内气血震荡,重紫终于明白为什么秦珂会说没用。这食魂鸟乃上古妖兽,威力非寻常妖怪可比,幸亏自己修得天魔之身,魔力了得,才勉强能承受攻击,换作寻常人早就重伤了。

耽误下去后果严重,重紫顾不得什么,全力朝对岸冲。

啄不破结界,那鸟越发疯狂,再次俯冲下来。

第二击撑过,到第三击,重紫实难以支撑,结界破开,整个人被强大的力量带得往前扑倒。

没有预料中的痛,背上忽然一沉。

"快走!"

此地离岸已不远，重紫来不及思考，爬起身带着他全力冲过去。

渡过弱水，两人上岸，那食魂鸟受限制不能继续追来，只好快快地朝这边叫了一回，转身飞走了。

惊魂一场，两个人都坐倒在地，八荒剑变回原样，收起，秦珂面色惨白。

"被食魂鸟所伤，你魂魄有损。"重紫毫不迟疑，将手心那枚小小的祝融果喂到他唇边。

秦珂没有推辞，吃了。

费尽力气拿到，结果又这么轻易用掉，整件事俨然变成了一场闹剧，好在重紫原本只是来走走，没打算真抢祝融果，所以不觉得失望，换作别人，还真不知道会怎么想。

"就算伤了魂魄，仙界也有别的办法医治，何必跑来找它？"重紫皱眉，"所幸你早已修得仙骨，否则……"

话未说完，她整个人忽然斜斜歪倒。

她落入了陌生的怀抱，头顶有阴影迅速笼罩下来，紧接着，唇上一片冰凉湿润，竟已被人牢牢堵住。

重紫惊愕，下意识地想要说话，立即有清甜果汁度入口中。

原来这祝融果乃稀世之宝，入口即化，他虽然当着她的面吃了，却并没有吞咽，等着这一刻全喂给了她。

重紫反应过来，全身动不得。

果汁顺咽喉滑下，他迟迟没有抬脸离开。

"丑丫头。"几乎听不见的声音。

摩擦，轻吮，冰冷的唇似乎也带上了一丝温度，动作很轻，生怕碰碎了般，可是很快他就不动了。

禁锢的力量消失，重紫依旧静静躺着，望着近在咫尺的脸。

长眉如刀，眼睫微垂，轮廓分明的脸完美得没有缺陷，但苍白如雪，看起来有点冷，可是那有型的唇边，隐约透着一丝难以辨认的笑意。

她不会防备他。

沉默片刻，重紫缓缓自他怀中起身，将昏迷的他平放枕在腿上，拉起他的手，度去灵气。

山高，夜来得格外早，没有月亮，黑暗中两人偎依在岩石下。

这里不远处有地火，重紫因恐受寒加重他的伤势，特意将他移来这里，正好借地火之气驱散夜寒，又有岩石挡住冷风。毕竟魂魄受损，纵然有治愈术，也是大伤元气的，被硬生生撕裂魂魄的痛苦，就更难体会了。

他是为她来取祝融果的吧？因为知道她以身殉剑。可做这一切又有什么意义？她早就不再是当年的丑丫头了。

察觉动静，重紫低头，"醒了？"

秦珂精神好了点儿，坐起身，"我没事。"

"你魂魄被食魂鸟所伤。"

"我有肉身，又有仙骨，过段时间自能修复。"

"你救了我，我也救了你，祝融果我并不稀罕，无须感激你。"

"我知道。"

"我先走了。"重紫欲起身，却被一只手拉住。

"天亮再走吧。"

"以身殉剑，我面前已经没有别的路，除非死。"重紫冷冷道，"你做这些，是和他们一样，想要逼我？"

秦珂没说什么，拉她入怀。

重紫面无表情，闭目。

真是讽刺，在她最爱的人怀里，她会被杀气惊动，感受那个人在杀与不杀之间挣扎；可是在别人怀里，面前的他，还有天之邪、卓昊，甚至包括九幽，她反倒能获得更多的安宁。

会做一个什么样的梦？

……

朦胧中，她听到有人在耳畔低声说话，"青华提亲，我在生气，丑丫头不知道。"

少年老成的小公子，绷着小脸骂她丑丫头，可是在她被人欺负的时候，会将她拉到身后保护她，除了大叔，他是第二个愿意保护她的人。

然而，在成为师兄之后，他却不知不觉在她的印象中淡去，甚至不如卓昊，记忆里，就是他不停地在闭关。

重紫在梦里苦笑。

为什么？为什么你总要闭关，为什么不让我爱上你？

习惯了魔宫漫长的夜，第二日重紫醒得很迟。秦珂仍以昨晚的姿势抱着她，眼睛望着远处，睫上发间似有白色霜花，不知他是醒得早，还是一夜没睡。

重紫没有动。

许久，秦珂缓缓放开她，"醒了？"

重紫起身扶起他，两个人朝山下走。

"不能离开魔宫？"

"你会陪我入魔吗？"

秦珂没有回答。

"这就对了，"重紫看着他的眼睛，"你是仙，是堂堂南华掌教的得意徒弟，不可能让你师父为难。我是魔宫皇后，注定不能回仙界，离开魔宫，我便失去容身之地。"

秦珂握紧她的手，"住在这里不好吗？"

重紫沉默片刻，笑了，"他们会找到。"

话音刚落，远处果真有人声传来。

"是南华的人，"重紫扬起长睫，"看到你和我在一起，他们会不会以为你背离仙门？魔与仙之间不应该有太多牵连，动感情的都不会有好下场，下次我不会留情，你如果真的不想我死，就不要再做这些，忘记丑丫头，这样对你对我都有好处。"

秦珂道："尊者这些日子常闭关。"

重紫不在意，"他是在赶着修炼，想要尽快杀我净化我。"

"他只是走火入魔忘记了，你当心。"蓝光乍现，八荒剑横于面前，秦珂举步踏上剑身，头也不回，循远处人声而去。

走火入魔？重紫嘲讽地笑。

"皇后该回去了。"背后传来阴恻恻的声音。

重紫吃惊，转身看来人，"亡月？"

"我的名字，魔界没有外人知道。"

"你一直跟着我。"

"我怎能让皇后独自冒险，"亡月眨眼间已至她身旁，"关心妻子的安危，这是丈夫的责任。"

重紫道："你是关心天魔令上的封印吧？"

"皇后这么说，让我失望，我想我应该更好地表现。"亡月伸手去抱她。

重紫避开，"我自己走。"

她快，有一只手比她更快，不知怎么就伸到她腰间，迅速将她带入冰凉的怀中，然后打横抱起。

"在别的男人怀里睡了一夜，却拒绝丈夫的怀抱？"

"放手！"重紫莫名地心烦意乱起来，圆睁了眼睛，挣扎，"你……"

怒意引发魔气，四周风烟随之激荡，谁知他仍无事一般，抱着她御风而行，魔力到他身上竟如石沉大海，毫无反应。

行事低调，不露锋芒，重紫早就料到他在隐藏实力，可眼前发生的一切，还是让她禁不住倒抽了口冷气，满腔怒火消失得无影无踪。

"你这么强，早就该修成天魔了！"

弯弯的唇角挂着一丝傲慢，亡月甚至没有低头看她，沉声笑道："魔界有一个天魔已经足够了。"

邪恶的气息如潮水般涌来，将她整个人包围，淹没，那两条手臂就像命运的绳索，将她牢牢缚住，半点儿也动弹不得，逃不脱，离不了。

重紫无力地笑，逐渐放松，放弃。

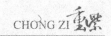

寒冬，水月城外白茫茫一片。自天魔出世以来，天地风云季候无不受其干扰，人间尤其明显，连续两年，冬季都来得格外早格外长，八月就开始降霜飞雪，眼下才九月，北风就已刮起，路上铺了近两尺深的雪，踏上去咯吱作响，不知冻死饿死了多少人。

千里雪地，一道影子分外醒目。

足尖轻点，乘风而行，踏雪无痕。

华美长发，映衬素净的雪，于是雪更白，发更红。

绛黑衣带翻卷飘飞，宝石夺目，环佩光彩，姿态自由随意，无拘无束，她本身就好似一阵五彩香风，将这片广阔天地当作了表演的舞台。

山坡上也有一名女子，少妇打扮，身上披着贵重的云丝霞锦披风，纤纤手指拈着枝红梅花，眉心一颗嫣红的美人痣。

五彩旋风由远及近，眨眼间，妖艳女魔已经站在了她的对面。

"是你?"重紫感到意外。

"你来了，"闵素秋垂眸，"我听他们说，你会来这里。"

重紫足不沾地，缓缓飘行至她跟前。

这个看上去温柔无害的女子，背地告密，借刀杀人，心肠歹毒，半点儿不含糊。可惜算计到头，还是不能得到，眼看着卓昊处处维护自己，眼看着丈夫对一个死了的女子念念不忘，她有太多恨，有太多不甘。终于，等到卓昊与她彻底决裂，那便是她忍耐的极限，从此不必再装，会因为吃醋与织姬大打出手。

重紫道："你知道我会怎样对你?"

"我知道，我在等你，"闵素秋掐紧花枝，低声道，"当年是我故意放出风声引你去救万劫，想借虞掌教他们的手处置你。如今他已不再理我，闭关去了。"

"你以为这么说，我就会放过你？"

"我既然来了，就不怕死，你不想杀我报仇吗？快动手吧。"

重紫懒得理她，转身要走。

闵素秋拉住她，"尊者他老人家……"

重紫下意识停了脚步去听，就在这瞬间，一丝凉意飞快地自臂上蹿来，熟悉的凉意，挣不断的轻丝，紧紧缠上魂魄。

那丝原是藏在梅花里的，闵素秋得手之后立即丢掉花枝，急速后退。

"我已是天魔之身，你以为区区锁魂丝能奈何我？"重紫冷笑，以更快的速度出现在她面前，伸手掐住她的脖子，"我不杀你，你倒来找死！"

"不杀我，是看在他的面子上？"闵素秋脸白如雪，惨笑了声，咬牙，"我不需要！你还是杀了我吧！"

重紫淡淡道："你当我不敢？"

闵素秋低哼，不语。

其实重紫并不怎么恨这个嫉妒的女人，对她的印象也不深，仅仅限于初见时她的温婉，和仙门大会上她跟织姬打架时的泼辣，更多时候她就是个影子，毫不起眼的影子，若非她这次主动找上来，重紫几乎都忘记了这个所谓的"仇人"。

她不是凶手，只是推波助澜，正好给仙门提供了一个杀自己的借口而已。她嫉妒，为了卓昊一心想要自己消失，可是她忘记了，这世上，做过的事迟早都会被揭穿，迟早都要付出代价，她不仅没有得到，反招丈夫厌恶嫌弃，这些都是她万万没料到的吧。如今拼命想要伤害情敌，想必是活得毫无意义了，何不助她解脱！

手开始用力。

美丽的眼睛瞪大，其中是毫不掩饰的恨意，闵素秋狠狠道："都是你！你怎么就不死？我与卓昊哥哥自幼相识，他最是爱我护我，没有你，我们会做一对恩爱夫妻！凭什么你一来，他就那么喜欢你，为你，他都不敢再跟我多说一句话！你死都死了，还回来做什么？我……我恨不能让你你魂飞魄散！"

呼吸困难，眉间那粒美人痣看上去更加刺目。

她用尽全力恶毒地笑，"你现在中了锁魂丝，伤别人多少，就要伤自己多少！你杀我啊！杀我啊！"

出乎意料，重紫没有被激怒，反而更平静地看着她。

被嫉妒和恨左右的女人，到底是仙子还是魔女？

能这么全心全意去恨一个人，也需要毅力吧，可悲的是，你眼中那个值得恨的主角，一直只是把你当成配角。

"伤人多少，就伤自己多少，可惜我不伤人，别人也照样会伤我，左右都是个伤，你

以为我会很在意？"重紫丢开她，微笑，"我为何要杀你？闵素秋，没有谁喜欢娶一个恶毒的女人当妻子，你用手段害我，可是他喜欢的还是我，他只会厌恶你，不会再碰你，你永远得不到他，我要留着你，看你痛苦地活下去……"

摧毁对手的办法很多，不一定是死。

伤疤被重新揭开，闵素秋果然笑不出来了，"你住口！"

"我留着你，看你活一日便痛苦一日，这样的报复岂不比杀了你更痛快？"面前人翩然旋转两圈，飘带环绕飞扬，好似最美的舞姬表演，语气竟透出十分邪恶，带着一丝奇怪的诱惑，"看到了吗？就算我入魔，他一样会对我死心塌地，很气？很嫉妒？是不是想杀人？可惜你杀不了我，恨吧……"

被说中心思，更被她的表情吓到，闵素秋狂躁且恐惧，后退，"你……在说些什么？"

"还不明白？"重紫逼近她，幽幽叹息，似有无限同情，"你修的不是仙道，魔道，才是你该入的道。"

闵素秋终于露出惊惧之色，"你胡说！"

"你一直被心魔所困，嫉妒、愤怒、耍阴谋，心胸狭窄，你早就不再是什么仙了，除了这些，你还有什么？现在所有人都知道你阴险，都在笑话你是泼妇，卓昊不会再理你，你已经一无所有。"

"一无所有的是你，卓昊哥哥只是跟我赌气罢了！"

"是吗？"暗红色双瞳荡漾着妖异的笑，重紫俯视着她，仿佛高高在上的审判者，"你还在妄想，妄想他有一日会回来找你，可惜那是妄想，你在他眼里已经十恶不赦，你做什么，都只能换来他的嫌弃。你的纠缠，他早就厌恶了，他现在肯定想快些摆脱你，恨不能让你快些死，那样他就解脱了……"

声音不大，像是自言自语，却带着魔力一般，听得人打心底生出寒意，生出绝望。

闵素秋精神几欲崩溃，踉跄后退，"胡说！你胡说！你给我住口！"

"你根本没资格做仙，还要执著什么？你应该随我入魔。"红唇似在念咒，一只美得可怕的手伸到她面前，"既然他弃你，你又何必坚持！入魔，就再也不用顾忌，再也不会受伤。"

闵素秋惶恐躲避，"别过来！我不会入魔，你别过来！"

"魔无处不在，它早就在你心里了。"

"闭嘴！"

"仔细看看你的心魔……"

……

心魔？闵素秋捂着胸口，喘息，发抖。

是她放出消息引这个女子上当，借刀杀人，从而得到了他。可他呢？他恨她，在他心里，她就是个恶毒的女人，根本不配做他的妻子。

费尽心思拥有的一切突然间都失去，只剩下满满的怨恨和嫉妒，这些都是她的心魔。

不对，她有什么错？她只是太爱他，为什么会落得一无所有？

"够了！我是得不到，你不也一样什么都没有吗？"闵素秋疯狂大叫，猛然间似想到什么，抬手指着重紫，似笑似怒，"至少，我还能死，我还能死……"

小口微张，鲜血喷溅，她竟再也承受不住精神的重负，就地自绝。

白的雪，红的血，与不远处掉落的那枝梅花极其神似。

强烈的色彩对比，带来视觉上的震撼，重紫心魔渐去，愕然看着眼前闵素秋的尸体，半晌缓缓垂眸，苦笑。

恶毒的话都能说得这么顺口了，不愧是极端之魔，没有回头的余地，所以才会更偏执吧。

卓昊闭关只是逃避，不想看到结果，她故意借此伤闵素秋而已。

闵素秋没说错，她同样一无所有，但她不在乎。

背后有动静，重紫警觉，迅速转身。

"孽障！"剑光白衣映着白雪。

洛音凡闭关两年，才出关就听说闵素秋失踪，据青华弟子说，她曾派人打听紫魔行踪，虞度等人自然不知道这个地方，洛音凡却清楚得很，立即匆匆赶来，谁知会亲眼看到这样的情景，头脑立时空白一片，"孽障！你……你不想活了吗？"

重紫见他这样，不禁笑了，"我死不死，你好像还很关心的样子。"

"你到底在做什么？"

"两年不见，一来就问我做什么，尊者这是与我叙旧呢？"

知道身中凤凰泪的事，洛音凡对她本有愧意，但如今眼看闵素秋横尸面前，又听她说得这么云淡风轻，一副若无其事的模样，分明有拿人命当儿戏的意思，顿时怒气又生，悲愤交加。

原以为只要她没有杀人，事情再坏都能补救，孰料她修成天魔，果真性情也变得极端。闵素秋再如何也是青华少宫主夫人，又是闵云中的侄孙女，如今命丧她手中，事情发展到这一步，已是无可挽回，往事记得不记得都不重要了，她闯下这样大祸，叫他如何救得了她？

妖冶风姿，绝世之美，然而那双黑白分明的眼睛，始终纯净得令人不敢相信。

蓝色耳坠闪着幽幽光泽，仿佛两滴晶莹的泪。

洛音凡微微闭目，心乱如麻。

到如今还有什么好说的，重紫飞身而起。

"给我站住！"冷冷的声音，眨眼间他已拦住去路。

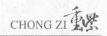

重紫飘然折回，退后几丈站定，唇角一弯，长眉挑起几丝残酷之色，"又要杀我？"

"是你杀的？"

"她这种人活着也是痛苦，死了更好。"

一句活着痛苦就可以杀人？她这样，分明是视生命如蝼蚁！洛音凡以剑尖指她，气得不知道该说什么。

重紫平抬右臂，掌上立即出现一束红色魔光，似执了柄无形之剑。光影交错，狂风骤然卷起，天空没下雪，地面的雪却开始一片片飘飞上天，直入云中消失，竟令人产生天地颠倒、时空逆转的错觉。

重紫执剑横胸，声音冷冰冰，"动手吧。"

洛音凡呆了呆，更觉沉痛无力，颓然垂下剑，"随我回南华请罪。"

重紫"哈"了声，仿佛听见了极有趣的事，"笑话！洛音凡，你以为你是谁？你说回去，我便要乖乖跟你回去受死？"

"为师会尽全力护你性命。"

"肯留我一条命，我要多谢重华尊者慈悲。"

洛音凡抬剑，"你回不回去？"

"回去让你们时刻防备，还是又被关进冰牢？"

"为师修成镜心术，必会放你出来。"

"这些话还是留着，对你那个没用的蠢徒弟说吧！"重紫聚气凝神，冷笑，"想要我心甘情愿回去受罪，除非你有本事杀了我。"

"你还不回头？"

"我是魔，又不是仙，回什么头？没入魔的时候你们逼我，入魔你们也不放过，我为何要回头？"出招即绝杀，纤纤手指轻划，黑气在半空旋转，凝成千百柄小剑，她厉声道，"洛音凡，你我早就不是师徒了，还顾忌什么，要杀就来吧！"

洛音凡不动，护体仙印浮现，所有小剑近身立即粉碎。

煞气比寒风更凛冽，激发魔力汹涌，身上衣带装饰亦是武器。重紫毫不留情，招招紧逼，出手全无章法，可她到底已修成天魔之身，今非昔比。洛音凡退让之下颇觉吃力，形势越来越难控制，到最后他索性将心一狠。

事情因他而起，最初的打算是，只要她肯跟他回去，他就陪她一起领罪，顶多辞了仙盟首座，也要竭力保全她性命，孰料她心中恨意太重，言行变得极端，再这么纵容下去，恐怕今后会做出更多滥杀之事，眼前闵素秋之死就是个例子。

罢了，既然难以挽救，他就彻底对不起她吧。

心中悲凉，洛音凡停止避让，右手捏诀催动逐波剑，左手凌空结印，赫然又是一招"寂灭"。

当年南华天尊正是用这一式将魔尊逆轮斩于剑下，洛音凡本就长于术法，又是现今仙界唯一修成金仙的尊者，此刻怀了必杀之心，"寂灭"由他全力使出来，更非同小可，与之前大不相同。

似曾相识的场景再现，重紫魔意稍减，神志渐渐苏醒。

终于还是决定了？

漫天清影，重紫望着那执剑之人，忽觉疲惫，缓缓收了剑，垂下双臂。

也许，解脱就好……

可惜她虽主动放弃，体内魔力却未必，感受到强大仙力的侵犯，本能地要进行反抗，引发心魔，一念之间魔意又起。

第一世是寂灭，承受这么多，难道又要换来个寂灭的结局？什么都没有了，什么都没讨回来，岂会这般轻易就受死！

重紫目光一冷，猛提全身魔力，抬掌就要推出。

"尊者留情，她可能中了锁魂丝！"

八荒剑蓝光闪闪，映衬俊美偏冷的脸，秦珂挡在她面前，微微喘息，"师父前日清点锁魂丝，发现少了一根，命闻师叔详加调查，前日才知是妙元将锁魂丝藏处泄露给了卓少夫人，听说卓少夫人失踪，秦珂料想必定与此事有关，求尊者手下留情，莫要错伤了她。"

是闵素秋用锁魂丝暗算她？洛音凡心里咯噔一下。

至此，他终于明白那笑容里的含义，她在嘲笑他，料定他会怀疑她，怪罪她，料定他会如何选择，所以她不解释。

每每遇到她的事，他总是冷静不了，因为知道自己身中凤凰泪的缘故？

杀气收尽，洛音凡沉默。

"我中没中锁魂丝，与你何干？"见到秦珂，重紫反而恼怒了，抬眸冷冷看他，"就算我中了锁魂丝，杀你也绰绰有余。"

秦珂恍若未闻，"她是尊者唯一的徒弟，尊者已经亲手杀她两次，又怎忍心再下杀手？"

洛音凡表情僵硬。

两次？他只知道自己用锁魂丝毁了她肉体，伤了她魂魄，但那也并非有意，为何秦珂会这么说？难道之前他……他做过什么？那些被磨去的记忆里到底还有些什么？

不，她堕落入魔，就理当受惩处，否则，要他怎么接受这样的大错？

洛音凡尽量说服自己镇定，"也罢，念在师徒一场，倘若她肯回南华领罪，我便饶她性命。"

"尊者这是逼她，她根本没有退路。"秦珂摇头，"天生煞气，走到今日并不全是她的

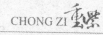

过错，尊者为何不问清前事再作决定？"

"什么前事，轮得到你来管？"重紫抬掌击出。

秦珂硬受一掌，身形晃了晃，吐出口鲜血。

"孽障！"洛音凡握剑。

秦珂抬臂护住她，"既肯替她掩饰煞气，再收为徒，到头来却又不能护她，尊者当真铁石心肠，就没有一点儿内疚？"

"我需要你们的内疚？"重紫大怒，掌心有魔光，"我说过不会再留情，让开！"

秦珂终于避开这掌，扣住她的手腕，"锁魂丝未除，伤人只会伤着自己。"

什么伤都受过了，还怕这点？重紫挣脱他的掌握，冷笑，"我是天魔之身，杀两个人没那么容易死，养个两三天就好了，你该担心你自己。"

"重紫！"掌风落，秦珂以八荒剑撑地，俯身又喷出一口鲜血。

洛音凡木然而立，没有出声也没有阻止。

他的徒弟，因凤凰泪忘记的人，被别人这样维护着，他又能说什么，能做什么？

锁魂丝，伤人伤己，重紫嘴角也慢慢沁出血丝，她却似全无感觉，暗红色眸子闪着近于疯狂的光，"你找死？"

"你冷静点。"

"让开！"

"重紫！"秦珂低喝，"要我死容易，不要再伤自己。"

或许是被他脸上的表情震住，重紫清醒了些，看着他半晌，忽然嗤笑道："你以为这样就能感动我？"

秦珂没分辩，站直身，转向洛音凡，"秦珂甘愿替她赔一命与青华宫，求尊者念在旧日情分，将来护她一命。"

洛音凡变色，"你……"

未及阻止，那白衣上已有数点血沁出。

他竟自绝筋脉！

不知是红的血太刺眼，还是因为那目光太温柔，重紫终于寻回理智，喃喃道："你……做什么？"

他朝她伸手，"重紫，过来。"

是她害死了他？她又做了什么？重紫惊恐后退，"我没让你死，我没想杀你，是你自己……"

"是我自己，不是你的错。"

"你以为这样我就能回头？"

"我并非要劝你回头。"

"为什么？"

他没有回答，只是艰难地朝她迈步，却苦于无力，屈膝半跪下去，以剑支撑才勉强没有倒地，"丑丫头，过来。"

隔世的称呼，梦里曾听到。

仙山，大鱼，大海，那个紫衣金冠的高傲的小公子，会绷着脸叫她"丑丫头"，会躲开她的手，也会在她受欺负的时候站到面前保护她。

应该走近，可不知什么时候，反而越来越远。

她身受重刑，冷静自持的青年，不顾伤势拉着她的手要她忍，忍下去，等他救她出来，等他为她驱除煞气。

她没等到那天，已经万劫不复。

当一切不能挽回，他选择死在自己手上，只为不让身中锁魂丝的她受伤。

面前那手修长如玉，指节寸寸透着力量，仿佛为救赎她而来，重紫慢慢地、慢慢地走过去，拉住。

秦珂立即握紧那小手，"自与你一同拜入仙门，我太多时候都在闭关，只因听掌教说你天生煞气注定入魔，不能修习术法，所以妄想有朝一日能修得尊者那般厉害，好保护你。"

沉默片刻，他苦笑，"早知如此……"

早知到头来还是保护不了她，早知再努力也改变不了命定的结局，他又何必去闭什么关，修什么仙术，能多陪她几年更好。

有后悔吧？

或许没那么复杂，仅仅是一种很简单的感情而已，他一直都是那个别扭的小公子，单纯地想要保护那哭泣的丑丫头。

重紫摇头，只是摇头。

"生在富贵之地，慕仙界之名而来，发誓守护人间斩尽妖魔，没想到……"秦珂看看手中八荒神剑，将它奉与洛音凡，"望尊者将它带回交与师父，是秦珂辜负他老人家厚望，但求不要怪罪于她。"

"是我无能，没办法给你一条回头的路，"他用力将重紫拉近，"不要再轻易伤害自己。"

知道无路可走，所以没有劝她回头，只让她爱惜自己，少受伤害。

白雪世界，瞬间变作茫茫大海。

脚底不是山坡，而是青色鱼背。

鱼背起伏，海风吹拂，伴随着哗啦的海浪声，尖锐的海鸟声，悠悠如往事再现。

"我此生原是立志修仙，来世我们再不要入仙门，可好？"

"我还会有来世吗?"

俊脸白似雪,却不复冷漠,他微微一笑,"会。"

那身影终于倒下,带着她也一同跌坐在地。

用最后法力营造的幻境消失,一道身影尖叫着扑过来,带着哭腔,却是尾随而至的司马妙元。

身体犹带温度,重紫将他的脸紧紧抱在怀里,什么都没有说,也没有流泪。

黑暗的仙狱,他扶着她的肩膀说她傻,"一个人倘若连自己都不想保护自己,又怎能指望他人来帮你?"

可是现在,他一心保护她,也忘记了自己。

一个一个全都离她而去,为什么连他也留不住?她已经是魔,万劫不复,连那个人都在逼她,为什么他还不肯放手?她都那么绝情了,为什么他还是不肯离她远些?

魂归地府,来世的他还会是那个骄傲的少年老成的小公子吗?精明稳重,行止有度,不要再遇上她,不要再这么傻。

"秦师兄!秦师兄你怎么了?"看到白衣上的血,俏脸立刻变得狰狞,司马妙元疯了般,拔剑朝重紫狠狠劈去,"又是你,你害死了他!"

重紫面无表情,抱着秦珂坐在雪地里不动。

仙印起,司马妙元被震得退出好几步才站稳,"她害了秦师兄,尊者!"

"害死他的不是重紫,是你。"另一个淡淡的声音响起。

冰蓝色披风,腰间佩长剑,闻灵之缓步走来,"若非你居心不良,故意将锁魂丝的藏处泄露给闵素秋,这一切都不可能发生。"

"你胡说,我怎么会害他?"司马妙元疯了般摇头,指着重紫,"我只是想让她痛苦,让她尝尝锁魂丝的滋味,她是魔,本就该死,不是吗?我并没害秦师兄!"

唤他出来时,就知道会是这样的结果了。闻灵之看看秦珂,然后转向洛音凡,作礼,"前日天山弟子作证,月乔生前曾私下透露,进仙狱侮辱重紫,私入昆仑冰牢,都是受司马妙元撺掇而为,如今司马妙元又泄露本门秘宝锁魂丝藏处,连累卓少夫人,有辱南华门风,理当问罪。灵之已禀过督教,现废除司马妙元修为,逐出南华,送回皇宫。"

洛音凡机械地点头。

废除修为,逐出南华!司马妙元如闻晴空霹雳,脸色立刻变得惨白,"不,不可能!"

闻灵之道:"我早已警告过你,司马妙元,你从此不得再以仙门弟子身份自居。"

"不会!你骗我!"司马妙元嘶声道,"我是公主,我父皇是人间帝王,掌教不会这么做!"

"仙门没有什么公主,"闻灵之语气平静,"能得到的不需要用手段,得不到的,用尽手段也得不到。重紫入魔很可悲,司马妙元,其实最可悲的还是你,你为何不回头看看你自己，看你因为嫉妒做了些什么事，变成了一个怎样的人。原本没有秦珂，你还有别人，有尊贵身份，有掌教与仙尊器重，如今你却什么都没有了。"

"我不信！我要见掌教！我要见督教！"

"因为你，害得卓少夫人闵素秋丧命，害得掌教弟子秦珂身亡，你见了掌教与督教，还想求怎样的下场？"

司马妙元失魂落魄，坐倒在地。

是的，贵为人间公主，她拥有的太多，有宠爱她的父皇和母妃，有上好的修仙资质，有掌教与督教仙尊的提拔与器重，是新一代弟子里的拔尖人物，可是因为她一念之差，把大好光阴浪费在嫉妒与算计上，非但害死了秦珂，还害死了闵素秋！这些年来，她用礼物打点收买人心，可是那些人有几个是真心待她为她好？所有人都奉承着她，从来没有谁劝阻过她一句。重紫出事尚有人怜悯维护，而她，闹出这么大的事，也没有一个求情的，南华竟无她的立足之地！回皇宫吗？母妃荣宠早已不如当年，原将拜入仙门的她当作唯一的希望与筹码，如今她却被逐出南华，对这个不在身边多年的女儿，父皇还会那么喜欢吗？她真的什么都没有了！

重紫费力地抱着秦珂站起身，再没多看众人一眼，化作一阵风消失。

天上不知何时又开始飘起了雪，越下越大。洛音凡站在雪地里，白衣惨淡，被风雪包裹，竟似一块寒冰。

夜幕将临,殿内冷冷清清,照例没有点灯。法华灭原本亲自守在殿外,见了亡月立即作礼,退下。亡月走进殿,就看见重紫斜斜歪在水晶榻上,有点出神的样子。

长而密的睫毛毫无颤动,凤目空洞,仿佛看得很近,又仿佛看得很远,暗红色长发衬着雪白的脸,美得伤心。

身系魔宫未来,注定的命运,魔族的希望,经历这么多事,一颗心却始终未改,自打见到她第一眼起,他就知道,这少女不属于魔族,不属于魔神。

而他,从这场游戏的看客,变身为其中的角色,若非知道她对魔族的重要性,或许,或许他……

没有或许。

亡月叹了口气,难得带着几分惋惜。

他俯身将她抱入怀里,像抱着个孩子,"怎么,心软了?"

重紫先是不解,很快反应过来,淡淡笑道:"有人为我而死,我总会感动一下的。"

"还不肯把你献给我吗?"

"我只是一柄剑,圣君要就拿去。"

冰冷的唇在她脸上点过,那是种奇怪的感觉,黑暗的气息透着魅惑。

重紫惊讶地望着他,一时反应不过来。

不属于魔的少女,竟得到他真正的吻,亡月道:"你若能看到我的眼睛,我就可以答应你一件事,包括修复你的肉身,取出你体内寄宿的逆轮之剑。"

他伸手抚摸她的脸,"无戏言。"

重紫看着他半晌,低头,"不必了。"

亡月也不强迫她,"累了就睡吧。"

"被你抱着，今夜我会睡不着。"

"你怕我?"

"怕，"重紫再次抬脸望着他，一字字道，"这里人人都怕你。"

冬去春来，对那些想要挽救什么的人来说，时间总是过得太快，然而对那些想要终结的人来说，时间却过得太慢太慢了。

法华灭走进殿时，重紫正躺在亡月怀里假寐。

"洛音凡要见皇后。"

"我的皇后，这个人又来了，要不要我去把他赶走?"亡月叹息。

整整半年，洛音凡都等在水月城外，重紫当然不会再去。倒是这段日子里，外面巡守水月城一带的那些魔兵全部过得心惊胆战，更有不走运被他抓去的，好在他这回格外留情，并没有过分为难谁，全都放回来报信了。

"他说见我便要见吗?"重紫半睁开眼，有点不耐烦，"仙界尊者的话，你当成圣君的命令了?"

法华灭忙道："属下不敢，只是这回他抓住了欲魔心。"

重紫意外，"欲魔心早已不是魔宫护法，他要杀就杀，与我何干?"

得到答案，法华灭立即附和，"正是，欲魔心擅离圣宫，辜负圣君多年栽培之恩，早就该死，属下这就叫人去回绝了他。"

重紫抬手，"此事我自有道理，你不必管了。"

法华灭答应着退下。

亡月道："皇后还是想去见他一面?"

重紫道："你未免太有把握。"

亡月笑道："梦姬说你们关系有些不清楚。"

重紫直了身，"你信她还是信我?"

"信她。"亡月抚摸她的脸，"可惜你是魔，不可能叛离魔神，他却是仙，怎会愿意和魔在一起? 你得不到他。"

"不用你提醒。"

"去吧。"

雪早已化尽，水月城外风景又是一变，满坡苍翠。

白衣衬得遍身清冷，与上次雪地分别时的姿势一模一样，好像没有动过似的，他就那么从冬天站到了现在。

欲魔心倒在地上，闭着眼睛。

重紫御风而至，飘然落地，一缕长发被风吹到唇边，又被两根纤长手指轻轻撩开，平添几分妖娆。

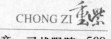

"你找我？"语气透着暧昧。

出乎意料，洛音凡听了既没尴尬也没生气，只是转脸看着她，漆黑的眸子不见底，仿佛要将她整个人装进去。

欲魔心从地上爬起来，也不道谢，转身就走。

重紫拉住他，"他杀了阴水仙，你不找他报仇？"

几年不见，鬼面看上去已没有先前那般狰狞，多了几分安宁与祥和之气，欲魔心淡淡道："那是她自己选择的路，我报什么仇，给谁报仇？"

"但我是来救你的，你总不能就这么走了。"重紫道，"圣君现在怀疑我跟他关系不清不楚，你一走，剩下我们孤男寡女的，难保不生出什么闲话，到那时我可是有理也说不清的。"

欲魔心听得张了张嘴，哭笑不得。

洛音凡脸一阵白，却没有说什么。

欲魔心看看他，又看她，难得笑了声，"你不是水仙。"

"我是，"见那人神色明显一僵，重紫停了停，唇边弯起嘲讽的弧度，"我说是，你会相信？谁都知道，他现在恨不能杀了我这个不知羞耻的孽障。"

"重儿！"

何等熟悉的语气，略带责备，略带无奈的，她就是死上千百次，化成灰，烂成泥，也照样能记得清楚。

重紫看着他半晌，道："记得了？"

洛音凡默认。

又是内疚？重紫更加好笑。这样一个人，说他无情吧，明知改变不了什么，明知无可挽回，他还试图阻止，不自量力地想要救她；说他有情吧，说的话做的事都无情至极，狠得下心，下得了手，她有今日，完全是他与那些人一手造成，你问他后不后悔，他肯定说不会，可是他会将内疚当饭吃，这不是自虐吗？

既然选择遗忘，今日记起来又有何意义？或者他应该再次遗忘才对。

重紫不说什么了，转身要走。

"重儿！"他终于开口，"你要去哪里？"

"当然是回魔宫。"

"那不是你该留的地方。"

重紫没有意外，"这话奇怪，我现在是魔宫皇后，不回去，难道要留在外头？九幽还在等我，我出来太久，他会不放心的。"

九幽，又是九幽！明知她是故意，洛音凡依然听得恼火，尽量维持冷静，"九幽没你想的那么简单！"

"他是我丈夫，人人都知道他不简单，是魔界最强的魔尊，"重紫扬眉，"怎么，难道你在吃醋不成？"

丈夫？她承认那是她的丈夫？受了利用还不知道，他迟早会杀了九幽！洛音凡薄唇紧抿，眼睛里几乎要喷出火来。

欲魔心听得有点傻，也有点想发笑，想不到她敢对曾经的师父这么说话，分明是在故意气他，这对师徒倒有些意思。

重紫收起戏弄之色，"洛音凡，你要见我，我已经来了，你还有什么说的，一并说清楚才好。"

"跟我回去。"

"你知道不可能。"

"我带你走。"

笑意逐渐收起，重紫匆匆抬脚就走。

"他中了欲毒。"欲魔心忽然开口。

两个人同时僵住。

重紫慢慢地转回身，喃喃道："你说什么？"

"他中欲毒多年了。"欲魔心确认，也是洛音凡修为太高，隐藏太深，所以到现在才看出来。没有什么比这更令他意外了，人人都道洛音凡是当今仙界修为最高的尊者，几近于神，完美得没有破绽，想不到这样的人也会有欲望，被区区欲毒缠上，传出去也算奇事一件。

谎言终被揭穿，俊脸刹那间白如纸，伪装的镇定再难维持，他整个人还是纹丝不动地、笔直地站在那里，却犹如失去了灵魂，剩下个空架子，只需轻轻一推，便能将他打倒。

欲毒，这才是最真实的答案，原来他中了欲毒，怪不得那夜他会失常，那根本就不是什么走火入魔！原来他需要忘记的，不是她的爱，原来他对她……

重紫低头，咬着袖子笑起来，笑弯了腰，笑出眼泪。

一个习惯以道德和责任约束自己的近乎完美的人，突然发现自己竟对徒弟生出爱欲情欲，要他站在她面前，已经很羞愤很绝望了吧，所以他选择骗她，伤害她，忘记她？

欲魔心惊疑，"你……"

"我没事，"重紫摆手，直了身，"想不到堂堂重华尊者也会被欲毒困扰，我还当他真像传说中那么无情无欲，你先走吧。"

欲魔心看看二人，果然遁走。

沉寂，凝固了空气，凝固了时间。

重紫抬脸望着他，泪水滚落，表情僵硬，"你想告诉我什么？你那天晚上真的是走火

入魔?"

洛音凡脸更白，语气反而平静下来，"是。"

无论发生过什么，都是错的，都是不应该发生的，无论他爱与不爱，都改变不了师徒的事实。

"还在说谎，你真的不爱我?"重紫摇头，"或者干脆告诉我，你又忘了?"

"是我对不住你。"

"还有?"

"不要留在魔宫。"

"跟你去冰牢?"

"我带你走，"洛音凡一字字道，"为师会辞去这仙盟首座之位，带你离开。"

"师父?"

曾经最神圣的两个字，如今听来，满满的尽是讽刺，令他倍感虚弱，无言以对。

一定要这样? 重儿?

对上他的视线，重紫沉默片刻，道："你知道我想要什么，还要带我走?"

那是个足以毁灭他一世英名和半生荣耀的要求。

洛音凡摇头，"我带你走，但……"

"但你不能给我，"重紫替他说完，"堂堂重华尊者舍身至此，只为带徒弟离开，叫人感动，也成全了好师父的名声。"

洛音凡艰难地动了动嘴唇，不知道该说什么。

恢复记忆的那一刻，他的心几乎就死了，不能回想剑下那双毫无生气的眼睛，不能想象被他放弃，她是怎样的绝望。

如何解释? 如何能承认?

亲手将她推到绝境，一滴凤凰泪，忘记的却是平生爱护有加的徒弟，自负如他，尚德如他，难以接受，更无法改变。他并非畏惧流言，而是这本来就错了，叫他怎么答应? 就算别人都以为他们那样，他也不会真的就做出那样的事，他永远都是她的师父，爱上她已是罪孽深重，怎能再跟着糊涂?

可以尽一生陪伴她，可以永远忍受面对她的难堪，甚至用性命偿还她，却不能答应那样的要求，成就永生罪孽。

重紫盯着他半晌，笑了，"好啊，你先让我封印你的仙力，我就跟你走。"

洛音凡不语，护体仙印闪烁两下，消失。

一道魔印打在他身上。

筋脉受制，灵力再难凝集，仙界最强的尊者，此刻与寻常人无异，对他做任何事，他都没有能力反抗。

重紫走到他面前，轻声笑，"洛音凡，我骗你的。"

面对戏弄，洛音凡不意外，亦不生气。

这样，可以稍解你的怨恨吗，重儿？

"你知道我不会杀你，所以不在乎，"怒色一闪而逝，重紫低哼，眼波流动，泛起一丝恶意，"可是制住了你，仙门对付起来就容易多了吧？"

"重儿！"他果然开口。

"你这是求我？"重紫伸臂攀上他的颈，缓缓用力，迫使他倾身低头。

娇艳的唇越来越近，湿润，晶莹，带着记忆回到当初那夜，洛音凡心一跳，立即闭目，皱眉。

轻软气息夹带幽香隐隐，似兰非兰，似麝非麝，若即若离的唇，一切静止在一个极暧昧的距离内。

最近，也最远。

镇定的脸上，有无奈，有羞愧，有忍耐，还有一丝隐藏的厌恶。

半晌，她松开他。

双眉渐渐舒展，洛音凡松了口气，重新睁开眼睛，脸有点热。

为什么紧张？

不明白，或者是刻意忽略了。

重紫似笑非笑，"是不是想一剑杀了我这个不知羞耻的魔女？"

洛音凡直了身，不答。

重紫缩回手，后退，纱衣被风吹得飘起，一张脸依旧美艳不可方物，"你若早些说带我走，我或许真的什么都不要就跟你去了。可惜，你那个蠢徒弟已经死了，我现在是九幽的皇后，重姬。

"看在你曾是我师父，待我有恩，还能为我内疚的份儿上，以前的事我都不予计较。如今，我的法力是父亲留的，性命是大叔救的，地位是九幽给的，还有天之邪、燕真珠、阴水仙、秦珂，喜欢我的，连害我的都为我而死，我欠他们，却唯独不欠你，为什么还要跟你走？"

她展开双臂，很自然地在他面前转了个圈，"想必你都猜到了，我的肉体早已残破，只是以身殉剑，靠魔剑支撑，连魔都不是，你愿意带一柄剑走天下？可天魔乃是极端之魔，剑上魔气迟早会让我迷失心性，不是你能控制的，那时为了你的仙门和苍生，你又将如何？再次将我锁入冰牢，还是修成镜心术，把我连同剑一起净化了？"

洛音凡站在那里，衣袍因风颤抖，声音却异常坚定，"不论是进冰牢，还是净化，为师都会陪着你。但眼下你不能再继续，逆轮尚且失败，你又怎会成功？这条路再走下去，只会万劫不复。"

"我万劫不复与你何干？"重紫轻抚绛黑长袖，"舍弃仙盟首座，你以为你做的牺牲已经够大，所以我就该原谅你？"

洛音凡愣住。

"不要再说带我走是为了救我，你只是放不下你的责任。"重紫淡淡道，"你念念不忘的，还是你的仙门苍生。你害怕，因为这一切都是你造成的，是你的罪孽。你做这些，只是为了弥补你的过错，你后悔没有趁早杀了我，那样你就可以一边内疚，一边看天下太平……"

"重儿！"不是这样！

"我什么都没有了，必须要得到更多！"重紫语气陡然变得冰冷，暗红眸子里弥漫一片妖魅杀气，"走到今天这一步，我不能甘心！虞度他们逼我入魔，我就灭了仙门，让六界入魔！"

见她魔意渐重，洛音凡心惊，"重儿，不可任性！"

"我任性？"重紫仿佛听到了最大的笑话，"洛音凡，分明是你虚伪！你口口声声说带我走是为了苍生，是要救我回头，可是你难道真的一点儿也不想要我？"

洛音凡紧抿薄唇，目中已有痛苦之色。

爱，却不能要，这份爱也就变得不堪了，因为它不该产生。

"不要胡闹了。"

重紫了然一笑，闪至他身旁，轻轻在他颈间吹气，"你的欲毒为何清除不去？你怎么不说？"

"这不重要。"

"我嫁给九幽，你真的一点儿不在乎？这些年我在魔宫夜夜与九幽亲热，你真的一点儿也不吃醋？你要带我走，真的与他没有一点儿关系？"

"够了！"声音冷彻骨。

洛音凡握得双拳作响，勉强克制冲动，否则他不能保证会不会狠狠扇她两巴掌，让她清醒，让她看清自己做了什么荒唐事，看清她在他面前说这些不知廉耻的话的样子！看清那个卑鄙的九幽的真正目的！

重紫无视他的反应，转到他面前，仰脸望着那双不见底的黑眸，"你以为天下只有你洛音凡值得我喜欢？九幽完全可以替代你，他足够强大，长得也不比你差，会保护我，疼我，每次我醒来的时候，都在他怀里……"

啪的一声，一记响亮的耳光。

重紫被打得侧过脸，弯了腰。

手打下去，洛音凡便知自己又要后悔了，再想到她在别的男人身下承欢的情景，天生洁癖被勾起，禁不住又是一阵厌恶，后退两步。

脸上逐渐浮现指印，重紫已经感觉不到痛，扶着大石慢慢地重新直起身体，看着他坦然道："当初仙门追杀，我跟着他活到现在，你呢？你做了什么？亲手杀我，打断我的骨头，还是把我关进冰牢，用锁魂丝毁我肉身？没有阴水仙，没有天之邪，没有秦珂，我早就不在世上了！九幽是利用我又如何？他护我，给了我地位，你爱我，却只能给我伤害，你有什么资格生气，又有什么资格嫌弃我？"

　　错了，他又错了！洛音凡一句话也说不出来，缓缓闭上眼睛。

　　什么时候，他竟然沦落成一个责怪徒弟、打徒弟发泄的师父了，是他心有邪念，怎么可以用伤害她来掩饰过错？为什么在她面前一再犯错，为什么他就控制不住？

　　心早就死了，可看到他嫌弃的样子，依然会冷。

　　重紫后退，"洛音凡，不要说什么救我回头，我不需要！不要做出一副救世主的样子，你对得起你的仙门苍生，可是伤到了我。我能理解你的决定，但不会原谅你，除非南华山崩，四海水竭！"

　　不要走，不要回去。

　　瘦弱的身影逐渐远去，洛音凡抬了抬手，终究还是无力地垂下。

　　魔宫之夜，亡月已经等在了榻上，紫水晶戒指在黑暗中闪着幽幽的光。

　　见到重紫，他抬起左手，重紫不由自主走过去，顺势坐到他膝上，躺到他怀里。

　　他身上并不暖和，阴冷，有种压抑的感觉，两条手臂将她牢牢圈住。起初重紫差点儿睡不着，可是日子一久，渐渐也就成了习惯，不仅如此，这怀抱似乎总透着股神秘的诱惑力，吸引着她，像上了瘾似的，反而越来越离不开。

　　重紫道："我的魔性好像越来越重了。"

　　亡月低头在她脸上蜻蜓点水般吻过，"这是好事，皇后。"

　　重紫盯着他，盯着他的脸，在紫水晶光芒映照下，高高的鼻梁略有阴影，那本该长着眼睛的地方仍被斗篷帽遮得严严实实。

　　"想看我的眼睛？"

　　"看到你的眼睛，任何事你都可以答应？"

　　"无戏言。"

　　"你到底是谁？"

　　"你的丈夫。"

　　重紫迅速伸手去掀那斗篷帽，却被他以更快的速度捉住，"皇后，耍赖是不行的。"

　　重紫浅笑着缩回手，"我只是想摸摸丈夫的脸，怕什么？"

　　"那要等到你把自己献给我的那天。"

　　"圣君与其每夜都在这儿坐怀不乱，何不过去叫梦姬伺候？"

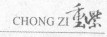

"我对你更感兴趣。"

"圣君愿意侍寝，却之不恭。"重紫恹恹地侧过身，在他怀里寻了个更舒服的位置，闭上眼睛睡了。

天灾频频，带来饥荒，曾经热闹的村落，如今满目荒凉，处处枯井断壁，青苔爬上墙，蛛网织上门，院里生出野草杂树，村民死的死，走的走，剩下的没几户了。

泥墙木窗，茅檐低矮，小小两间房，周围是一圈用篾条织成的篱笆。白发老人吃力地从井里打了水，提到院子里菜地旁，一瓢一瓢浇地头的菜。

树后似有人影闪躲。

余光瞟见，老人连忙定睛去瞧，大约是老眼昏花，那女子满头暗红色长发忽然变成了黑发，一张脸美丽又眼熟。

老人呆了半晌，总算认出来，"你是……小主人？"

重紫没有回答。

"来看阿伯了！站在那儿做什么？"老人惊喜万分，将水瓢一丢，过去打开篱笆门，"让阿伯看看，长这么高了！变成大姑娘了！"

重紫走进院子，不动声色地打量四周，"阿伯这些年还好？"

"好好，"老者拉着她，眼泪险些掉下来，"这两年气候古怪，听说出了个凶魔作乱，仙长们都在想办法对付，阿伯就怕你出事。"

他还不知道那个很可怕的魔就是她？重紫侧脸笑道："几年没能来看阿伯，阿伯生我的气吗？"

"生什么气，小主人勤奋修行是好事。尊者前日来过，都跟我说了，小主人一直在闭关。"老人转身去寻凳子。

重紫抬手一指，地上出现条长凳。

老人惊喜，赞她法术厉害。

重紫没有表示，扶着他坐下，转脸看着菜地道："不是送了粮米吗，阿伯何必再做这些？"

"真是你送的？尊者果然没骗我。"老人欣慰，"阿伯哪里吃得完，自那魔头出世，年景不好，外头饿死的人……唉，阿伯反正闲着，种点东西，将来舍出去也算给你积德，教你早些修成仙。"

重紫听得微微笑，点头，"那改日我多送些来。"

老人制止，又细细询问她许多事。

重紫不慌不忙一一作答。

老人听得连连点头，叹道："我说跟着尊者没错，难得遇见这样的好师父。前几日我害病，他老人家特地送了药来，还说你出息了。"

修成天魔，当真出息了，重紫忍不住笑道："我过得很好，嫁人了呢，他没告诉阿伯吧？"

"什么？"老者惊得瞪眼，随即转为喜悦，"这么大的事，竟不告诉阿伯一声，几时嫁的，是哪家的小子？"

重紫赧然，"他很忙，来不了。"

"忙也要来的。"阴沉的声音响起。

老人吓一跳，转脸看，不知何时，院子里站了个神秘的男人，全身几乎都裹在黑斗篷里，连眼睛都没露出来。

"你……"

"我就是那小子，我叫亡月，也来看阿伯。"

老人连忙看重紫，见她点头确认，才松了口气。大约是觉得他装束太古怪，又阴森可怕，老人始终有点胆怯，不敢去拉他，只随便问了几句话，越发不安，终于忍不住把重紫拉到一旁，低声道："阿伯看他，心里有些不踏实呢。"

"不像好人？"重紫笑起来，"阿伯放心，他就是性子有点古怪。"

老人点头，半晌惋惜道："阿伯原是盼着你能找个像尊者一样的夫君，好好照顾你，也罢，你是个聪明孩子，心里有数，找的人一定不错。"

重紫含笑道："我先也那么想呢，可现在我才发现，还是亡月这样的好。"

老人展颜，"看人不能光凭眼睛，阿伯知道。"

重紫扶着他道："此番是趁空闲来看阿伯，今后我又要闭关，不能常来了，阿伯要保重。"

老人笑道："阿伯不缺吃穿，有什么可担心的，小主人仔细跟尊者修仙……"

"她现在不会跟别人，只能跟着我了。"悄无声息地，亡月出现在二人身后，伸手揽过重紫的腰。

重紫倒没怎么，倚在他怀里笑，"你别吓到阿伯。"

老人还真的被吓了一跳，看二人这亲密情形，始终觉得不太对劲儿，惊疑，"尊者不是说……"

重紫眨眼道："我现在嫁了亡月，当然跟着亡月了。"

亡月笑道："我是好人。"

老人轻声咳嗽，"也是，也是，你们小两口夫妻和睦，好好过日子，我就放心了。"

自天魔现世以来，连年灾难，大地人烟荒芜，又是一度青山绿水，始终不闻樵子歌声，林木幽幽，杂草丛生，沉浸在一片冷清寂寞里。

青石板小道，年轻的长生宫弟子佩剑行来，满脸明朗欢快。

忽然一阵风扫过，前面树下现出两道人影。

修仙之人向来警觉，感应到魔气，那弟子立时停住脚步，右手按剑，镇定地看去。

一男一女，并肩而立。

女子凤眼迷人，暗红色长发堆起云髻，轻薄的绛黑纱衣拖在身后，佩饰华贵，恍若神妃，半截小臂露在外头，雪白晶莹如玉，上面戴着几个不同颜色不同质地的镯子。身旁的男人比她高了整整一头，却是从头到脚都被黑斗篷裹着，只露出苍白优美的尖下巴，神秘贵气。

时隔几年，记忆依旧深刻，那弟子不费任何力气便认出她，脸白了，"你……紫魔！"

原来他就是当初被她救下的少年。

重紫看着他微笑，"又见面了。"

那笑容太美，美得带有毁灭性，少年居然愣了好一会儿，反应过来之后更加羞惭害怕，手颤抖着，连剑也拔不出来了。

重紫朝他走去。

"你别过来！"少年惊慌后退。

他越是这样，重紫越不理会。

眼看退无可退，少年终于记起遁术，仓皇念咒想要逃走，却被周围结界挡了回来，顿时吓得直哆嗦。

重紫失去兴趣，转身道："算了吧，免得他为保清白自寻短见，叫人看到，还以为我青天白日强抢少男。"

亡月问道："忘恩负义的人，你不想惩罚？"

重紫道："惩罚他有用吗？是仙门要杀我。"

"没有他回去报信，仙门就不会那么快找到你，你也不会那么快入魔，或许还留在那座山上，守着小茅屋清净度日。"亡月出现在她身旁，沉沉的声音透着奇异的蛊惑力与煽动力，"你救了他的命，他却出卖你，对这样的人你还要心软？"

重紫脸一冷，眉目间隐约浮现煞气，竟被激起三分魔意。

"煞气天生，但你并没有杀过人，他们仍一心置你于死地，这些忘恩负义之徒反而活得好好的，魔，应当有仇必报。"

"该杀！"重紫面无表情举右手，手心有光芒闪现，瞬间化作一柄蓝色小剑，向少年刺去。

她已经是魔，还用顾忌什么？害她的人都不能放过！

蓝剑无声袭至咽喉，就在少年即将被吓晕的瞬间，一柄长剑自旁边飞来，替他挡住了攻击。

看到那人，重紫魔意退了两分，"洛音凡，你总跟着我做什么？"

洛音凡令那弟子离去，然后转脸看她，有点悲哀，心内阵阵绝望。

她说得没错，自从肉身残破以身殉剑后，她就变成了真正的魔体，心智已经开始被魔气扰乱，这么下去，她迟早会变成彻底的魔，行事极端，滥杀无辜。而害得她失去肉身的，恰恰是他。他能怎么办？终有一日，他会再次伤她，这样的结果，叫他如何接受得了？

重紫弯弯唇角，目中尽是嘲讽之色。

这个人总是自负又可怜，时刻做出一副悲天悯人的模样，他不想对她下手，又要阻止她杀人，他以为他救得过来？她走到哪儿他就跟到哪儿不成？

"你以为你能救多少人？"

"救一个便是一个。"

重紫转身拉亡月，"我没那闲工夫陪他玩，还是回去吧。"

洛音凡这才留意到旁边的亡月，顿时怒气横生，眼底一片浓浓的杀机，"九幽！"

若非这个人引诱，重儿就不会入魔，不会执迷不悟走上这条路，师徒二人更不会变成现在这样！没有他，她就不会留在魔宫，只会乖乖跟自己回去！他分明是在利用她，他竟敢对她……

恨欲高涨，仙心顿生魔意。

逐波剑凝聚平生数百年仙力，飞至半空，掀起气流如浪花，白浪铸成高墙，将二人围在中间，封死所有退路。

头顶忽现阴影，重紫下意识仰脸看。

气浪澎湃，一柄长约数丈的骇人的巨剑高高悬于半空，带着五彩仙印，朝亡月直压下来。

"极天之法，杀道，"亡月道，"皇后，他是真的想杀我了。"

"你能敌吗？"

"那要看皇后肯不肯出手相助。"

剑影越压越低，亡月不慌不忙平抬双臂，周围气流却不见任何异常，似有力量，又似全无力量。

重紫有点惊奇，也暗暗凝聚魔力去抵抗。

然而就在这当口，那片无形压力猛地撤去，头顶巨剑消失得无影无踪，气流铸成的高墙迅速崩塌，对面那人身形微晃两下，终是忍不住皱眉捂住胸口，强大仙力反噬，终受重创。

重紫脸色一变，收招上前去扶。

恨欲迷心窍，恨她，恨九幽，恨自己，体内欲毒疯狂蔓延。洛音凡气怒之下理智全无，奋力推开她，以逐波勉强支撑身体，咬牙吐出几个字，"你……给我滚！"

黑眸失去焦距，他踉跄着后退几步，终于倒下。

亡月道："是欲毒。"

"我带他去找欲魔心。"重紫匆匆说完，抱着他消失。

欲魔心隐居的地方是个不起眼的山谷，重紫带洛音凡赶到时，谷内空无人影，两间茅屋门都大开着，残叶满阶，蛛网结上了门框，看样子欲魔心已离去多时。

重紫正着急万分，忽然发现屋内桌上摆放着一个玉瓶，于是连忙扶了洛音凡进去，将他放在床上躺好，取过玉瓶细细查看。

瓶口有独特封印，未曾破坏过，里面装着药粒，桌上还写着两行小字，欲魔心应是早已料到他们会来。

重紫拿着药走到床前。

戾气已退，脸上又是一派安详，淡然的与世无争的气质，使他看上去永远那么遥远，那么高高在上，无爱无恨，无情无欲。

这样的他，令她又爱又恨，她恨不能把那张面具一样的表情撕下来，让所有人看清他的真面目，那个愤怒的他，嫉妒的他，眼里满是爱欲的他！

受伤的根本不是他，是她。

爱，是她受伤；恨，也是她受伤。

伤心？无伤不是心。

重紫坐在床沿，伸手拂上他的额，撤去法力。

不消片刻，洛音凡逐渐苏醒，睁眼见床前人影，一丝欣喜自黑眸中划过，随之而来的却是惊天怒气。

九幽！她就这么信任九幽？帮九幽对付他？

洛音凡重新闭目，以免又控制不住对她发火。

平生所有自负与骄傲，刹那间尽被摧毁，伴随着无尽的悲哀。近千年的修为，到头来竟受制于区区欲毒，他现在的样子，谈什么救她，没有她，他恐怕早已死在九幽手上了。

看他这样，重紫暗暗苦笑。

对徒弟有爱欲，对他来说已经是很大的打击，何况还当着她的面欲毒发作，尊严尽失。对于他天生的洁癖，她很早就清楚，如今他连看她一眼都觉得恶心了吧。

也罢，意料中的事，她不在乎。

"解药在这儿，每隔一个时辰服用一粒。你中毒太久，须用三粒才能根除，其间要以仙力催动药性，我在外面替你护法。"

"重儿!"沙哑的声音，语气是少见的乞求。

重紫停住脚步，"我的肉体早已不能支撑魂魄，就算现在答应你什么，将来魔气迷心智，迟早也会魔性大发，那时会变成什么样子，会做什么，恐怕都由不得我，你求我，是求错了人，难道要我杀了自己不成?"

洛音凡摇头，却不能反驳。

他想说他并非为仙门才求她，但不可否认，这也是他想带她走的最终目的之一，守护仙门苍生是他此生的责任，可他也不能放弃她。

重紫忽然回身，"那天晚上，你真的是走火……"

"那不重要，"洛音凡断然道，"一切都是我的错，你若恨，可以杀了我……"

重紫看着他半晌，凤眼中温度慢慢地散去，"你的死不代表什么，我照样会上南华摧毁六界碑!没有你，你以为仙门能支撑多久?"

洛音凡无言以对。

重紫道："你中毒是否为我，姑且不论，现在解药给你了，我们从此两不相欠，三年之约将满，我很快会攻南华。"

目送她出门，洛音凡心情复杂，忽气忽悲，无数思绪如线头，剪不断，理不清，不知道究竟想了些什么。大约两个时辰过去，最后一粒解药服下，体内欲毒驱除了十之八九，照他的修为，残余的那丝已无须用功，一个时辰后自会消解了。

洛音凡起身走出门，发现外头已入夜。

她走了?

心微紧，下一刻又迅速放松。

背对着月光星光，老树干阴影里，缩着团小小的人影。她孤独地倚着树干，沉沉昏睡，仿佛很疲倦的样子，直到察觉有人走近，才本能地动了下，可是很快又继续睡去了。

因为知道是他，就像他从不担心她会对自己下手一样，几番起杀意，她还能卸下防备，是不是代表她潜意识里还愿意信任他?

洛音凡半是惊喜，半是凄凉，情不自禁俯身将她抱在了怀里。

重紫下意识紧紧抓住他的衣裳，蜷起身体，将脸往他胸前埋。

长大了，身子却还是轻得可怜，令他想起四海水畔那片小小白羽，腰肢柔弱如嫩柳，生怕用力就折断，高高的髻鬟，美艳的小脸，浑身华贵，可是那样的美，始终透着种残破和冷弃的味道。

这是他的徒弟，曾经说要守护他的孩子，曾经恋着他陪着他的少女。

她不知道，无论她犯了什么错，无论她变成什么样子，自始至终，她都是他的徒弟，他怎么能不管她，怎么能任她一个人走下去？

洛音凡缓步走进房间，坐到床上，双臂仍小心翼翼地、牢牢地将她圈住。

呼吸均匀，正如当年每次受伤的时候，她都安安静静躺在他怀里，生怕惹他担心。

迄今为止，伤她最多最深的人是他。

两生陪伴，他看着她长大。淘气的孩子，会用冰台墨在他的信上画只大乌龟，会擅自修移魂术，失败后拖着灵鹤的身体灰溜溜地来找他帮忙；卑微的少女，会默默陪伴他侍奉他，会装作玩耍的样子，坐在四海水边等候他归来；任性的少女，不惜伤害自己也要留在他身边……

她的依恋如此美好，如此沉重，他背负着，也享受着。

什么时候开始改变？为什么一定要改变？

不知道过了多久，怀里重紫猛地一个战栗，反射性抱住他，死死地抱着，好像溺水的人抱着块浮木。

做噩梦了？洛音凡微愣。

"重儿。"他低低地唤，只有自己听见。

重紫迷迷糊糊眯了下眼，看到一片白，于是又放心地睡过去了。

洛音凡正松了口气，忽然间又全身僵硬，他听到她喃喃的声音，有点含糊，可是不难分辨，"天之邪？"

心瞬间冷了，冰冷到极点。

天之邪！好个天之邪，魂飞魄散也还要留在她心里！她不是应该恨他的吗？要不是他屡次设计，自己和她就不会走到现在这个地步，是他逼得自己亲手伤害她，是他害得她离开自己身边，她却还在梦里念着他！看这情形，她是经常这么亲密地睡在他怀里。

不知好歹的孽障！九幽，天之邪，这些利用她的人，竟比他这个师父还重要还值得信任？她还记得她是谁！

洛音凡握紧手，全没想过所有人都想杀她，连他也忘记她的时候，阴冷的魔宫里，是那个人陪在她身边，给了她最后的温暖和依靠，眼下磅礴的怒气，让他恨不能一掌结果了她！

怀中一轻，瞬间人已不见。

重紫现身门口，无奈苦笑。方才突然迸发的强烈杀气，将她从梦中惊醒，这算不算泄露了他内心最真实的想法？对于取舍，他向来很理智。

事到如今，无须多言。

她转身，"我走了。"

门砰地关上，气流形成牢不可破的结界。

白衣无皱褶，眨眼之间，他已经站到了她面前，黑眸冰冷，闪着危险的光，与平日的淡然大不相同。

重紫没有躲，"又要杀我拯救苍生？"

洛音凡面无表情，抬手。

要打她？重紫下意识闭目。

突如其来的吻，狠狠落上她的唇。

爱与恨，嫉妒与愤怒，在这一刻全部爆发。背负着道德的谴责，这是个惩罚性的，报复性的吻，毫不温柔，甚至近于粗暴，他捧着她的脸，几乎是用尽力气在吮咬，半是快意，半是痛苦。

为什么要逼他，为什么要让他看清心底那些不伦的感情？没有她，他还是那个睥睨六界的尊者，一路云淡风轻走下去，没有多余的爱恨，没有多余的在意，永远做个无情的神仙，又怎会这么矛盾痛苦？她用她自己来逼他，逼他面对，逼他认罪，逼他投降！

可以，她赢了！

九幽皇后不够，她还躺在他怀里叫另一个男人的名字，他投降了！

她要的不是这个吗？他给她！这样总该满意了？他陪着她一起下地狱，陪着她一起万劫不复！

体内残留的欲毒流窜，疯狂肆虐，是爱欲，是恨欲，已经说不清。

不再压制，只是放纵。

他在做什么？重紫有点恍惚，期待已久的一刻终于到来，敏感的心却在慢慢破裂，碎成一片片，化为冷尘死灰。

不能，那是欲毒，他在恨你！

明知如此，还是忍不住要沦陷，那夜的记忆重回脑海，重紫呼吸急促，情不自禁攀上他的颈，踮起脚尖，整个人挂在他身上，努力承受，好像一根快要被狂风暴雨摧折的柔弱的小草。

相信，相信他爱你，绝望地想要相信。

高高的鼻梁毫不怜惜地压着她的鼻子，几乎令她窒息，疯狂的索取，娇嫩的唇瓣被咬破，疼痛难忍，舌尖在猛烈的攻占搅吮下已近麻木，缠绵，也残忍。

小手摸索着，无意识地滑进他衣衫内，冰凉，却足以燃尽他所有的理智。

拥抱着，相互撕扯着，衣衫褪至腰间。

肌肤暴露在空气中，手指感受到柔滑曲线，口齿间尝到血的甜腥味，和一缕淡淡的幽

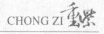

香，好像仙门大会那夜她亲手递来的那杯醉人的流霞酒，她不知道他喝过……

这是她的味道？

洛音凡陡然清醒，猛地推开她，踉跄后退，直到后背倚着墙才站稳，惊痛地闭上眼睛。

做什么？他这是在做禽兽不如的事！

一直用来自欺欺人的谎言，被事实毫不留情地击碎，所有模糊的或者刻意想要模糊的东西，在这一刻都赤裸裸地暴露在了面前。

是，他对她不止有过度的爱，还有着丑陋不堪的欲望，欲毒、救赎、报复，其实都是他想要她的借口！对九幽下杀手，是因为他嫉妒，他恨她与别的男人亲密，恨别的男人可以得到她，唯独他，可以爱她、宠她、担心她、保护她，却万万不能要她。

两生爱恋，他拒绝着，可也从来没有真正责怪过她，他愿意包容她的一切任性，然而，她给的爱太多太浓烈，让他情不自禁也跟着陷进去了，以致沦落到无视伦常不知廉耻的地步！不能接受，努力维系的原来是这样一种关系，他不能容忍这样的自己，更不配被她爱，他这么对她，置二人这段感情于何地！

欲毒，是欲毒！

药瓶凌空飞入手中，他仓促地倒出里面所有剩余的解药，不论多少尽数咽下。

重紫有点痴，全然忘记身体半裸，"师父。"

"穿上！"他弯腰喘息，咬牙吐出两个字。

不要这样，重紫摇头朝他走过去，红肿的唇沁出斑斑血迹，似一朵即将开败的花，艳极的颓废，却引人沉沦。

"站住！"手臂抬起，硬生生将她隔离在无形的屏障外，他迅速侧过脸，几乎是吼出来，"走！"

狂躁的语气带着平生最盛的怒意。

他爱她，想要她，她看到了，看到了又怎样？

曾经以为能控制能纠正的感情，突然间变得不可收拾，亲眼见证自己的失败，亲眼见到自己为她失控，他竟恼羞成怒。

顺着他的手，重紫低头看自己，看着自己完美得可怕的身体，慢慢地醒过神。

有个声音在笑。

躯体残破，你就靠一柄剑支撑，连魔都不是，他如何接受你？

是你想错了，一切只是因为欲毒，其实他爱你并没有那么多，不过那点爱欲被欲毒放大了而已。你呢，你的爱是什么？用仙门苍生威胁他，利用师徒之情强迫他，用他的内疚逼他接受你，你的爱太沉重，沉重到可以毁掉他，他的厌弃有什么错？

如果爱只能带给他痛苦，那么，这份爱留在世上就真的是耻辱。

重紫默默地拉起衣裳，将身体裹住，紧紧裹住，顾不得寻门的方向，转身胡乱穿墙离去。

抬眼发现不见人，洛音凡愣了片刻，白着脸追出去，"重儿！"

落月如灯，重紫匆匆御风出谷，没头苍蝇似的乱走一阵，忽然停住，无声落于树梢。

"孽障，哪里走？"数条人影现身，正是虞度、闵云中与另外几派掌门，还有数十名弟子。

剑阵大摆，青光白光耀眼，不知有些什么法宝。重紫也懒得去细看，长袖横扫，打落数十名弟子，"就凭这破阵，你以为奈何得了我？"

闵云中以浮屠节指她，"紫魔，你叛出南华，堕落入魔，时至今日还不肯悔改，必将自食其果！"

重紫没有反驳。

这些虚伪的人，口口声声骂她十恶不赦，她当真杀过谁吗？他们每个人手上的性命恐怕都比她多吧，天生煞气，就是她的错。

"自食其果，我等着那天，"她优雅地挑眉，"别忘了，我现在随时可以召唤虚天之魔，区区剑阵算什么。"

虞度道："三年之期未满，你要毁诺？"

"我与他的约定，原来你们都知道，"重紫笑道，"那也无妨，三年期满，我会毁灭仙界，连你们一块儿杀尽。"

"混账！"闵云中怒骂。

法宝光芒大盛，剑阵即将发动，重紫心知必须先发制人，于是左右掌动，直取东南角的离火宫英掌门，口里冷笑，"不自量力跟我斗，找死！"

想不到她身法这么快，英掌门闪避不及，立受重创。

虞度喝骂："孽障敢伤人？"

"怕什么，还没死呢。"重紫言语戏弄，其实半点不敢耽搁，急速外掠。

"想走？没那么容易！"闵云中见状飞身上去，补了东南角英掌门的缺位，将她重新困入阵中。

这是南华有名的杀阵，凶险至极，寻常魔王定然伏诛了，然而再完美的剑阵也会有破绽，重紫早已今非昔比，镇定地挡过几个回合，魔之天目开，凝神查看。

此阵果真高明，几位掌门亲自掌阵，弟子们扶阵，配合得滴水不漏，唯有东南角闵云中是临时补上的，对此阵明显不熟。有弱点，就意味着迟早会出错，而今之计，要么继续耗下去，等待剑阵变化时露出破绽，要么拼着挨明宫主一掌，取东南角的闵云中，尽快脱身。

一个不在乎自己的人，自然会选择最简单而不是最好的办法。

重紫毫不迟疑，指尖弹出一道红光，直取东南角。

"重儿住手！"洛音凡追来便看到这情景，大骇，急忙抛出逐波挡下她的攻击。

闵云中既无事，重紫被逼回阵内，身后明宫主掌力已至，眼见招架不及，忽听得一声闷响。

洛音凡救下闵云中，来不及再出招，索性替她受了这一掌。

论术法对阵，他洛音凡的确六界无敌，一分力当作十分使，然而眼下这掌根本是硬碰硬，毫无技巧可言，明宫主活了一千三百多年，功底摆在那里，此刻又尽了全力，委实非同小可。

虞度大惊，"师弟！"

身负近千年修为，受伤不至于太重，洛音凡顾不上检查伤势，迅速抬右手凌空一划，仙力直冲东北角，刹那间法宝光灭，剑阵告破。

重紫并无喜色，站在旁边冷眼看。

"这孽障早已不是你门下，轮得到你来护短？"闵云中气怒。

"师叔错了，她是我洛音凡的徒弟，有罪我自会处置，但要杀她……"洛音凡拭去唇边血迹，停了停，冷冷吐出三个字，"先杀我。"

他向来说到做到，这种话都说出来了，可见是铁了心维护到底，众人都不好再动手，面面相觑。

知道他的脾气，闵云中也不愿在这种场合下起争执，半晌冷笑道："好得很，她方才出手你也看见了！"

洛音凡道："她只是想逃命，并非要杀师叔。"

"你太自以为是了，"重紫忽然开口，"我是打算杀了他破阵。"

洛音凡摇头，这倔强偏执的性子，别人不了解，难道他还不清楚？锁魂丝未除，她伤谁都会同样伤到自己，他救闵云中，也是在护她。

他移开视线，半晌道："我带你走。"

此话一出，众人都傻了。

堂堂仙盟首座，公正无私的重华尊者，为了一个入魔的徒弟，竟说出这样的话，维护她到这种地步，委实叫人不敢相信。

万万想不到他当着这么多人说出来，完全置自己和南华名声于不顾，闵云中险些气得晕过去，待要呵斥，却被虞度制止。毕竟重紫已是天魔之身，随时可以召唤虚天之魔，那样后果将不堪设想，她之所以迟迟不肯那么做，答案不用猜。事情到了这一步，须暂且稳住她再说。

重紫看着他，三分意外，七分了然。

这个"走"字，代表着什么样的允诺，别人不明白，唯有她知道，不论是为仙门苍生，还是为救她，他真的做到了极致。只是既然不能接受，又何必强迫自己，将来后悔痛苦，然后恨她，这一切又有什么意思？

重紫浅笑，"我已改变主意了。"

洛音凡闻言，心立即沉了下去。

方才她匆匆离开，他便知自己又做错，又伤到她了，伤得太重，恐怕再也没有挽回的机会。其实他自己都弄不明白，突然答应她，是因为内疚，因为责任，还是因为别的。

想要说什么，却无从说起，他只得叹了口气，将一件东西凌空送至她面前。

小小短杖，在星月下散发着淡淡的熟悉的光晕，不如以前美丽，可是终究获得新生，再次有了生气。

救它的人，定然费了不少心力。

重紫目光微动。

他站在那里，等她回应，期待的。

还愿不愿意接受？

还肯不肯再原谅一次？

……

重紫静静地看了半响，伸手取过。

心中大石落地，洛音凡暗喜，下一刻却又脸色大变，失声道："重儿！"

魔光盛，但闻凄凄惨惨一声轻响，原本就脆弱的短杖再次失去生机，变作彻底的死物。

她毁了它！她竟然亲手毁了它！

"你……做什么？"声音有了一丝颤抖，他不可置信看着那手。

"它早就这样了，是你不肯面对现实，"重紫将星璨丢还给他，"自从你用锁魂丝毁我肉身，说我不再是重华弟子那一刻起，你我就已经不是师徒了，而你，迟到现在才想要补救，我难道该感动吗？"

洛音凡看着手中星璨，有点失魂落魄。

他亲手赠她的法器，千方百计才使它恢复灵气，她怎么可以！她不肯再为了他忘记委屈，她真的不认师父了？

"你无非是内疚，要我原谅你也容易，"重紫视线扫过众人，轻描淡写，"我落到今日，是仙门逼的，只要你杀了这些人，以身殉剑，跟我入魔，我就随你走，怎么样？"

这番话太过分，众人听得气闷，倒并不担心，若是别人，或许真会那么做，可这个人既是重华尊者洛音凡，就绝对不会。

"这魔女心肠歹毒，还要花言巧语！"闵云中骂道，"她既然不认师门，护教又何必顾念情分？"

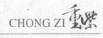

重紫不理他，看着洛音凡。

洛音凡没有回答，因为知道她不会真让他这么做。

"我这么说，只不过想让你明白，你那么在意你的责任，我也有我的使命。"重紫微笑，"两世师徒，我爱的，我求的，都不值得，我现在是魔宫皇后，效忠魔神，需要为我的子民开辟更多的领地。洛音凡，你当初为了仙门苍生舍弃我，就该知道，迟早有一天，我也会为别的舍弃你。你要守护苍生，我要六界入魔，仙与魔的较量，就让我们来结束。"

话音方落，她飞快抬手朝自己胸口重重拍下！

对英掌门出手时，锁魂丝已经起了作用，再加上这一掌，鲜血立时沿嘴角流下。

欲毒已解，心仍是奇痛无比，痛得全身哆嗦，那种感觉让洛音凡觉得真实，让他觉得自己其实是个人，是个彻彻底底的凡人。

他立即过去抱住她。

"重儿！"除了这两个字，竟再也说不出话。

锁魂丝！替她解锁魂丝！

终于想起该做什么，他仓促地去扣她的手腕。

她却似感觉不到痛，用力推开了他，伸手抹去血迹，喘息后退，"就凭他们还杀不了我，这一掌是还你的。洛音凡，你不必可怜我，我的爱你可以不接受，你的内疚我也同样可以不用理会，你对我做的，已经抵过了你的恩情，从此你为你的仙界，我为我的魔宫，无须讲什么情面。"

两生师徒，还是走到了尽头，剩下刻骨的悲怆。洛音凡面无表情地望着她远去的背影，眼中一片死寂。

亡月没有在榻上等她，而是站在魔神殿内，远远看去就像是一尊黑色神像，正好使大殿显得不那么空旷。

"皇后。"

"圣君今日不来侍寝，我竟睡不着。"

"你没有杀洛音凡。"

"我为何要杀他，我要他亲眼看六界入魔。"

"相信他马上就会看到，皇后准备好了吗？"

重紫意外，"我自然无妨，但如今仙门防守严密，凭我们的实力，要攻上南华根本不可能。"

亡月点头，"眼下之计，唯有请皇后召唤虚天之魔。"

重紫不赞同，"虚天万魔百年才能现世一次，眼下时机未到，召唤它们为时过早，万一仙门早有准备，只会白白牺牲，圣君太性急了。"

"不愧是逆轮之女，谁也小看你不得。"

"别提什么逆轮，我从记事起就没见过他一眼，还真会把他当作父亲不成？"重紫似笑非笑看着他，"是你每夜用魔气惑我心智，所以我近日偶尔会失常。"

亡月没有否认，"魔，不需要太多感情。"

"你打算怎么做？"

"只要皇后用血咒召唤虚天万魔，然后将它们交与我调遣，其他的一切，我自有安排。"

重紫笑了，"我让它们听命于你，你还用得到我？"

"我向魔神发誓，"亡月笑道，"我的皇后，我只会成就你，不会害你。"

重紫惊讶，沉默了。

亡月道："魔界没有人敢欺骗魔神，你不信？"

重紫沉吟道："我很奇怪，人间要道都被仙门控制着，你会有什么妙计攻上南华？"

亡月道："暂且还不能说。"

重紫道："让我想想。"

回到大殿，除了法华灭守在门口，妖凤年竟然也在，一问之下才知道，原来亡月将他也派过来了，两个人说着话。重紫因为受伤，觉得很疲倦，躺到榻上昏昏睡去，不知过了多久才醒来。

睁眼，外面是夜，再闭上，许久再睁开，还是夜。

重紫有点空虚，想想实在无事可做，于是招手叫过法华灭与妖凤年，"你们在说什么呢？"

二人互视一眼，法华灭双手合十道："回皇后，我们都在奇怪，皇后为何迟迟不肯解开天魔令封印。"

重紫看着他，示意他继续。

法华灭见她神色尚好，这才接着道："只要皇后解除封印，召唤虚天万魔出来，那时我们便可以一举攻上南华，毁了那六界碑，让六界成为我魔族天下。"

重紫道："你很想六界入魔？"

法华灭满脸神采，"身为魔族，难道皇后就不想？"

重紫道："你不是和尚吗，也这么好打好杀？"

法华灭哈哈笑道："贫僧是灭佛的和尚，早已叛离西天，自然不必理会那些清规戒律。"

重紫有点兴趣了，撑起半身，"你怎么叛离西天的？"

提起往事，法华灭不怎么耐烦，又不敢违抗，正要开口说话，旁边妖凤年先一步替他

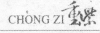

第十二章　星殒　529

回答了，"皇后不知，二护法本是魔族，当年路过南海时做了些不甚体面之事，被菩萨收去，听了佛祖几日经，又叛了出来。"

重紫想起来，"奇怪，此番魔界动作，仙门着急得很，佛门那边怎么迟迟没有动静？"

法华灭嗤道："佛向来如此，自以为无所不知，料定一切，依贫僧看，不过是徒有虚名装腔作势的狂妄之辈而已，说到底就是无能为力，如何当得起佛祖二字！"

"无所不知？"重紫笑道，"他知道些什么，你且与我说两段。"

法华灭道："他知晓什么，贫僧哪里清楚？"

重紫道："说了半天，原来你不知他？"

"贫僧是灭佛，哪里知佛？"

"既不知佛，如何灭佛？"

许久的沉默。

法华灭忽然起身，双手合十道："贫僧要回西天，求皇后恩准。"

重紫亦不在意，挥手，"去吧。"

法华灭果真取了法杖托着钵盂大步走了。

妖凤年愣了愣，道："想不到，他真的打算先去求知。"

重紫见他并无半丝意外之色，不由奇怪，"你好像知道他会走？"

"圣君说过，只要他多听皇后几句话，就会离开魔宫，所以才派我过来，"妖凤年笑道，"但是皇后不必劝我，我很满意魔宫，过得也还不错。"

重紫愣了半日，笑起来。

也对，每个人都有自己理想的生活，魔亦有魔道，而她，自己尚且救不了自己，又有什么理由和权力对别人横加干涉？

　　山河惨淡，万里愁云，草木尽凋，魔气肆虐，阴风席卷，人间才六月，竟然下起了鹅毛大雪。

　　南华山，数十位掌门聚在六合殿，面色凝重。

　　行玄道："此乃虚天万魔出世之兆。"

　　玉虚子道："如何是好？"

　　众人不约而同都看向一个人。

　　终于还是召唤了虚天之魔。洛音凡望着远处山头，那里的祥云已不见，变作大片大片的血色晚霞，预示着这场天地之变、六界之劫的到来。

　　纵有虚天万魔相助，九幽魔宫实力仍不及仙门，且据消息说，他们四大护法仅余其一，只要仙门齐心协力一搏，这场仙魔之战并非全无胜算。然而，胜又如何，败又如何，结果都是他永远不想看到的。

　　天意，明知道拯救不了，却还是不自量力地想要阻拦。

　　脸色更苍白了些，好似这场天寒地冻的大雪。

　　洛音凡收回视线，淡淡道："人间要道大多都在我们控制之下，九幽此时动作，并非好时机。"

　　虞度道："看来他们是等不得，想要硬拼一回了。"

　　极端之魔，魔气攻心，的确像她做出的事，洛音凡道："近日仙界现异象，有些不寻常。"

　　玉虚子道："虚天万魔出世，仙界或受魔气影响，不足为奇。"

　　行玄也点头。

　　洛音凡沉吟道："九幽此人来历神秘，行事出人意表，逆轮当年瞒天过海，曾利用天山那条海底通道潜入仙门，内外夹攻，我只担心他也会沿用相同的计策。"

玉虚子笑道："那条通道不是已经用息壤与五彩石堵住了吗？今时不同往日，虚天万魔没那个能力。"

闵云中亦道："神之息壤，女娲补天五彩石，岂是区区仙魔之力能破坏的？这分明就是场硬仗，还怕什么，我们未必会输！"

照眼下情形看，的确万无一失，还是布好人间的阵要紧。洛音凡点头，迅速作了安排，不知为何，心里总有一丝隐隐的不安。

大雪洒落，视野极其模糊，灰黑色云层厚厚的，压得天似乎都要垮下来，狂风中夹杂着凄厉呼号声，万魔现世，六界动荡，孤魂野鬼进不了鬼门，纷纷走避。

数万魔兵御风行进，重紫与亡月并肩而立。

长发绾起，没有堆高髻，而是戴了顶精致的小小紫金花冠，其上点点宝石光彩，耀眼夺目，一串金饰垂落额间，缀了粒殷红的宝石。

"可有惊扰百姓？"

"已遵照皇后的吩咐下令，但效果恐怕不会很好。"

重紫看看眼前灰蒙蒙的世界，不再问什么了。

魔气肆虐，此番人间受到的干扰不是一般大，到这种地步还假慈悲什么，只不过，能少破坏一点儿是一点儿而已。

亡月道："六界碑倒，天地重归混沌，六界入魔，你将是魔界第一皇后。"

"你做这么多，就是和天之邪一样想成就我？"

"天之邪想成就你，至于我，要成就你，也要成就我自己。"

重紫茫然道："六界入魔之后呢？"

亡月道："魔治天下，我们会拥有更多臣民与信仰者。"

重紫无力地笑，"这就是终结？"

"没有终结，"亡月侧脸对着她，"没有终结，皇后。天地间永远不可能只有魔，魔治、人治和仙治，仙灭了，人灭了，始终会有别的种族来取代他们，扮演他们的角色。"

重紫不可思议地望着他，"那就是说，纵然六界入魔，这种局面也维持不了多久。"

亡月点头，"可以这么说。"

心头猛地豁然，重紫喃喃道："既然如此，那你做这些又有什么意义？死的人不是白死了吗？"

"让一切回到起点重新开始，开创这样一个局面，就能证明你的能力。"亡月叹了口气，"有时候我们需要目标，它未必合理，但没有它，你会觉得生存了无意趣。"

重紫看着他，就像头一次认识这个人。

原来什么六界入魔，什么仙门覆灭，别人认为重大的事，在他眼里不过是一场游戏而已，正如洛音凡所说，"仙道与魔道，都不会从这世上消失"，"有朝一日果真魔治天下，魔道中亦会生仙道"，他们都看得太清楚。不同的是，一个扮演着游戏者的角色，六界被他玩弄于股掌之间，苍生性命在他眼里渺小如沙砾，等同灭了会再生的蝼蚁；另一个却不肯放弃，仍在试图挽救这个可爱又可悲的世界，明知改变不了也要做下去，只因不忍看那苍生受苦，不忍看千万性命眨眼消亡，这就是所谓的悲天悯人之心吧，真正的神仙。魔与仙的区别，在这两人身上体现得淋漓尽致。

重紫忽然问："你把虚天魔兵派去哪里了？"

亡月道："不必着急，你很快就会知道答案。"

知道他不会说，重紫闭嘴沉默。

妖凤年过来禀道："前方有仙门结界。"

金光道道，巨大无形的屏障将暴风雪阻隔在外，牢不可破，无数仙门弟子立于其中。当先一道熟悉身影，旁边十几位掌门与仙尊，正是虞度、闵云中、玉虚子、昆仑君、明宫主、行玄等人，青华宫卓耀与其余掌门却不在，想是去守其他要道了，以防魔宫声东击西。

重紫看亡月，"这些人实力都不弱，单凭我们，要攻进去希望不大。"

亡月并不在意，挽着她的手至阵前。

魔尊九幽这个名字向来代表着神秘和低调，他好像一直都是站在别人背后看着一切，从来没有锋芒毕露的时候，与仙门交手的记录少得可怜，是以当年人人都只知道万劫之强，却不了解九幽。然而九幽魔宫的发展壮大，又让人不能忽视，仙门许多人都是头一次见到他，更无人知道他的底细，此时对阵，都禁不住面露疑虑之色。

"九幽，你以为凭魔宫现在的实力，就能取胜？"清晰的声音。

"不能，但我的皇后能。"死气沉沉的笑。

远远的，洛音凡站在对面，脸色反而比往常更显平静，他看着她，道："一定要这样？"

重紫扫了周围虞度等人一眼，"到现在，你以为我还能怎么做？"

预料中的答案，没有失望，没有怒意，无悲无喜，他只是淡淡道："那就动手吧。"

"且慢。"一名华服青年自阵内走出来。

重紫看清那人，了然，"卓少宫主要替夫人报仇吗？"

卓昊看着她，"她对你用了锁魂丝？"

"无论用没用，她都是死在我手上的。"衣带飞扬，重紫飘然移出阵，至他面前停下，"我欠你两世的情，如今你妻子的死与我有关，我便让你一招报仇，算是还你的情吧。"

卓昊点头，抬手。

仙力汇集，卷至半空，化作无数细小蓝光撒落，一点一点恰如夏夜里漫天流萤，动人至极。

"这是什么幻术?"

"幻术?这是我们青华宫有名的杀招,叫海之焰。"

"真的?师兄再使一次我看看。"

"你当这是什么,杀招,控制不好会伤人的,我刚练成没多久,能使出这一回已经很难了。"少年停了停,笑道,"待我练熟,天天使给你看。"

534

重紫静静站在中间,没有躲也没有抵抗,只是抬眸朝半空望,任那些细细的光芒朝自己包围过来。

点点萤光,就像少年时的笑脸。

手情不自禁抬起,想要去触摸,想要去留住。

没有疼痛,没有难受,体内有什么东西瞬间抽离出去,被束缚的魂体再次得以自由,反而倍感轻快。

锁魂丝本是南华至宝,然而青华曾有位美丽的医仙,她留下的医书记载,其中无所不有。

闵云中见不对,气得发抖,"你这畜生,素秋就算做错了什么,也终归是你的妻子,如今她被这魔女所害,你还不肯下手?"

重紫道:"我不会承你的情。"

卓昊并不理会那些责骂与鄙夷,淡淡道:"我一直在想你拒绝我,究竟是因为谁,谁知到头来全想错了。秦珂、慕玉,我都猜过,却唯独没有想到会是那个人。"

重紫不语。

面前这些人,她谁也不欠,唯独欠他。

"这是最后一次,从此你我再无关系,素秋始终是我的妻子,我不能替她报仇,是我无能。"卓昊说完,转身就往回走。

魔光乍闪,却是重紫先一步将他制住。

在场都是什么人,岂会看不出他方才的意图,分明是打算自绝于此。众人见状,俱摇头沉默,不知道该说什么才好。

对这魔女,他竟维护到这种地步!闵云中又气又悲,咬牙待要再骂,最终也只长长叹息了声,颓然不语。

剑眉微皱,不复当年潇洒,重紫伸手轻轻抚摸,第一次,也是唯一一次对这个真心爱她却又不断被她伤害的人温柔低语,"你不能这样。"

秦珂已经不在,我只有你,你不能这样。

将昏迷的人送回青华宫弟子手里,重紫轻描淡写,"他报不报仇都没有意义,反正仙门就要覆灭,六界即将入魔。"

虞度皱眉，"紫魔，你死到临头还不知悔改吗？"

重紫道："是谁死，还不一定。"

虞度道："你们太性急了，就凭魔宫现在的实力，攻上南华只是妄想，仙门剑阵已设，你们不妨过来闯一闯。"

重紫看着中间那人。

洛音凡一直静静看着发生的一切，没有任何表示。

重紫浅笑，"这么攻打，免不了要死人的。"

洛音凡点头，"我跟你打。"

自从那夜他当众说带她走，她又亲口承认爱他，师徒暧昧已经毋庸置疑，这种事岂有不传开的。当然，几乎所有人都认为是她缠着他，而他被逼无奈，又不忍伤徒弟，正如当年的雪陵，事情真相，唯有虞度与闵云中心里明白。

重紫是魔，做什么都没人意外，可是他现在的身份哪能出错，徒弟有不伦之心，他断不能有，否则叫人看出来，他还有何颜面立足仙界？眼下应快刀斩乱麻，不要再与她扯上任何关系才是。

闵云中立即阻止，"魔宫除了她，尚有九幽，恐怕是计，音凡，不可贸然出战。"

虞度也要劝说，忽然又听亡月道："重华尊者六界无敌，唯有皇后勉强有资格与他对手，不如我们一战定胜负，倘若魔宫胜，洛音凡不得再插手此事，倘若魔宫败，我便退兵，如何？"

谁也想不到他会提出这法子，仙门魔宫两边的人都大为意外，连重紫也禁不住诧异地看他。

妖凤年急忙上前，"圣君，此计于我等大不利！"

亡月侧脸看向重紫，"皇后此番攻上南华，摧毁六界碑，是不愿伤一人的，甚好。"

重紫移开视线，"你是在讽刺我？"

"如果是讽刺，这种讽刺方式太冒险，也太不聪明。"

"你的术法远胜于我，却让我去应战，是想借他的手杀我？"

"我发的誓还在，不会害你。"

重紫不说话了。

仙门这边也在迟疑，九幽的条件对仙门未免太有利了，简直令人难以置信。洛音凡是仙界公认术法最高的尊者，已是金仙之位，平生几乎从未败过，重紫修成天魔不过才三年，洛音凡取胜的把握应该是很大的，怕就怕他对徒弟心软，下不了手。

闵云中断然道："魔族诡计多端，不可轻信。"

虞度也明白其中利害，道："这种事岂能由你们说了算？先过了这剑阵再说！"

亡月道："如此，那就攻阵吧。"

CHONG ZI 重紫

仙门众弟子闻言，各自紧张戒备，魔兵亦红了眼睛准备进攻，虞度与玉虚子互视一眼，玉虚子道："尊者，可以发动剑阵了。"

洛音凡抬手阻止，缓步走出阵，"依你。"

亡月转向重紫，"盼皇后得胜归来，以慰吾心。"

重紫亦不推辞，倾身领命，飞掠上前。

师徒对面而立，可是有些东西不知不觉中早已改变。

重华宫里，跑来跑去为他端茶递水的孩子，在他怀里撒娇的孩子，卑微的少女，任性的少女，不知何时已经深深刻进了他的心里。

她说要永远陪伴他，可是现在她站在了他的对面。

他说不再让人伤她，可是他自己一次又一次伤她。

……

"有师父在，没人会欺负你了。"

……

"我一定会学好仙法，帮师父对付魔族，守护师父！"

"不是守护为师，是守护南华，守护天下苍生。"

"苍生有师父守护，我守护师父，就是守护它们了。"

……

曾经的承诺，他和她竟是谁也没有做到，保护她的人，其实有很多，守护苍生的人，只剩下了他一个。

怎样的错误，怎样的命运安排，才会让他们走到如今这一步？

逐波剑凭空而现，飞至手中，明晃晃如秋水，他右手执剑，姿态随意，充盈仙力却是数十里外都能感觉到。

重紫抬双臂，左右手现两柄红黑色细长气剑。

没有多余的话，她先发制人，剑尖指处，出现红黑两朵木盆大的莲花，数道青气自莲蕊中生起，似群魔乱舞，迅速围住洛音凡，将他整个人吞没。

极端之魔，浑身充斥着从未见过的强盛魔力。

迟迟不见他动作，仙门众人都捏了把汗。

一声清鸣，逐波带五色光华冲破魔影，变作数丈长的巨剑，成斩杀之势，直劈重紫，又快又准。

重紫半步不让，两柄长剑猛地脱手至半空，翻转倒插下，掀起骇人气浪，两条黑纱飘带仿佛获得生命般，迅速延伸生长，长出数丈，堪比无常的勾魂铁索，直朝对面卷去。

昔日师徒，今日死敌，谁能料到结果？

转眼之间，两人已经走过近十招，下手俱是冷狠无比，全不留半点儿情面，根本就是在拼命，场面惊险万分，观战的所有人连大气也不敢出，紧张中又带了几分兴奋。仙魔顶尖人物对决，纵然当年魔尊逆轮与南华天尊那一战，也没有这样精彩。

气流汇集，漩涡再现。

极天之术施展，仙门众弟子欢呼，虞度与闵云中本来还在忐忑不安，担心他出手会有顾虑，此刻见状同时松了口气，他到底没有变。

"寂灭"之下，重紫终于承受不住仙力重击，后退好几步。

仙门众人俱面露微笑。

勉强接下"寂灭"，不容她喘息，一式"生罪"又到，洛音凡冷然而立，仙咒御剑，凌空结仙印，步步紧逼，看样子是要将她立斩于剑下。

重紫全力接招，侥幸逃过，魔力却已不继，再也忍不住吐出一口鲜血。

恍惚间，对面那高高身影似也晃了下。

自然是看错，因为下一招"往生天"又到。

面对无情的人和无情的杀招，重紫并无半点失望怨恨之色，唯有面对劲敌的严肃与谨慎。她迅速抬手拭去唇边血迹，浑身魔光大盛，足尖轻点，纵身跃上云头，高举双臂合掌于头顶，顿时四方魔气受到牵引，急速汇集，雷鸣声震天地，血光乍现，两柄剑如得神力，快速穿梭来去，拉开一条条红黑色的光束，漫天布起血红咒印，凌空罩下。

底下的人不闪不避，以数百年修为硬受了这一击，攻势始终未断，逐波横扫，将她逼落云头。

左臂被剑风划破，立时有鲜血冒出，浸透纱衣，所幸重紫躯体早已残破，魂魄寄宿于体内魔剑，受这些伤，除了有点困顿，也不至于太难支撑。血很快止住，然而由于实力悬殊的关系，久战之下可就破绽百出了。

仙门众人看出她应付艰难，皆大喜过望，唯有虞度心一沉，"师弟你……你中了锁魂丝？"

白衣飘飞，左臂已现血迹。

没有受伤，怎会流血？

"音凡，怎么回事？"闵云中面色大变。

见他二人这神情，众人便知不假，都骇然。

南华至宝锁魂丝，放眼仙界，无人不知无人不晓，伤人伤己，乃是专门用来制约魔头的法宝，可惜当年祖师一共只炼成七根，现已用去五根，所以更加珍贵，通常情况下是不会使用它的。

本门法宝，要解有何难，唯一的答案，对他用锁魂丝的人，就是他自己。

诛杀紫魔的紧要关头，他竟对自己用了锁魂丝！紫魔若死，他的下场怕也好不到哪儿去，众人面面相觑，不知如何劝他。

就这片刻工夫，重紫又受重创，肩头血急涌。

眼见洛音凡又要使杀招，闵云中与虞度再不敢迟疑，同时上去拦住他。闵云中大怒，"你到底想做什么？糊涂！"

虞度劝道："有事且慢慢商议，师弟这是何苦……"

白衣被血浸湿大片，脸色几乎比衣衫更白，洛音凡没有理会二人，只冷冷吐出一个字，"让。"

"混账！你……为这孽障，你……"闵云中急躁，转身示意虞度，"快些给他解了……"

没等虞度动手，强大仙力猛地爆发，将二人生生震飞。

肩头，唇角，血源源不断往下流，可他整个人仍是稳稳立于云中，恍若不觉，抬左手，凝仙力，半空气流很快重新汇集至一处。

重紫忍不住笑了。

原来他对自己用了锁魂丝，伤她多少，就伤自己多少，他不能放弃责任，就打算陪她一起死！

早知道他是怎样的人，事到如今还有什么可说的，罢了，罢了！

"你以为这样，我就会心软感激你？"重紫又受一剑，索性停了身形，"洛音凡，这样没有意义，我已经在你手上死过两次，你现在这么做，只是想逃避你的内疚，用死来逃避，我永远都不会原谅你。"

不知道有没有听见，他来到她面前，举剑便刺。

重紫再无躲避之处，胸前被刺穿，鲜血溅上白衣，与此同时，亦有鲜血自那白衣里喷出来，溅到她脸上。

"尊者！"

"皇后！"

仙门魔宫两边有人要冲上来，却被他阻隔在无形的结界外。

他的血也是热的？重紫摸摸脸，无力地跌坐云中。

深深黑眸，能容纳一切，此刻里面只有她一个，他静静地看着她，什么话也没有说。

魔宫阵势与想象中相差太远，虚天万魔已出世，却迟迟不见踪影，或许是攻其他要道去了，他已作了周密的安排，后面就该让虞度他们自己解决。

这就是结局。

她有罪，他更罪孽深重，那就让两个罪人一起接受惩罚吧。

心反而不疼了，只是空，很熟悉的感觉，他清楚地记得，第一次对她下手之后也曾有过这感觉，直到现在他才明白，原来那就是心死。

血水四下流淌，分不清是她的，还是他的，染红脚底一片白云，形成一朵凄厉的血丝莲。

538

那句"要杀她，先杀我"，多么令人感动，可惜当它成了今日谋划的一部分，也就不算什么了，他早已亲自决定了结局。

重紫微笑，"收手吧，这样没有意义，就算你跟我死了，我也不可能原谅你，除非南华山崩，四海水竭。"

洛音凡缓缓抬剑，手已经在颤抖。

是，每次对她下手，他就知道会是这个结果，每次都将她伤得彻底，也将他自己伤得彻底，忽然间，他竟想干脆让这一剑刺到自己身上算了，狠狠刺上百剑千剑一万剑。

可是，他还是朝她举起了逐波。

不想伤害，不得不伤害。

没有关系，锁魂丝，伤她多少，就会伤自己多少，她怎么怨他恨他，都没有关系，他会和她一起，她始终是他的重儿。

"师弟！"

"尊者！"

……

"虚天万魔是后招，"重紫忽然提最后的魔力，伸手握住逐波剑锋，与那带毁灭之能的仙力相抗，"你就一点儿不担心，当真要陪我死？"

他终于开口道："仙门自能应付。"

"你对自己太有信心，洛音凡。我求的是生，你却要我死，你以为到了现在，我还会愿意跟你一起死？"力量不减，白皙手掌被锋利剑刃所伤，指缝有血滴下。

"那不重要。"

"九幽的魔力远胜于我。"

剑上压力消失。

果然还是这样，重紫松开手，"你想一起死，不需要我愿意，可惜还有九幽，连我都不是他的对手，虞度他们能有几成胜算？你以为料定一切，跟我同归于尽就能拯救六界？九幽远比你高明，他的计划会令你意想不到，收手吧，你败了。"

洛音凡摇头。

不可能，她在说谎！九幽连天魔也未修成，能有多厉害？她了解他的弱点，故意这么说，就是想让他选择，让他再次舍弃她！

"信不信随你。"重紫疲倦，示意他动手。

剑光轻颤，映照死灰色的脸。

面前的人几乎浑身是血，胸前、肩头、手臂、后背，不知中了多少剑，遍身伤痕，遍身残破，将她伤成这样，到头来她却告诉他是妄想，让他又一次放弃她，这算什么？

是谎言吧，可这一剑再也送不出去。

终于，他以剑指重紫，面无表情地看远处那人，"九幽。"

重紫笑起来。

在责任与爱之间痛苦不堪的人，连死都这么挣扎。

远远观战的亡月亦笑道："要我为皇后出战？恐怕没这个必要了，我的皇后，回来吧，你的任务已经完成。"

呼声骤然爆发，所有仙门弟子脸上都布满震惊与恐惧之色，同时望着一个方向。

周围气流发生变化，察觉异常，他迟钝地转脸。

身后，暴风雪不知何时停了，天地相接之处正有大片紫气冒出，席卷而来，紫气簇拥着一道圣洁白光，笔直冲上九霄。

祥瑞紫气，颜色却在逐渐变深，最终化作魔云，隐隐有天塌之势。

明宫主面无人色，"尊者且看这异象，莫不是……莫非……"后半句话他竟不敢说出口。

"通天门！谁破了通天门？"昆仑君几乎是吼出来。

虞度、玉虚子等几位掌门仙尊全都看洛音凡，洛音凡僵硬地站在原地，望着那些魔云发呆。

她没有说谎，怪不得九幽这么镇定，怪不得虚天之魔明明已现世，却迟迟不见踪影！通天门既破，以虚天万魔之能，摧毁六界碑不需太多力气，此刻纵然放弃这里往回赶，也不可能再改变什么了。

仙门每处要道都防守严密，就算是虚天群魔，也根本不可能毫无声息地就潜入后方，魔宫究竟如何做到的？

果真是天意？六界合当覆灭？

"恭喜圣君，恭喜皇后！"群魔狂喜，不约而同跪下朝拜。

众仙惊惧，不敢相信所看到的一切。

"不可能！"闵云中脸色煞白，"虚天之魔怎能潜入南华？绝不可能！"

洛音凡看着对面的人，茫然。

不知多少次为了仙门苍生舍弃她，可是到头来他才发现，他不仅护不了她，也护不了六界。

重紫毫无意外，站起身看亡月，"是天山那条海底通道，瞒天过海，原来你还是用了这条计策。"

亡月道："你父亲逆轮用过一次，我再用并不奇怪，若非你召唤虚天万魔相助，就算

我能打开那条通道，也无济于事，因为只凭魔宫现在的实力，能穿越那仙魔障的人不多，制伏天山派更不容易，何况还要对付南华留守的弟子，攻破通天门，不是谁都能做到。"

见重紫皱眉，他又笑了，"放心，天山南华的人都没死，只不过六界碑将倒，他们马上就要和仙界一起被摧毁了。"

闵云中吼道："那条通道明明已被我们用五彩石和息壤堵住，你根本不可能再打开！"

虞度缓缓道："你如何做到的？"

怀有同样的疑惑，几乎所有的视线全都落在了那个神秘的魔尊身上，却始终没有人能看透他黑斗篷笼罩下的真面目。

沉寂。

"因为他收回了息壤。"重紫的声音。

"笑话！"闵云中连连摇头，"息壤本是神界之物，神族所有，而今神界早就覆灭了，他只不过是区区魔尊，岂有那般能耐？"

其实别说他不信，所有人都不信的，谁有那么大权力收走神的东西！

"神界覆灭，可是有个神却不属于神界，"重紫盯着亡月，"虚天冥境早已无魔神，你就是转世的魔神，只有你，才有权力收回神之息壤。"

死一般的沉寂。

亡月发出沉沉的笑声，"你不必这么早揭穿。"

重紫道："你在我面前发了多少次誓，每次都那么容易，我一直都觉得奇怪，只不过这件事太不可思议，说出来谁都不信的，我甚至没往这方面想，直到前些日子发现你用魔气惑我心智，那绝非寻常魔气，我才开始怀疑，等到现在才揭穿，是因为之前不敢确认。

"如今你收回息壤，恰好证实了我的猜测。当初你早已料到他们会夺取息壤，所以你故意让阴水仙他们中计，把息壤送给仙门，仙门用它和五彩石修补海底通道，自以为从此安全，不再防备，殊不知你等的就是今天，以神之权力收回息壤，重开海底通道，让他们措手不及。

"神才有修补魂魄的能力，"重紫摇头道，"怪不得你知道天之邪的底细，他却始终猜不出你的来历。你一直是对着自己发誓，说不害我，倒也不假，你只是想借我的手助魔族一统六界。"

亡月道："皇后很聪明。"

重紫还是不解，"你是魔神，你的能力足以颠覆六界，自己来做这些，岂非比我更容易？"

"因为神则，"洛音凡低缓的声音响起，"天神魔神同属天地所生的神族，太强大，必须有天地规则来制约他们。"

亡月颔首，"我有能力守护虚天魔界，护佑我的子民，也有权力惩罚他们中的任何一个，却没有权力干涉其他五界，正如覆灭的天神一族，从不主动侵犯魔界仙界。神的能力在于守护和制约，不在侵犯，我可以通过你去灭仙，却无权亲自动手杀他们，所以我必须成就你，才能完成这个游戏。天谴对你、对我都一样，只不过你们拜我，我拜天。"

真正的强者不需要通过侵犯别人来证明自己，神的强大，神的骄傲，只需通过天地规则就能体现，强者才会需要更多规则，他们的责任在于守护，不是侵略，侵略者，永远不会是真正的强者。

重紫恍然道："怪不得你只接招，从不主动对仙门中人出手。"

亡月道："本来修成天魔，就有资格召唤虚天之魔，谁知当年逆轮一心要大权独揽，怕别人再修成天魔与其抗衡，因此强迫虚天万魔立誓，只听从天魔令调度，最后临死时又用血咒封印了天魔令，此举对魔族的未来大为不利，将希望寄予你一人，乃是他目光短浅之处。我虽然身为魔神，却无权撤销万魔誓言，此番转世下来，就是要为我的子民寻找那个能解除封印的人，那个人就是你。"

他微笑道："如今身份被揭穿，我没有理由再留下，但我此行的目的已将达成，这都是皇后的功劳，请允许我留下来见证这场游戏的结局。"

说话的工夫，天际魔云滚滚，盖过头顶，六界碑圣光渐弱。

重紫不慌不忙掠回魔军阵前，平静地看着对面那群人。

她不想成魔，这些人生怕她成魔，一步步将她逼成了真正的魔，现在的结果实在是个绝妙的讽刺，六界覆灭，只是魔神一场游戏。

亡月道："六界碑将毁，皇后可以下令了。"

原来前几日仙界异象，并不是受虚天万魔出世的影响，而是海底通道重新被打开的缘故。众人无言，不约而同看向中间那人，明知没有可能，却还是忍不住抱了一线希望，给心目中最后的救世主。

白衣血染，眼帘微垂，有看破一切的不在意，也有无力挽救的悲悯与怆然，六界最后的守护者，费尽心力，仍是要接受仙门苍生毁灭的结局。

他远远站在那里，没有劝，也没有说话。

苍生卑微，天地不悯，毁灭只在弹指间，自有重生之日。然天地无情，人却有情，你我都是一样的，眼睁睁看这些无辜生命消亡，重儿，你当真想要六界入魔？

这一切都是他的错，如果她非要这样报复，这样惩罚，他也认了。

打算和仙门苍生共存亡？重紫笑了笑，道："六界碑倒，就是南华山崩，四海水竭。"

要原谅吗？除非南华山崩，四海水竭。

是要仙门，还是要原谅？

天地间，依旧一片寂静。

洛音凡始终还是洛音凡，重紫没有意外也没有失望，平静地移开视线，天魔令自袖中滑出，被她双手托于掌上。

知道她要下达最后的命令，虞度、闵云中等人同时张了张嘴，什么都没有说出来。

美艳的脸，与冷冷的魔光交相辉映，生出种奇妙的效果。

不是美，不是丑，是净，淡到极点的纯净。

忽然记起那个初上南华的小女孩，衣衫破烂，又黄又瘦，一双黑白分明的眼睛，纯净得像水波，会在风浪中鼓励同伴，会在危险的时候挡在别人前面，会默默忍受委屈，会跪在地上哭泣求情。

为什么会变成这样，一念入魔，她从何时开始错的？

所有人都惊恐地发现，这个问题难以回答。

红唇轻启，曼声念咒，表情虔诚。天魔令在咒声中逐渐离开手掌，上升至半空，强盛的魔力，在场每个人都感受到了。

光芒笼罩下，一头青色魔兽隐约现身于云中，形如黑龙，有八爪，口鼻吞吐着团团魔气。

它先朝亡月低头，用那粗重的声音叫了声"主人"。

亡月颔首，"它是看守虚天冥境的魔兽，掌管虚天万魔。"

重紫道："虚天万魔都听命于你？"

魔兽对她的态度明显不像对亡月那么恭敬，高昂着头，"不错，六界碑将倒，现在要让它们全力摧毁吗？"

无数视线会聚在她身上，她的一句话，已能决定六界存亡。

洛音凡终于忍不住出声，"重儿！"

重紫没有看他，甚至没有再看任何人，她陌生得令人不安。她垂了长睫，极为庄重地沉思片刻，才重新抬脸下令，"将它们送回虚天。"

魔兽没有惊讶也没有多问，答了声"是"，随即转身一声吼。

巨吼声震破云天，周围气流激荡，修为浅些的仙门弟子与魔兵都忍不住伸手堵住耳朵，面露痛苦之色。

刹那间，风云突变。

已蔓延至头顶的魔气，顺着来时的方向回吸，就如同迅速消退的海潮，缩回至天边，成为一个小黑点，消失得无影无踪。

蓝天白云再现，凉风习习。

头顶，阳光耀眼。

足底，山河明净。

魔兽消失，所有人都感觉自己做了个梦，犹未反应过来。

亡月叹了口气，道："你等的就是这一刻，这样的结局令我失望，皇后你也让我失望，你不属于魔。"

"生灭循环，不断重复又有何意义，与其毁灭再生，倒不如把现有的世界变得更好。"重紫看着他，语气是发自真心的感激，"你早就料到会是这个结果了，不是吗？谢谢你。"

想通了吧，都说欠她，她何尝不欠别人，那些真心的爱护，并不因他们的离开而消失。她可以毁灭六界，可是六界有她不想也不能毁灭的东西，用最后一缕残魂替她挡下"寂灭"的魔尊，用性命维护丑丫头让她爱惜自己的青年，这样，算得上是一点回报吧？

掌轻翻，天魔令自云端坠落，不知落于何处尘埃之中。

黑纱下摆开始燃起蓝色魔焰，到最后她全身都被魔火包围。

舍弃肉体，只剩魂体依附于魔剑之上，魔血已失，从此再无人能解天魔令封印，再无人能召唤虚天万魔。

虞度等人目睹此情景，嘴里俱是又苦又涩。

一直担心六界因她毁灭，到头来却是由她拯救六界。

"这是皇后自己的选择。"亡月侧身，天地间现出巨大蓝色光束，看样子他是要回虚天冥境了。

"魔神转世！圣君！求魔神留下，护佑我族！"数万魔兵跪拜，流泪高呼。

亡月抬臂，"我的离去将使你们无处可归，但只要你们信我拜我，我自会庇佑你们，仙因魔而生，魔就是对应仙的存在，仙不亡，魔不灭。"

魔众齐声答应，痛哭。

重紫忽然道："你走之前，似乎还有件事没有完。"

亡月叹息不语。

重紫指着他手上的紫水晶戒指，道："那就是你的眼睛，魔神之眼，你我的赌还算不算数？"

亡月点头，"我会满足你一个要求，在我的能力范围之内，你想要什么？"

众人本是伤感，闻言俱转悲为喜，唯有洛音凡全身冰冷。

闵云中忍不住道："当然是赐她新的肉体，消除煞气脱离魔剑了！"

亡月似没听见，再问重紫，"你有什么要求？"

洛音凡脸色灰白，"重儿……"

"请魔神赐还息壤。"柔美的声音，清晰又决绝。

答案出乎意料，所有人都变色，魔神的承诺，魔神的力量，这分明是个绝好的复生机会，她竟然只要息壤！

闵云中急道："修补通道未必一定要用息壤，你……你这孩子！"

"是我们错看了你，你怪我们也是应当的。"虞度摇头，"魔剑迟早会净化，到时你魂魄将无所依附，这件事赌气不得，且看在……你师父面上吧，他其实一直都在尽力护你，你这般恨他，岂非有意叫他伤心？"

重紫听到这番话，没有丝毫意外。

被接受了？原来她的爱，需要这些人来成全吗？原来强者的施舍比弱者的乞求有用，整件事从头到尾是如此可笑。

恨？以前再恨，也及不上爱多，此刻剩下的恨，比剩下的爱还要少吧，爱是什么，恨又是什么，都是一群可怜人的挣扎罢了。

当爱被放弃，恨也变得多余。

重紫重复，"请魔神赐还息壤，封堵通道。"

亡月抬下巴，"如你所愿。"

息壤抛下，万域海底，仙魔通道再次封堵，从此永无后顾之忧。

"你的魂魄如今只能依附于魔剑之上，纵使他们不净化，魔剑也将吞食你的魂魄，那便是你消亡之时，"亡月沉吟，"倘若你愿意将魂魄献与我，随我去虚天冥境，可得永生。"

离开？重紫举目望天际，有点迷茫。

这个世界太大，令她看不透；这个世界太小，容不下许多。所有的事，该做的，不该做的，都已经做完了，注定的命运走到终点，当一切有了结局，她同样没有留下的理由。

云烟掠过，眼中心中，爱恨尽去，一片清明。

于是她粲然了，"好。"

虞度与闵云中等人心一紧，同时看洛音凡，却见他满身是血，纹丝不动站在那里，双眸空洞无神，昔日绝代尊者，如今形同死尸。

无声的，前所未有的，令人胆战的悲怆，淹没天地。

那痛的感觉太浓烈，太凄惨，太绝望，深入骨髓，每个人的心都不约而同被揪了起来，谁也不知道该说什么，现场死寂。

堪不破的情关，要接受这样的结局，他能不能支撑下去还是未知，事到如今唯有劝他放手。虞度暗暗着急，连忙上前安慰道："师弟需为她着想，她魂魄被魔剑所拘，难以保全，留下来反而危险，依我看，让她去冥境更……"

雄浑仙力爆发，恐怖的力量激发气流震荡，犹如天塌地陷，震得所有人承受不住，纷纷后退躲避，洛音凡冷然而立，逐波剑映日，光芒耀眼。

剑光笼罩下，身形逐渐模糊。

"以身殉剑！"玉虚子骇然，"尊者他……他要入魔！"

虞度惊道："师弟，不可！"

五色结界起，将所有人阻隔在外。

那个夜晚，他说："为师只盼你今后不要妄自菲薄，心怀众生，与那天上星辰一般。"

她的心从来都没有变过，灿若星辰。

是他变了，因为在意，所以比别人更害怕，害怕她真的毁灭六界，害怕到不敢相信她。

被牢牢锁在心底的爱，终于冲破理智的枷锁，突如其来的爆发，伤痛、后悔将一颗心生生涨破，四分五裂，让他生不如死。

明明爱她，却逼着自己把她推开，一再伤害，等他想要爱，再要爱时，她再也不肯回头。

她不是魔，他才是魔！

一切都结束了，他在她眼里，真的成了陌生人？她真的连最后的机会也不肯给他了？爱到尽头，已经让他难以接受，怎么可以连恨都没有？在伤害她那么多次之后，他几乎崩溃，如果连她也走了，他又有什么理由留在世上？生死都同时失去了意义！

不要这样，不要这样惩罚我。

想离开？可以，我带你走。

想听"我爱你"？可以，我说。

不原谅？没有关系。你想怎么对我，怎么恨我，都可以。

不要你原谅，我只要你。

……

远处，亡月朝重紫伸手，"把你和你的全部献给我，随我离开，永不后悔，我需要你的承诺。"

"她不会走。"冰冷的声音淹没了她的回答。

奇异光华浮动，翻卷，如带飘浮，如丝游走，如花瓣洒落，日色隐没，天地蒙蒙有光，犹如混沌初开，一片圣洁，令人敬畏且向往。

极天之法，镜心之术。

浑身是血，俊美的脸青白僵硬，已现魔相，目中一片惊心的红赤，状若厉鬼，可怕至极。谁也没有见过重华尊者那样的目光，仿佛要将人撕碎嚼碎，生吞下去。

最仁慈的术法，带来的竟是毁灭。

南华山崩，他做不到，四海水竭，他也做不到，但没有人能再夺走她，就算与她一起魂飞魄散，他也不会让任何人将她带走！魔神也不能！

大约是动静太大，重紫终于转回脸看着他，又像是透过他看着别处，大彻大悟的微笑比任何时候都动人，眼底却是一片空，里面没有他，连恨都没有了。

他终于伸臂，缓步朝她走来，就像当年她无数次顽皮受伤的时候，迎接她的总是这个怀抱。

可她只是笑。

没有喜悦，没有期待，只是站在那里笑。

白光暴涨，刺痛了所有人的眼睛，漫天光影中，他紧紧地抱住了她，看不清她脸上神情，双臂感受到的，是她的木然，了无生气。

可是至少，她还在他怀里。

她不明白，她一直都是他的小徒弟，是他最在乎的人，他或许永远不能放弃责任，但她，也会永远比他重要。

镜心之术，无魔，无你，也无我。

当你的爱已不在，头一次自私地想抱着你，一齐毁灭。

其实在你面前，我从来都不是仙。

……

光芒灭尽，两道人影消失不见，唯余一柄奇异长剑悬浮于半空，其色洁白，形状格外眼熟。

不见半点儿魔气，亦无半点儿仙气。

仙剑？魔剑？还是凡剑？

没有人有空去想这个问题，全都呆呆地望着那剑，只觉光洁美丽，明净如冰雪，灿烂若九天星辰。

亡月不知说了句什么，悄然隐没。

正在众人发愣时，那剑忽然冲天而去，穿破茫茫云海，瞬间失了踪影。

第十五章

【尾声】

岁月无尽，沧海桑田。

宽阔的大河，河上一叶轻舟顺流而行，两旁是鲜美桃林，桃花流水，晨雾弥漫，前路云水茫茫，不知通往何处。

白衣仙人坐在船头，身旁站着个十来岁的小女孩，白衫子，白发带，体态轻盈动人。

"师父，我们这是去哪里？"

"到天边，天的尽头。"

"那很远啊。"

白衣仙人浑身一震，侧脸，"水仙……不想跟师父去了吗？"

"没有啊，"看清他眼中的伤心，女孩慌忙摇头，双手拉起他一只手，"师父去哪里，水仙就去哪里！"

"真的？"白衣仙人淡淡地笑。

"真的。"

……

天涯何处，云水之间，小舟从此逝。

前世，你为我入魔。

今生，我为你成仙。

茫茫雪山，山腰以上都笼罩在冷云冷雾里，看不到山顶，两个小孩子站在山脚下抬头仰望，一个男孩，一个女孩。

"这山真高，你到这儿来做什么？"

"我想去找神仙，我要当仙门弟子。"

"神仙在哪里？"

"在山上，山上就有神仙，"女孩子信誓旦旦道，"他们每天晚上都会下山，去对面大湖边看星星。"

男孩立即揭穿她，"胡说！朱二叔说他去雪山里打过猎，山上根本没有人，连屋子都没有！"

"他们才没有住在什么屋子里！"

"那他们住在哪儿?"

"他们啊，住在一把剑里。"

"真的?"男孩惊讶。

女孩满脸认真，"真的，我看到过他们。"

男孩不信，"他们长什么样儿?"

女孩子往石头上坐下，捧着脸回忆，"他们长得很好看，哥哥叫姐姐虫儿，姐姐是虫子变的，不会说话，不会动，也不会笑。"

"她不说话怎么办?"

"哥哥就抱着她看星星。"

"后来呢?"

"后来没有了。"

"怎么没有?"

"哥哥抱她钻进剑里去了啦！"

"你骗人！"

……

转眼又到夏夜，长空万里，星河璀璨，男孩女孩并肩坐在湖畔石头上，遥望远处雪山。

女孩忽然神秘道："昨晚他们又出来看星星了。"

"他们?"

"就是神仙啊！"

男孩将信将疑，"他们怎么了?"

"姐姐说话了，哥哥笑了，笑起来真好看。"女孩说完，有点花痴的样子。

"她说什么?"

"好。"

"好什么?"男孩摸不着头脑。

"她说好。"女孩斜她一眼。

"什么好?"

"好就是好！"

......

"快看!"男孩眼尖,抬手指着远处,一缕银光自雪山上掠起,划过夜空,如流星般飞向长河。

女孩喜得叫:"哥哥姐姐真的是神仙!"

男孩故意道:"才不是,他们是妖魔!"

"你胡说,他们是神仙!"

"是妖魔!"

两个孩子正争执不休,一位白胡子老者忽然出现在他们身后,面容慈祥可亲,他拍拍两个小肩膀,"两个小鬼,又跑出来啦!"

"行玄爷爷!"两个孩子跳起来,拉着老者又叫又笑。

老者摸摸胡子,和颜悦色,"你们又吵什么?"

女孩抢先将事情经过讲了一遍。

老者听得点头,"你们说得对,他们暂时住在剑里,不是人呢,可是他们总有一天会回来。"

男孩忙问:"那他们是仙还是魔呢?"

老者也在旁边坐下来,"这个嘛,世上本没有仙与魔之分,心存善念,魔即是仙,心生恶念,仙也可以变成魔。"

女孩疑惑道:"魔怎么是仙,仙怎么是魔,我听不懂。"

老者摸摸她的脑袋,耐心解释道:"就像我们,身上有仙之善念,也有魔之恶念,你信他是仙,他或许就真的变成仙了;你非要因为他是魔,就把他当作魔,不但他是魔,连你也要变成魔了。"

男孩不解,"那我们究竟是仙还是魔?"

老者大笑,重重拍那小脑袋,"傻小子!连这都忘了,我们是人啊!"

—— (全文完) ——

【洛紫篇】

冷清月夜，沉寂的小镇。

一道黑气悄然自远处飞来，翻过矮墙，飘进院子里。

黑气在月光下逐渐凝聚成形，藏进屋檐的阴影里，带起一阵风，院内高高木架莫名翻倒，发出砰的一声。

须臾，房间里响起说话声，在女人催促下，男人无奈起床点灯，推门出来，口里犹自埋怨，"哪里有什么贼，大惊小怪的，听错了吧……啊，原来是这东西！"

他边说话，边下阶过去扶那架子。

房间灯光微弱，身后屋檐阴影更浓，黑暗中，一双血红的眼睛闪着贪婪的光。

诡异的气息弥散，男人隐约察觉到异常，转身去看，正在此时，忽有一道寒光划过小院上空，速度极快，明晃晃的光芒刺得他下意识闭了眼睛。

低哑的叫声远去，听得人头皮发麻。

男人吃吓，"谁？"

寒光瞬间即逝，小院恢复平静，月光冷冷，好像什么事也没有发生过。

"当家的，是什么在叫？"屋里响起女人紧张的声音。

男人扫视周围角落，又特别留意了屋檐下那片阴影，半晌摇头，随口道："是夜猫子叫呢，大惊小怪！"

"你快些进来。"

"来了来了！"男人不耐烦，边朝房间走边嘀咕，"眼花了吧……"

院外巷子里，两道白影现身，一男一女，雪衣长发，容貌绝美，宛如九天下凡的不食烟火的神仙。

"师父让它跑了，它又害人怎么办？"

"那是食梦魔，不会害人，"他轻轻扶着她的肩，示意她安心，动作温柔，声音里更有无限宠溺，"它专食人噩梦，用来修炼，这种魔很是罕见。"

她惊奇，"哈，那它吃了噩梦，不是只留给人好梦了吗？"

"是的。"

"对啊，仙魔本就不该分开看，魔做的也不一定都是坏事，可惜我们把它吓跑了。"

"不吓跑它，它就要吓到人了，"他看看天色，"时候不早，该回去了。"

眼前男女，赫然竟是当年化剑消失的南华师徒。

听到"回去"二字，重紫失望，抱着他的手臂撒娇，"可是我还想去城里看夜市……"

"未修得肉体，不可任性。"洛音凡拉着她就走。

"师父不去，我自己去！"

"是吗？"

"我悄悄走……"

未等她说完，洛音凡猛然停住脚步，"重儿！"

看清目光里那些伤痛之色，重紫知道说错话，后悔万分，连忙摇头解释，"我只是说说，不会真走的。"

他仍将她拉入怀里，紧紧抱住。

百年，整整百年，幸好她终于还是原谅他了，如今他不会再失去她，说也不行。

成为剑灵，原不打算再插手这些仙魔之事，反而是她坚持起来，他这才同意偶尔在暗中插手，重拾责任，变回真正的自己，可正因为如此，他越来越不安，越来越害怕，总担心她会随时随地从自己身边消失，离开。

经历了那样的事之后，怎么忘得掉？怎能再听她说"走"字？

"不可以这样吓师父。"略带责备的声音。

"我不是故意的，"重紫一阵甜蜜一阵心酸，亦紧紧环着他的腰，将脸埋在他怀里，小声道，"我不会走，除非……除非师父再丢下我。"

她也在害怕？洛音凡心一疼，低头，情不自禁在那红唇上轻轻吻了下，"不会，永远不会有那天。"

他都不惜用死来留住她了，又如何丢得下？

岁月无边，物换星移，人间早已变作另一番气象，四海安定，歌舞升平。

城内夜市很热闹，别说酒楼歌楼，勾栏戏曲，只看那大街上，两旁小摊琳琅满目，吃的玩的应有尽有，不时还有挑着担子叫卖的，转弯处的街角，杂耍的正在表演绝技，引来无数人围观。

一对年轻男女自街道尽头走来，女子固然美丽，白衣男人更难形容，步伐从容，神色淡然，一双无悲无喜的眸子仿佛装下了整片夜，吸引无数视线。

　　昨夜实在太晚，重紫只好乖乖地随洛音凡回到剑内，但洛音凡也没有让她失望，今夜果真带着她进城来了。重紫很高兴，在两旁小摊上流连，看看这个，再看看那个，不时跑回他身边询问，他只是任她折腾，很少说话，眉宇间是一片化不开的温柔。

　　忽然，重紫停止动作，愣愣地望着一个方向。

　　"天子脚下，怎能动手打人？"那是个十三四岁的小公子，长眉如刀，小脸冷冰冰的，身后跟着几个侍卫模样的人。

　　他年纪虽小，穿着气势却不凡，几个大乞丐知道惹不起，怏怏地散开，露出中间地上哭泣的小女孩。

　　小女孩穿着破烂，手里捏着半个馒头，怯怯地望了他两眼，然后退回到墙角，低头慢慢地啃馒头，不时拿脏兮兮的手揉眼睛，一张满是尘灰的小脸更加难看了。

　　"丑丫头！"小公子嫌恶，带着下人要走。

　　身后小女孩哭起来。

　　小公子走了两步，停住，半晌侧身道："将她带回去吧。"

　　几名侍卫面面相觑，领头那人上前，"这恐怕……"

　　"一切有我，"小公子不耐烦地打断他，"想不到如今太平盛世，还有这样的事。"

　　侍卫只得应下，过去将那小女孩直接从地上拉起来，小女孩更加害怕，下意识往他身边靠，想要再寻求保护。

　　"跟着我。"小公子冷着脸吩咐，继续朝前走。

　　……

　　视线忽然被挡住，重紫终于回神，望着面前的人，"师父，他……"

　　洛音凡点头，"他已转过几世了。"

　　"真的是他！"重紫欣喜，要追上去。

　　洛音凡不动声色拉住她，"眼下我们尚未修得完全的实体，不能离开剑太久，回去吧，明日再来便是。"

　　"可是我想先看看他。"

　　"来日方长。"

　　重紫丧气地跟着走了几步，停住，"师父不高兴吗？"

　　洛音凡不答。

　　重紫眨眼，"师父不想我见他？"

　　洛音凡略觉尴尬，移开视线，"该回去了。"

　　"师父不说，我才不回去。"

　　"重儿！"

　　"师父会离开我吗？"

"不会。"

"我到哪儿，师父一定会跟到哪儿吗？"

"是的。"

"那我也一样，"重紫垂眸，拉着他的手浅笑，"我不会离开师父。"

洛音凡轻咳，有点头疼。

小徒弟当真是越来越了解他，将他的心思摸得一清二楚。那些人，每一个都曾为她付出过，而他给予她的，始终是太少太少，放眼六界他不畏任何人，唯独在这件事上，他全无信心。

"如果我真的离开了，师父会怎么办？"

"果真如此，为师便散了仙魄……"

"师父！"重紫急得伸手去捂他的嘴。

小徒弟到底还是在意他，不过他说的是真话，自魂魄重生那一刻，他就是完完全全为她而存在，如果没有她，这场重生又有何意义。

"为师当然不会那样做，至少先将你抓回来，重重地责罚。"

"师父要罚我，我还是走了算了。"

"那就一起散了仙魄。"

原来死也可以这么甜蜜！重紫嗔道："师父自私！"

洛音凡默认。

当初太无私，今日才会太自私。

"我要跟师父活得好好的，才不要死。"

"好。"

发现他还是那副淡然不惊的样子，重紫泄气，忽然趴到他怀里，低声笑道："倘若我真的不在了，师父就再喝凤凰泪。"

洛音凡听得好气又好笑，面上也不禁一热。

他的小徒弟当真被纵得无法无天了，敢拿这事取笑他！她哪里知道，凤凰泪早就失效了，他能恢复记忆，根本不是喝的解药。

"我现在可以去看秦师兄了吗？"

"为师陪你去。"

……

转过街角，几个侍卫远远站在旁边，小公子正和人说话，那人三十几岁年纪，长相和蔼不失威严，身旁一柄长剑飘浮在空中，显然是仙门中人，而且地位不低。

半晌，小公子礼貌地作礼，不知说了句什么，那位仙人顿时露出失望之色，摇头叹息，有意无意朝这边看了眼，御剑离去。

"那是虞掌教！"

"是的。"

虞度找上他，最终却失望离去，重紫当然猜出是为了什么，喃喃道："他真的……不愿修仙了。"

"既是他的选择，就不必惋惜，"洛音凡轻声道，"如今看来，人间也未尝不好，你若惦记，今后常来看他便是。"

"我可以常来看他吗？"

"必须有为师陪同。"

昔日两个爱她的人，一个转世忘记，一个找到转世的闵素秋，真的圆满了吧？重紫目送小公子离去，忽然道："虞掌教看见我们了。"

"是的。"

"他为什么不来找你？"

"他知道，我真要回去，不用他来找。"

重紫望着他，"师父想回去吗？"

"这样就很好，不一定非要回去。"

"师父，我不……"

"为师知道，"洛音凡制止她再说，"就算我愿意回去，眼下尚未修得完全的肉身，必须依附剑上，也是不便的。"

说到这事，重紫疑惑地眨眼，"为什么我们能活在剑上，那柄剑里根本没有仙气魔气啊，怎么能保住我们的魂魄……"

当时他也以身殉剑，再施展镜心之术，照理说两个人都要魂飞魄散的，为什么最终却侥幸变成了剑灵？

"上天垂怜吧。"洛音凡拉着她走。

剑里没有仙之气，没有魔之气，却有神之气，此剑得神赐灵气，已成了一柄神剑，所以两个人魂魄才能依附其上，得以保存。剑，就是他们暂时的栖身之地，可最终他们还是得再修炼数百年，才能够修得肉体。

这一切，自然是魔神所赐。

洛音凡没有说破。

她原本要答应跟九幽走，当时的场景犹在眼前，他怎么会告诉她？九幽的成全令他感激，可也不必非要让她也明白九幽有多好。

"那就等师父修得肉身，再回紫竹峰吧。"

"你也随为师回去？"

"我跟师父回去，"重紫转转眼珠，"可是有条件的。"

好啊，越来越厉害，会跟他讲条件了。洛音凡斜眸看她，有点没好气，她应该主动说，会永远陪着他，永远跟在他身边才对！

当然，他会尽可能满足她的条件。

"说吧，又想要什么？"

重紫拉着他的手，没有说话，小脸渐渐红了。

洛音凡俯下脸看着她，意在询问。

重紫红着脸，只是咬唇笑，半晌终于被他看得忍不住，钻到他怀里笑，"我要……要……师父！"

洛音凡皱眉。

她难道还不明白，他早就属于她了。

神仙师父真的太神仙了，让她生气！重紫跺脚，索性勾住他的脖子，迫使他倾身下来，轻声说了两个字。

耳畔热气伴随着蚊子般细细的声音，听到那两个字，洛音凡心一跳，脸上温度逐渐升高，更加哭笑不得。

小徒弟尝到其中乐趣了，可是这些日子下来，她哪里是在双修，在他身下不消片刻就全然忘情，哪还顾得上先前教的双修心法，最后不到一个时辰就讨饶。

也罢，岁月漫长，修炼的时间太多，为何不能忘情？

但小徒弟不给点教训是不行了！

他抬起她的脸，微微扬眉，警告："双修，却不是一个时辰的事。"

"那就……一个半时辰？"

"这叫双修？"

"最多，最多两个！"视死如归地吼完，她羞得重新将脸埋在他怀里，小声央求，"师父……"

洛音凡无动于衷。

今日是非教训不可，休想再让他心软！

一柄长剑飞来，停在二人面前，剑身光洁美丽，世间罕见，众目睽睽之下，洛音凡面不改色，抱着她踏上剑身，化作白光隐入剑内。

长剑瞬间划破长空，消失得无影无踪，周围众人总算回过神，各自惊叹，好在往来的仙门弟子多，这种事也不新鲜，只不过这对男女实在太出色了，真正称得上是神仙眷侣。

"我的恩典，洛音凡非但不告诉她，对付我的子民也半点不手软。"一个声音响起，被夜市里的闹声淹没，"他二人如此幸运，我却要留在冥境忍受寂寞。"

"主人后悔了？"

"不错，我得把我的皇后带回冥境。"

"可惜她不会再跟主人走。"

"五百年现世，我从不缺少机会。"死气沉沉的笑声。

【番外二 雪阴篇】

无际大海，上空无数黑点，却是海鸟来去。漫天霞影下，一道人影负手立于海边岩石上，映着夕阳，浑身被镀上了一圈华丽的金边。

少女御剑而来，远远望着他发愣。

他却发现了，转身，"水仙？"

那一抹微笑比霞光更温柔，少女的脸被映得红了，比初开的桃花还要娇艳，她慢慢地走上前，抿嘴笑了下，神色不太自在，"师父。"

白衣仙人抬起一只手，替她理了理被风吹乱的发丝，柔声责备，"这几天都去哪里了，叫为师着急！"

少女顺势抱住他的手臂，"师父不是说要下个月才回来吗？"

"为师说下个月回来，你就可以乱跑？"

"师父等了我多久？"

"三日。"

"一直在这儿等吗？"

"你说呢？"

师父这三天都站在这里等她？少女既是喜悦又是内疚，"水仙再也不乱跑了。"

白衣仙人不动声色地问："近日陪你玩的人是谁？"

师父怎么知道？少女愣了下，照实答道："是妙音谷的少谷主，叫竺汀，我前日遇见他，他邀我去妙音谷玩了几日。"

见她没说谎，白衣仙人面色好了点，"说了多少次，不得随意结交外人。"

"他又不是坏人，"少女嘀咕，拉着他道，"师父明日也跟我去看看他吧，他真的很有趣。"

"明日我们就要启程离开这儿了。"

"这么快！可是我都答应他了，他还说要送我一台好琴呢！"

白衣仙人皱眉，"不听话吗？"

每次她认识新朋友的时候，总会被师父以各种理由带走，少女虽有不舍，可是也知道师父在生气，只好委屈地答了声"是"。

"天快黑了，我们回船上去吧，"白衣仙人安慰，"听话，将来师父会替你找一台最好的琴。"

少女应了一声，任他拉着朝船上走。

从小到大，他给她的每件东西都是最好的，他是那样宠爱她，可是他始终不明白，她想要的不是琴啊。

竺汀的话在耳畔回响，她忽然觉得被他握着的那只手很烫。

第二日清早，师徒两个乘了大船起航，进行漫无目的的旅程，数月之后抵达北海。时值冬日，北海上漂浮着许多厚厚的冰块，到傍晚，师徒坐在冰上看海豹猎食。

"水仙不喜欢这里？"

"没有。"

这几个月她都没精打采的，与往日大不相同，白衣仙人沉默片刻，将她搂入怀里，"怎么闷闷不乐，还在为竺少谷主的事生气？"

很久没有被他抱过，少女心情好了起来，终于开口道："师父为什么不让我跟别人往来？"

"有师父陪你，不好吗？"

"好……可是师父不在的时候，我一个人真的很无趣。"

"今后师父去哪里，就带你一起去。"

"真的？"

"真的。"

少女没有喜悦，迟疑半晌，忽然鼓足勇气道："师父要这样留我一辈子吗？"

白衣仙人愣住。

十几年，她一直高高兴兴陪伴在自己身边，难道如今她有了什么想法？

"你不愿意陪师父了？"

"我没有！"少女连忙摇头，脸渐渐红了，"我……我只是……"

他微笑着打断她，"水仙愿不愿意帮师父做一件事？"

这么多年都是师父宠着她，为她做了很多，她还真的没替师父做过什么事呢，少女立即直起身，"当然，师父要我做什么？"

"北海里盛产冰灵芝，为师很早就想要一朵了。"

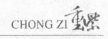

"这点小事，师父不早说！"少女飞快站起身，捏起避水诀，冲他嫣然笑了下，以一个漂亮的姿势跃入水里。

确认她消失，白衣仙人也缓缓站起身，"竺汀？"

结界撤去，一名二十几岁的年轻公子在外面恭敬作礼，"雪仙尊在上，妙音谷竺汀有礼。"

白衣仙人淡淡道："为何一路跟随我师徒二人？"

知道被发现，竺汀有点尴尬，语气倒也镇定，"晚辈追随至此，是想见水仙师妹一面。"

"她不在。"

"晚辈对水仙师妹是一片真心，求仙尊成全。"

一片真心？白衣仙人目光冷了。

竺汀脸微热，再行礼，"晚辈知道，仙尊担心师妹受欺负，但晚辈保证……"

"看在竺谷主面上，今日不与你计较，"白衣仙人打断他，"再要纠缠于她，休怪我不留情面。"

顾及他的身份，竺汀自认很低声下气，想不到仍遭拒绝，他本就年轻，终于也忍不住顶撞道："她只是仙尊的徒弟，仙尊如此不通情理，未免太过。"

"放肆！"

"晚辈斗胆，她并不是以前那位水仙师姐……"

话音未落，就有一股强大力量迎面袭来，竺汀虽早已在防备，可事到临头仍闪避不及，被击得飞出数丈，终于坠海。

"竺师兄！"一道白影自海里跃起，过去将他捞上来。

受伤不重，却得佳人相护，竺汀心中暗喜，正要开口说话，忽然又觉身体悬空，接着就扑通一声重新坠入海里。

"你并没有师兄。"淡淡的声音里，结界重新设起。

被强行摄回，少女红了眼圈，跺脚，"师父为什么要这样？"

"他不安好心。"

"他只是喜欢我！"

"混账！"白衣仙人微怒，"不知廉耻，还不给我回船上去？"

头一次被他骂，少女愣了半晌，哭着跑了。

黑夜，风里透着无数冰寒之气，少女仍抱膝坐在船头，不肯说话。

白衣仙人站在舱门口，有点无奈。

遗忘，提心吊胆地守护……她承受的一切，如今要让他也亲自经历一遍，这就是上天的惩罚。

她注定不能再修得仙骨，全凭他的法力替她续命，正如前世她为他所做的一样。而今他四处奔走，遍寻天下驻颜之药，因为知道她的心结，她绝不会愿意以一副衰老的面容来陪伴他。

可是现在趁他不在，她竟然和那竺汀来往，几个月还念念不忘，难道她喜欢上竺汀了？

眼一冷，心一怒，他直接将她摄回舱内。

少女惊回神，咬着唇又要往外走，可惜门口早就设置了结界，怎么走都是徒劳，气得她大声抗议，"师父这样关着我，不如让我死好了！"

死？她敢用死来威胁他！他冷冷道："现在就想走了吗？"

她挑眉，"对，竺汀喜欢我。"

他噎了噎，怒道："走出这门，就别再回来！"

她赌气，"我才不会回来！"

他当真怔住了。

不回来，她说不回来？在为他做了那么多之后，她不肯再喜欢他，要彻底放弃他了？

俊脸惨白，双目失神，从没见过师父这样子，少女半是害怕半是内疚，心里却莫名有一丝喜悦，上前欲安慰他，"师父……"

冷不防那人忽然伸手，狠狠地将她拉入怀里，低头就吻住了她。

师父在做什么？脑子里乱成一团，少女睁大眼睛，下意识挣扎，由于唇被堵住，只能发出呜呜的声音。

很奇怪，身体开始变软，毫无力气，唇舌纠缠，好像很久之前就有过这样的感觉，非但不想抗拒，反而令人沉醉，不愿醒来，期待着想要更多……

双臂情不自禁去搂他的颈，主动回应。

师父！他是师父啊！犹如当头一棒，少女惊醒，有点惊慌，略略用力咬破他的唇。

痛，终于让他寻回理智，抬脸离开。

"师……师父。"少女满面通红，不知道该说什么。

他愣愣地看着她半晌，白着脸缓缓后退几步，然后匆匆转身，逃也似地出门去了。

手指轻抚唇瓣，还留有他的味道，少女脸颊一片火烧。

没有生气，她是故意的，其实她并不是在气他的控制，而是气他把她关起来，却仍无半点表示。竺汀的表白勾起了她内心潜藏的期待，只不过她一直不明白自己到底在期待什么，更加害怕做错事，因为他是她的师父，她害怕，害怕他会生气不要她了。

眼前发生的一切，令她惊喜。

原来师父……是喜欢她的？那她的拒绝，是不是让他误会难过了？

少女终于反应过来，匆匆跑出门，发现船上空无人影，顿时害怕起来。

"师父!"

"师父你去哪儿了?"

……

整整三日,他全无踪影。

回想他的神情,全不似往日镇定自若的模样,他好像很羞愧,很伤心,因为她是他的徒弟吧?那有什么关系,她就是喜欢他,才不管别人笑话,只要他不生气,她就什么都不怕!

562

可是他在哪里?

少女忽地站起身,走过去躺到床上,合眼。

须臾,一道白影迅速闪进门,"水仙!"

真的来了,少女偷笑。

"水仙!"他快步走近床前,接着就发现不对——她身上有他的仙印,方才察觉她神气消失,吓得他匆匆赶回来了,可是眼前……这不是死灵术吗?

"师父!"来不及反应,床上的少女飞快扑到他身上,眼睛里满是得意之色,每次她出事他都会及时赶回来,这次真的也有效!

"没事就好,"他飞快推开她,径直朝舱外走。

少女追上去,"师父!师父别走!"

"为师不走。"他怎会丢下她一个人,其实他根本就没走远。

"师父!"少女仍拉住他的手不放。

他停住脚步,回身。

少女满脸通红,许久才低声道:"我没生气,师父可以……"

可以?她根本不懂这代表什么!她什么都不记得,自己却趁机对她做这种事!俊脸上神情越发尴尬,他轻咳了声,"天色不早,你先歇息……"

话音未落,忽觉颈间一沉,他情不自禁俯下脸。

未等他反应过来,她迅速踮起脚尖,吻上他的唇。

青涩的吻,毫无经验,根本就是在胡乱吮咬,却足以摧毁他所有的理智,压抑太久的感情,就像浸了油的干柴,一点即燃,抛开所有顾忌,他终于环上她的腰,扣住她的后脑,变被动为主动。

……

轻喘着分开,她软倒在他怀里,小脸红云满布,眼波迷离。

"师父。"想要更多,她却不知道该怎么做。

他只是抱住她,"水仙会不会后悔?可能会有很多人……笑话你。"

"师父会怕吗?"

"不。"

"那水仙也不怕，"她羞得将脸埋在他怀里，小声，"我……喜欢师父这样……"

"要是师父做过对不起你的事，怎么办?"

"师父没有对我不好啊。"

"万一有过呢?"

"师父今后会对我好吗?"

"会。"

"那我就不怪师父了。"

"真的?"

"真的!"

"记住你的话，"他浅笑着低头在那樱唇上吻了下来，不顾她满脸失望，推开她，"不早了，先歇息。"

这样不行，至少现在还不是时候，否则对她太不公平。这三日他已经想得很清楚，现在首要之事就是寻求良药神医，让她变回真正的水仙。

等她记起来，会恨他吧?

没有关系，他会对她好，好得就算她恨也离不开。

【后记】

又一篇故事完结，作者也松了口气，呵呵！在读者监督之下写，还是很紧张的。为啥想到写师徒文？因为在写上一本《天命新娘》时，有读者在文下评论区反映说喜欢师父，来个师徒禁断，作者为了弥补这部分读者的遗憾，特写此文。其实本文原定背景是武侠，万劫此人物原设定是一位悲剧的武林魔头，被作者将构思移过来了，变仙侠，是因为有读者当时在群里提要求，估计受流行风影响。

关于师父这个形象，光是"师父"这词，提起来恐怕第一印象就是儒雅、才高、宽厚与慈爱，当然这是身边调查显示的，像作者这种曾经被老师以不太宽厚的手段修理过的同学例外。生活就是生活，理想和现实终究是有差距的，作者绝不支持在校师生恋。

本书是古代背景，师父设置是单身，这样就无须道德批判了，呵呵。

此文名为写仙侠，其实是借仙写凡，文里的仙魔界，除了法力有夸张之处，和人间没啥两样。

本来不打算单讲爱情，我更想突出人性的，也不是我们常说的一念成仙一念入魔的人性。我的想法是，仙与魔，本就是人性中的两种极端，仙因太完美太多束缚失去幸福，魔因太放纵太阴暗不能幸福，有仙性有魔性，才是真实的人，我们在生活中，其实不必过于去苛求完美，但也必须适当控制和修正不完美。

仙好还是魔好？要我回答，当然是仙好。

这个推崇真性情的时代，常常将反派地位抬得太高，把正派写得卑鄙无耻、一无是处，这实在有点过了。不可否认，反派有它的特点，恶不会灭亡，但世界绝对是善的天下，哪怕是伪善。如本书内容，仙门让人恨得不得了，但必须承认，他们做的多数事是对人有益的。你说虚伪？对，仙界在本文里表现虚伪，但我绝对没有把仙界写得完全虚伪一无是处的意思，就算闵云中执法严厉，在处理女主一事上过分，但是此人所做一切并非为了自己。设想，倘若人人都成为真性情的魔，恶念起就做，没事看谁不爽就去捅谁几刀，这个世界将多可怕！就像前不久某些社会悲剧，那些不去控制恶念伤害他人的人，他们有苦衷，我们同情，但绝对不能纵容，伪君子是伪，但我们需要控制和约束。

作者思考再三，没有把男主写成一个为了女主抛弃责任的人，难以博得更多感动。在作者眼里，责任还是应该大于爱情的，为爱情放弃责任，固然令女性朋友感动，不过这也减少了人物原有的人格魅力，就像战场上为了老婆投降的将军，为追求"真爱"抛弃老婆的丈夫，实际发生，恐怕 MM 们更多是鄙视。这责任，不单是社会责任，也包含家庭责任，作者始终钦佩那些能为家为国牺牲小我的人，因为这样的人现实已经不多了，也正是因为他们比常人苦，作者才想要其幸福，所以本书最终圆满结局，当然称不上甜蜜，可是在作者看来，这样未尝不是另一种幸福。

作者的意思，文章至正文结束，后面补的两篇番外，可以看出作者想要写的真正结局，喜欢甜蜜的同学将它当作正文也无妨，不喜欢的同学就当作恶搞，希望本书读者都能顺利找到幸福。

另外，文内星璨等武器名部分取自刀剑游戏。

感谢支持蜀客的所有读者！感谢悦读纪！感谢晋江原创网！感谢提供图片素材的所有朋友！

蜀客　2010.8.18